커피의 모든것

한 권에 다 있다

All about

COFFEE

김일호 · 박재연 공저

(주)백산출판사

프롤로그

우리나라는 경제성장과 함께 외식시장 트렌드의 변화와 더불어 이의 세분화 및 전문화가 뚜렷해지는 실정이다. 식음료 분야의 다양화로 인한 전문직종의 탄생은 바람직한 현상이라 볼 수 있겠다. 조주전문가(바텐더), 와인전문가(소믈리에), 커피전문가(바리스타, 커퍼, 로스터)라는 직업이 하나의 전문직종으로 각광받고 있다. 지난 수년간 국내의 거대한 시장을 창출한 커피산업은 커피공화국이라고 할 정도로 폭발적인 양적 성장을 하고 있다. 이제 양적인 팽창보다는 질적으로 한 단계 더 성숙하고 있으며 소비자들의 선택폭도 예전에 비해 넓어졌다. 다양한 테마와 브랜드가 있는 카페들의 괄목할 만한 성장과 변화가 커피문화의 다채로운 즐거움을 주고 있어 상당히 고무적이라고 볼 수 있다.

본 교재는 일반교양 위주의 커피 관련 서적과 달리 바리스타 및 커피를 좀 더 체계적으로 배우고자 하는 학생, 카페 창업을 위한 창업자들이 유용하게 사용할 수 있도록 집필하였으며, 아울러 이론적인 부분과 실무적인 부분이 균형감 있게 전달될 수 있도록 노력하였다.

대학교수 및 커피전문가로서 교육기관을 운영하면서 좀 더 체계적이고 실용적인 부분을 구성하기 위해 노력하였지만 부족한 부분이 많으리라 사료된다. 부족한 부분에 대해서는 계속 연구, 지도하면서 보다 충실한 내용으로 수정 보완해 나갈 계획이다. 이 책이 커피에 처음 입문하는 많은 분들에게도 도움이 되었으면 한다.

본서의 집필을 위해 도움을 주신 백산출판사 진욱상 대표님을 비롯한 임직원 여러분께 진심으로 감사의 말씀을 드리고 이 책이 세상에 나올 수 있도록 배려하고 도와주신 모든 분들과 사랑하는 아내 수경씨와 아들 주윤군에게 감사의 마음을 전한다.

김일호

CONTENTS

1 커피, 출생의 비밀

2 산지, 커피를 말하다

3 향기를 만드는 시간의 예술, 로스팅

한 방울의 과학, 추출

– 추출의 과학

– 핸드드립(Hand Drip)

– 추출 따라하기

8 오감으로 느끼는 커피의 세계, 커핑

9 소자본 커피 창업을 위한 플래닝

커피의 모든 것

1. 커피, 출생의 비밀

1. 커피, 출생의 비밀

1. 식물학적 특성

현재까지 밝혀진 커피종은 크게 약 70여 종으로 분류되나 아라비카종만 146여 종으로 현재 세계의 70개국 이상에서 생산되고 있으며, 실제 상업적인 용도로 재배되는 커피는 비교적 생산이 용이한 '코페아 아라비카', '코페아 카네포라', '코페아 리베리카'가 대표적이다. 전 세계의 약 30% 국가에서 음료를 만들고 있으며, 적도를 중심으로 남북회귀선 사이(커피벨트: 남북위 25도 사이의 열대, 아열대 기후지역)에서 자라는 식물인 커피는 기원전 6~7세기경 에티오피아 남서부 카파(Kaffa) 지역에

서 처음 발견된 이래 현대인들의 삶에서 가장 큰 비중을 차지하는 음료 중 하나로 발전되어 왔다. 커피는 꼭두서니(Rubiaceae)과(科)의 코페아(Coffea)속(屬)으로 분류되는 아열대 관목 식물이다. 이 나무의 원산지는 에티오피아의 아비시니아고원이라고 알려져 있는데 생물 분류 방식에 의하면 식물계, 속씨식물문, 쌍떡잎식물강, 용담목, 꼭두서니과, 코페아속에 속한다. 1753년 스웨덴의 식물학자 린네(Linnaeus)는 커피나무를 아프리카 원산의 꼭두서니과 코페아속에 속하는 다년생 상록 쌍떡잎식물로 분류하였다. 모든 코페아종은 이배체(C. canephora 2n=22)이지만, 아라비카종은 이질사배체{4배체: 염색체 수가 기본 수의 두 배인 2배체(2n=2×=22)보다 더 많은 쌍의 염색체를 가진 배수체 중 염색체 세트가 4개인 세포나 개체를 뜻한다. 4배체(2n=4×=44)는 동일한 유전자를 가진 염색체(n)가 4개로 총 염색체는 11개라고 할 수 있다}로서 다른 코페아 품종이 지닌 염색체 수의 두 배이며, 꽃가루에 의해 수정되는 자가수분의 특징을 가지고 있다. 이러한 이유로 아라비카는 다른 코페아종에 비해 종 간의 자연교배가 일어날 확률이 적고 고유한 유전적 특징이 비교적 잘 보존되어 있다. 세포 및 분자 유전학 연구에 의하면, 두 유전자형의 야생 상태에서 자연교배해 탄생했을 것으로 추정된다.

커피나무는 2년이 지나면 흰 꽃을 피우는데 커피 꽃은 하얗게 피어서 거의 1cm 정도이며, 그 향기는 재스민을 닮은 달콤하고 상큼한 향기를 가지고 있다. 꽃잎은 아라비카종 5장, 로부스타종 5장, 리베리카종 7~9장이지만 개화하고 나서 2~3일 피고 바로 져버린다. 꽃이 피는 시기는 산지에 따라 상당히 차이가 있으며 꽃이 지면 녹색의 열매가 열린 후 색이 바뀌면서 붉은색 열매가 되는데 이를 커피체리(Cherry)라고 부른다.

아라비카는 약 7~9개월, 로부스타는 약 9~11개월이 걸린다. 그러나 약 6~7년 정도 되어야만 비로소 상품성 있는 결과물을 얻을 수 있는데 열매는 성숙함에 따라 예쁜 모양으로 변하고 적갈색으로 되어 수확된다. 수확은 일부 기계화되어 있지만 거의 사람의 손에 의존한다. 커피나무는 야생에서 거의 10m 이상 자랄 수 있지만 수확의 편의를 위해 나무의 키를 2~2.5m 정도로 유지시킨다. 나무의 지름은 10cm 정도이며 잎들은 주된 줄기나 가지들에서 서로 마주보고 쌍으로 나며 긴 타원형이고 두꺼우며, 잎 표면은 짙은 녹색으로 광택이 있다. 아라비카는 로부스타에 비해 가늘고 긴 편이며 섬세하고 로부스타는 잎이 넓고 큰 편이다.

커피나무의 지지대 역할을 하는 뿌리는 건기 때 물을 많이 흡수, 저장하기도 하고 토양층의 영양분과 미네랄을 흡수하여 잔뿌리의 개체수를 늘리는데 땅속 약 3m까지 깊이 내려간다. 이 열매의 종자가 커피콩이지만 그것은 외피과육, 파치먼트(parchment)라고 하는 사과의 씨방 껍질처럼 단단한 섬유질의 중간 껍질과 실버킨(silver skin)이라고 하는 은색의 얇은 껍질로 둘러싸여 있다. 커피콩 종자는 보통 두 개의 콩이 평평한 면을 마주하고 생성(플랫빈 Flat Bean)되지만 가지 끝에는 동그랗게 생긴 한 개의 열매만 열리는(피베리 Peaberry) 것도 있다.

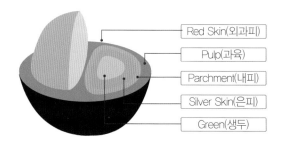

Red Skin(외과피)
Pulp(과육)
Parchment(내피)
Silver Skin(은피)
Green(생두)

커피나무는 인위적인 조건의 관리와 환경 조건에 따라 20~30년까지 수확 생산이 가능하지만 커피의 품질을 위해서 그전에 나무를 교체한다. 또한 커피나무의 성장에 있어 충분한 양의 일조량과 강수량은 중요한 요인 중 하나로 꼽을 수 있다. 아라비카종 나무의 경우 15~24℃ 사이의 계절성 기후에서 더욱 잘 자라며, 로부스타종 나무는 24~30℃ 사이의 일정한 온도와 무더운 기후에서 가장 질 좋은 커피를 생산해낸다. 하지만 두 품종 모두 온도가 영하로 떨어지면 더 이상 생장이 어렵다. 또한 두 품종의 연강수량은 1,500mm 정도이다.

커피나무를 재배하는 전통적인 방법은 커피나무에 그늘이 들게 하기 위해 커피 재배지의 중간중간에 커피나무가 아닌 다른 나무를 심는데(셰이딩 shading) 그렇게 함으로써 가장 강렬한 태양으로부터 열매를 보호하며, 토양의 수분을 저장하는 역할과 토양의 침식을 막고 비옥하게 해준다. 하지만 보다 현대적인 재배방법은 관개수로와 비료를 사용하는 것이다. 이것은 막대한 초기 투자비용이 들어가기 때문에 그 가치와 산출의 경제성을 고려한 상업적인 재배에만 사용되고 있다.

2. 커피품종의 종류와 특징

전 세계에서 생산되는 커피의 품종은 크게 약 70여 종으로 분류되나 아라비카종만 146여 종으로 나뉘어 있으며 대표적으로 아라비카종, 로부스타종, 리베리카종을 삼대 원종이라 하는데, 오늘날 아라비카종과 로부스타종이 전체 생산량의 대부분을 차지하고, 리베리카종은 거의 생산되지 않는다. 일반적으로 이 두 품종의 커피는 약 95%를 넘는 점유율을 차지하고 있는데, 전체 커피 생산량 중 로부스타종이 약 25%, 아라비카종이 약 70% 이상이다.

아라비카와 로부스타 품종 비교

구분	아라비카(Coffea Arabica)	로부스타(Coffea Robusta)
원산지	에티오피아	콩고
주요 생산국가	브라질을 포함한 중남미, 아프리카지역	베트남, 인도네시아, 인도 등

생산	60~70%	30~40%
생산량(ha당)	3,000kg 내외	2,000~4,000kg
연평균 기온	15~24℃	24~30℃
적정 강수량	1,500~2,000mm	2,000~3,000mm
고도	2,500~5,000feet	2,500feet 이하
병충해	약하고 수확량이 적음	강하고 수확량이 많음
꽃이 피고 열매가 익는 기간	9개월	10~11개월
열매가 익는 시기	가을	연중 수시
카페인 함량	평균 1.2%	평균 2%
향미	향미가 상대적으로 풍성하며 신맛과 단맛이 있음	쓴맛은 강하나 바디감이 우수함

1) 아라비카(Coffea Arabica)

아라비카종의 조상은 에티오피아에서 최초로 발견된 커피나무가 전 세계로 퍼져 나가 아라비카라는 커피의 종으로 자리 잡은 것인데, 이것은 전체 생산량의 70% 이상을 차지한다. 20세기 초에 나타난 티코(Tico), 산라몬(Sanramon), 카투라 (Catura), 문도노보(Mundo Novo) 등이 질 좋은 품종으로 유명하지만 아라비카 변종 중에서 가장 오래되고 널리 알려져 품질을 인정받고 있는 품종으로는 버번 (Bourbon)과 티피카(Typica)가 있다. 또한 콩의 크기가 매우 큰 원두로 브라질에서 발견된 코끼리콩이라고도 불리는 마라고지페(Maragogype)는 이 종류에서 돌연변 이종으로 불린다. 아라비카는 대부분의 커피품종이 22개의 염색체를 가지고 있는데 코페아 아라비카는 44개의 염색체를 가지고 있다. 이러한 현상은 아라비카가 자연변이를 거치는 과정에서 생겨난 것이다.

아라비카는 커피 농장에서 영양이 풍부한 알찬 열매를 맺을 수 있도록 가지치기를 하여 수확을 쉽게 할 수 있도록 나무의 키를 2~3m로 유지한다. 아라비카는 상록수로 타원형의 진초록색 잎을 가지고 있고 끝까지 자라면 4~6m까지 자라는데 온전하고 성숙한 열매를 맺기 위해서는 3~4년이 지나야만 한다. 아라비카의 수명은 약 50년이지만 30년 정도가 지나면 수확할 수 있는 생산량이 현저히 감소하며, 다시 재배하려면 나무 본줄기가 땅에서 약 15cm 정도 떨어진 곳에서 자라게 되는데 이것으로 재배해야 한다.

아라비카가 잘 자라기 위한 환경으로는, 연중 강수량이 1,500mm 정도로 지나치

게 습하지 않아야 하고 적도 부근의 고도가 높은 곳(800~2,000m)에서 평균 15~ 30℃를 유지해야 한다. 또 토양은 화산재나 미네랄이 풍부한 땅에서 잘 자라는 경향이 있는데, 뿌리는 그다지 깊게 뻗지 않는다. 대표 품종인 로부스타보다 고급원두인 아라비카는 상대적으로 성장조건이 더 까다롭다.

🫘 대표적인 아라비카 품종

품종	내용	특징
Typica	아라비카 원종에 가장 가까운 품종	격년 생산으로 생산량이 비교적 낮고, 주요 질병과 해충에 취약하지만 좋은 향미를 가지고 있고 크기는 긴 편이다.
Bourbon	Typica의 돌연변이종	품질은 양호한 편이나 모든 질병에 다소 약한 특징을 가지고 있으며 티피카종보다는 비교적 작고 센터 컷이 S자형이며 수확량은 20~30% 정도 많다.
Caturra	브라질에서 발견된 Bourbon의 돌연변이종	브라질에서 발견된 Red Bourbon과 Typica계열의 수마트라종의 자연교배종
Mundo Novo	브라질에서 발견된 Bourbon과 수마트라의 자연교배종	하이브리드종으로 콩의 스타일이 다양하고 적응력이 우수하며 신세계라는 의미의 브라질 종자이다.
Catuai	Mundo Novo와 Caturra의 교배종	병충해와 여러 환경의 변화에 순응하며 자라는 종으로 카투라에 비해 품질이 더 좋은 것으로 평가되지만 생산수명이 좀 짧다.
Kent	인도 고유 품종	콩의 크기가 크고 병충해에 강하며 생산성도 높다.
Amarello	녹색의 체리	유전적인 변종으로 생산성이 높고 키가 작지만 바디감이 강한 특징이 있다.

Catimor	HdT(Hibrido de Timor)와 Caturra의 교배종	생산량이 많고 열매의 크기가 타종에 비해 크며 커피녹병에 특히 강하다.
Timor	아라비카와 로부스타의 교배종	하이브리드종으로 병충해에 강하고 콩의 크기가 전반적으로 양호하나 쓴맛이 두드러지는 특징이 있다.
Maragogype	Typica의 돌연변이종(일명 코끼리 콩이라 함)	콩이 커서 코끼리콩이라고 하며 중남미에서 주로 재배되며 비교적 카페인이 적다.
Peaberry	커피열매에 한 개의 콩만 있는 경우	유전적 결함에 의해 재배되며 전체적으로 콩의 크기가 작고 둥글다. 특히 아프리카에서 재배되는 피베리가 스페셜티 등급으로 판매되고 있다.

아라비카 나무의 가지마다 꽃은 5~12개의 다발로 피고 재스민과 비슷한 향을 뿜는데, 5개의 꽃잎으로 활짝 핀 하얀색의 열매를 맺기 위해 수정한 후 바로 시들어버린다. 커피나무는 보통 1년에 6~7회 정도 꽃을 피우기 때문에 언제나 열매가 달려 있는 모습을 볼 수 있지만, 고도가 높은 지역의 나무들은 1회 정도만 꽃을 피운다. 나무 아래쪽 부분의 잎사귀는 색깔이 무디고 확실한 색을 띠지는 않지만 꼭대기 부분의 잎은 밝은 초록색으로 빛이 나며 5~20cm 사이의 다양한 크기로 끝이 뾰족한 모양을 하고 있다.

2) 로부스타(Coffea Robusta)

현재 세계 커피 생산량의 25%를 차지하고 있으며 브라질의 코닐론(Conilon), 동남아시아의 BP, SA시리즈(인도네시아), S274, BR시리즈(인도), 아프리카 중서부 지역에서 재배되고 있는 로부스타는 19세기 말 서아프리카 콩고에서 발견되었다.

로부스타는 병충해에 매우 강해 생존력이 강하고, 아라비카처럼 고지대가 필요하

지 않으며 저지대에서도 잘 자라기 때문에 전 세계에 급속도로 퍼져나갔다.

로부스타는 산출량이 높아서 대체로 값이 저렴한 캔커피나 인스턴트 건조커피에 사용되는데, 아라비카와 마찬가지로 연중 강수량 약 1,500mm를 유지하고, 평균기온 24~30℃ 사이인 적도 부근 환경에서 잘 자란다.

나무의 수명은 20~30년으로 나무를 심은 지 3~4년이 지나야 첫 번째 수확을 거둘 수 있다.

3) 리베리카(Coffea Riberica)

리베리카종은 아라비카종보다 향미가 떨어지고 지나치게 강한 쓴맛이 난다. 보통 라이베리아, 가이아나, 수리남 지역에서 생산되고 꽃, 잎, 열매의 크기는 아라비카나 로부스타보다 크고 적응성과 내병성이 뛰어나 일부 유럽으로 수출되는 경우도 있지만 대부분 자국소비에 그치고 있다. 원산지로는 아프리카의 라이베리아인데 아라비카종보다 재배역사가 훨씬 짧다.

4) 카라콜리로(Caracolillo)

아라비카종의 커피체리 안에는 두 개의 빈이 자라는데, 유전적인 수정의 결함으로 인해 간혹 한 개만 자라는 경우가 있다. 이러한 빈을 가리켜 스페인어로 달팽이 모양의 콩이라는 뜻의 카라콜리로라고 하는데, 영어로는 피베리라고 한다. 카라콜리로는 콩이 두 개로 되는 대신에 하나로 이루어져 있어서 맛과 향이 보다 응집되어 고급커피로 유통된다. 주로 가지 끝에 열린 체리에서 발견하기 쉽고, 그 열매가 다른 열매보다 비교적 둥글어서 육안으로 식별이 가능하다.

유명한 카라콜리로는 에티오피아에서 생산된 모카하라와 탄자니아에서 생산된 프리미엄이 있는데 카라콜리로만 따로 골라 수확을 하려면 인건비가 많이 드는 단점이 있는 반면에 높은 가격에 판매할 수 있어 이 카라콜리로를 수확하기 위해 많은 힘을 쏟고 있다. 또 별도의 카라콜리로의 육종재배를 위해 노력하고 있는 지역도 있다. 카리콜리로는 다른 커피와 비교하여 풍미에서 별다른 차이점이 없지만 커피애호가들은 '커피의 보배'라고 예찬하며 발견하기만 하면 높은 가격에 구애받지 않고 구입을 한다. 이러한 것을 바라보는 마니아들은 "귀한 커피가 아니냐"라고 하지만 일반 전문가들은 냉혹하게 이런 상황을 비판하기도 한다.

 커피품종이 좀 다른 것이 있는데 동그랗게 생긴 것은 어떤 커피인가요?

보통 커피는 플랫빈(Flat Bean)이라고 하는데 커피열매 안에는 생두가 각각 2개씩 들어 있다. 하지만 가끔 생두가 하나만 들어 있는 경우가 있는데 이것을 피베리라고 한다.

이것은 유전적인 변이에 의해 생긴 커피라고 할 수 있다. 처음 생두의 크기로만 등급을 매기던 때는 이 종이 커피 맛에 부정적인 영향을 미친다는 이유로 따로 골라내기도 했지만 요즘은 결점두가 아닌 스페셜티 커피로 상당히 각광받고 있다. 특히 아프리카에서는 케냐와 탄자니아 피베리가 유명하다.

이외에도 마라고지페, 롱베리 등 유전적인 변형에서 오는 다양한 콩들이 있다. 마라고지페는 코끼리콩으로 중남미에서 재배되고 있고 롱베리는 에티오피아 하라섬에서 주로 재배되는 길쭉한 모양의 생두라고 할 수 있다.

5) 품종 계통도

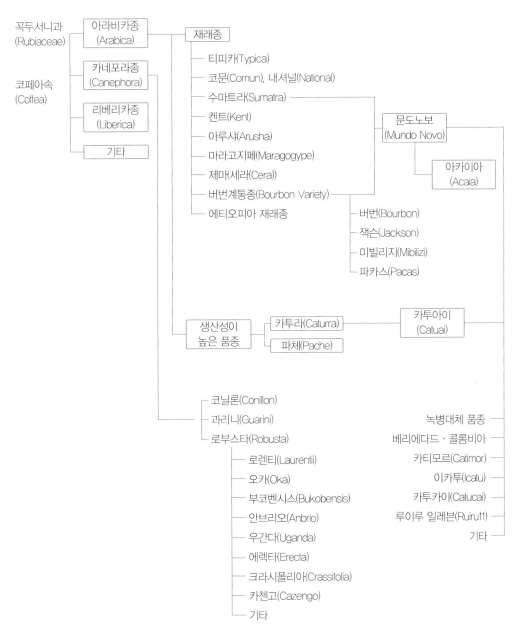

3. 커피의 재배와 가공

현재 커피는 전 세계 국가의 약 30%인 70개국 이상에서 생산되고 있다. 이 커피나무의 원산지는 에티오피아의 아비시니아고원이라고 알려져 있는데 이 나무는 꼭두서니과의 상록 소교목이라 불리는 것이다. 이 나무는 종자를 뿌리고 3~5년 후에 열매를 맺는데 재배용은 수확하기 용이하도록 보통 1.5~2m로 자라도록 손질되지만, 수목은 6~8m로 성장한다. 나무 껍질의 색깔은 회백색이고 가지의 좌우에서 2개의 잎이 대칭적으로 나는데 잎의 표면에서는 광택이 난다.

커피 꽃은 개화하고 나서 2~3일간 핀 후 바로 져버리는데 이 꽃잎은 아라비카종과 로부스타종이 5장씩, 리베리카종은 7~9장이며 색깔은 흰색을 띠고 있다. 향기는 재스민향과 비슷한 향이 나는데 아라비카종은 자가수분으로 수정이 이루어지고 로부스타종은 타가수분, 리베리카종은 바람에 흩어지기 쉬운 가벼운 꽃가루로 되어 있어서 쉽게 수정이 이루어진다. 꽃이 피는 시기는 재배되는 지역에 따라 상당한 차이가 있는데, 커피나무 가지에 맺히는 열매는 완전히 성숙하면 색이나 형태가 앵두와 유사하여 Cherry 또는 Coffee Cherry라 불리게 된다. 개화한 후 6~8개월 사이에 서서히 열매가 커지고 밝은 초록색에서 붉은색으로 변해간다.

열매는 보통 붉은색을 넘어 적갈색이 될 때 수확하는데 대부분 사람의 손으로 수확이 이루어지나 일부는 기계화되어 있고, 수확 가능한 기간은 20~30년 정도이다. 커피콩의 종자는 보통 두 개의 콩이 평평한 면을 마주보고 생성되는데, 전체적으로 동그랗게 생긴 한 개의 열매만 열리는 것도 있다. 커피콩은 커피나무 열매의 씨로써 중간 껍질인 과육 및 파치먼트(Parchment)라고 하는 단단한 섬유질과 은색의 얇은 껍질인 실버스킨(Silverskin)이라는 것으로 둘러싸여 있다.

1) 커피의 재배조건

(1) 커피나무가 자라기에 좋은 기후

① 강수량

커피 재배에는 연간 1,200~1,600mm의 강  우량이 필요하지만, 열대지역은 건기 때 물 부족 현상이 자주 일어나 관계설비가 필요한 경우가 많다. 커피나무는 건기가 끝날 때 내리는 비의 자극으로 꽃을 피운다. 브라질처럼 우기와 건기가 명확히 나뉘는 곳에서는 한꺼번에 개화하지만, 인도네시아 수마트라처럼 기온의 변화가 적고 건기가 없는 곳에서는 꽃피는 시기가 모두 달라서 꽃이 진 후에 장기간에 걸쳐 수확이 이뤄진다.

② 기온

커피 생육은 기온에 많은 영향을 받는데, 평  균 기온 22℃ 정도인 고지대가 커피 재배에 적합하다. 기온이 높으면 열매가 빨리 맺히고 과다 재배로 나무가 쉽게 쇠하며, 녹병이 발생하기도 쉽다. 반대로 기온이 너무 낮으면 나무의 생육이 늦어져서 수확량이 저하된다. 고지대 재배에서는 낮과 밤의 기온차가 큰 것이 좋지만 그 차이가 20℃를 넘지 않는 것이 좋으며, 연교차는 적은 편이 좋다. 일반적으로 0℃ 이하에서는 잎의 조직과 가지가 말라 죽는다.

③ 고도

중앙아메리카, 콜롬비아, 동아프리카 등은 1,000~2,000m 정도가 재배에 적합한 지역이다. 중앙아메리카에서는 고도의 높이가 곧 고품질의 커피를 의미한다. 그러나 고도가 100m씩 높아질수록 평균 기온이 약 0.8℃씩 낮아지기 때문에 1,800m의 고도에서는 나무의 성장이 더뎌지고 고도가 2,000m를 초과하면 재배가 어려워진다. 에티오피아 아디스아바바(Addisababa) 지역이 고도 2,000m에 위치해 있으며, 이르가체페(Yirgacheffe) 지역에서는 그보다 높은 곳에서도 커피나무가 자란다. 단, 적도에서 멀어질수록 기온이 낮아지므로 1,000m 아래 있는 지역에서도 재배가 가능하다. 북위 19도에 위치한 브라질 지역의 고도는 900m 전후이다. 참고로 고도가 높은 지역에서는 기온의 일교차가 크기 때문에 열매가 잘 응축되어 산과 바디가 풍부해진다. 티피카와 버번은 고도가 높은 생산지에서 재배하기에 적합하다.

(2) 커피나무가 자라기에 좋은 토양

커피나무가 잘 자랄 수 있는 대표적인 지역으로는 아프리카의 고원지대와 중미의 고산지대, 남미의 안데스산 지역 등이 있다. 이 토양은 대부분 화산작용으로 화산회질과 부식토가 잘 어울려 있어 질 좋은 커피를 생산하는 데 적합한 환경을 가지고 있다. 이러한 토양은 유기물이 풍부하고 습기가 적당하며 배수가 잘되는 비옥한 토양으로 커피가 자라기 좋은 땅이다. 브라질의 유명한 '테라로사' 역시 부식토가 충분하고 포타슘, 석회, 질소, 인산이 다량 함유되어 풍작을 거두기 안성맞춤인 토질이고, 에티오피아의 커피가 생산되는 아비시니고원(Abyssinia)은 화강암의 풍화에 의해 형성된 부식토 함량이 높은 토양으로 커피나무가 자라기 좋은 토양으로 볼 수 있다.

커피 재배 토양의 조건

적절한 토양	부적절한 토양
• 화산암, 화산재, 충적 침전물로 구성된 토양 • 약산성(pH 5~6)의 깊은 표토층 • 투과성이 우수하며 배수능력이 좋은 다공질의 토양환경	• 물의 저장능력이 좋지 못한 얇은 표토층 • 배수능력이 좋지 못한 토양층 • 화강암성 토양층

(3) 지형과 지도

커피 재배에 적합한 구조로는 경사진 언덕이 다소 좋은데 표토층이 깊고 배수가 잘되어 경작이 용이한 이유 때문이다. 대체로 아라비카종은 재배 기온이 낮은 고지대에서 성장 및 재배가 용이하며 로부스타종은 반대로 다습하고 고온의 저지대가 적합하다. 고지대일수록 조밀도가 높아 맛과 향이 더 풍부하고 콩의 색깔도 더 밝고 진한 특징이 있으며 신맛이 더 자극적이다. 저지대에서 생장하는 로부스타는 온도가 높고 습도가 높은 환경에서 재배되어 향과 신맛, 바디감 등에서 전반적으로 아라비카에 비해 컵 퀄리티(Cup Quality)가 떨어지는 특징이 있다.

2) 커피나무의 성장과정

커피나무는 두 번 정도 이종과정을 거쳐 최종 경작지인 커피농장에 심어지는데, 상업적으로 재배되는 커피나무는 모판을 만들어 씨를 뿌리면 2개월 뒤에 싹이 나오고 8개월쯤 지나면 비닐봉지나 흙을 담은 조그만 상자로 옮겨 묘목을 길러낸다. 이식된 커피나무는 한 그루당 2,000개 정도의 열매를 채취할 수 있는데 이는 가공된 커피의 500g에 해당되는 양이다.

커피나무는 3~4년 정도 지나면 꽃을 피우고 열매를 맺는데 수확 적정시기가 되려면 5년 이상 자라야만 한다. 커피나무를 그냥 자라도록 내버려둘 경우 6~10m까지 자라지만 알찬 열매를 수확하기 위해선 2m 크기로 조절한다.

커피 꽃은 바람이나 곤충에 의해 수정된 뒤 어두운 녹색의 열매를 맺게 되는데 이 상태에서 9개월 정도 지나면 붉은색으로 익어 수확할 수 있게 된다.

① 종자 씨앗은 주로 그물망을 이용하여 건조되는데 건조시켰다가 다음에 사용할 수도 있고, 바로 심어질 수도 있다. 종자 씨앗의 건조상태와 보관상태만 좋다면 몇 년 후에도 발아시킬 수 있으며, 이런 종자 씨앗을 얻기 위해서는 잘 익은 커피열매를 골라내어 내과피, 과육, 껍질을 제거하여야 한다.

② 씨앗을 모판으로 옮기기 전에 씨눈이 나타나게 하는 과정으로 모래판에 반쯤 묻히게 놓고 그 위에 지푸라기나 촉촉한 삼베포를 덮어둔다.

③ 모판에 씨눈이 나온 씨앗은 약 20~30cm 간격으로 약 4~5cm 깊이로 심는데, 보통 묘목용 화분이나 모판을 사용하고 모판의 각 면은 1m 길이에 깊이 40~50cm로 설정한다.

④ 잎이 나오고부터 묘목이 20~40cm 정도까지 자라려면 약 4~5개월이 소요되는데 이후 재배지로 이식된다.

⑤ 재배지로 심어진 나무는 2년에서 3년 정도가 지나면 꽃이 피게 된다. 이 꽃은 다시 2일에서 3일 정도 만에 지게 되고, 아라비카는 특성상 자가수분 특성을 지녀 곧 작은 연두색의 커피열매가 열리게 된다. 이 상태로부터 8개월에서 11개월 정도 뒤에 붉게 익은 열매를 수확할 수 있다. 이 열매를 흔히 체리라고 부르는데 그 이유는 색깔과 모양이 체리와 비슷하기 때문이다. 체리를 수확할 때 손으로 한 알 한 알 수작업으로 진행하는데 한 나뭇가지에도 덜 익은 체리와 잘 익은 체리가 함께 있기 때문이다. 고급커피의 경우 이렇게 수확되는데 저급한 품종이나 로부스타는 기계로 수확하거나 가지째로 훑어서 한 번에 많은 양을 수확하기도 한다.

3) 생두의 가공

그린빈의 과육은 수분과 당분으로 이루어져 병충해의 염려가 크고 과육 변질의 위험성이 있기 때문에 커피체리를 수확한 즉시 생산공정을 거쳐야 하는데, 이 공

정은 겹겹이 빈을 싸고 있는 껍질들을 벗겨내
는 일이다. 이 일은 생두의 품질에 직접적인 영
향을 미치는 아주 중요한 작업이다. 커피체리
의 구조는 외피, 깍지(실버스킨), 내피(파치먼
트 스킨), 펄프(과육), 빈으로 구성되어 있는데
빈을 분리해 내는 방식은 자연건조(Natural)방
식, 수세(Washed)방식, 펄프드 내추럴(Pulped
Natural)방식, 수마트라(Sumatra)방식 등으로 나눌 수 있다.

(1) 자연건조(Natural)방식

브라질, 에티오피아, 예멘 등지에서 전통적으로 이용하는 방법이다. 체리 상태 그
대로 시트 위에 올려 천일건조시킨다. 가장 간편한 방법이지만, 미숙두의 혼입 가
능성이 높다는 단점이 있다. 과거에는 나무판에 수확한 체리를 깔아 햇볕에 말렸는
데 이 방법은 세척방식에 비해 비용이 덜 드는 방식이고, 요즘에 와서는 보통 콘크리
트 바닥에 깔아 말리는 작업을 한다. 콘크리트 바닥에 깔아서 말리는 이유는 나무판
에서 말리면 빈에 감염되는 불순요인이 많기 때문으로 이 요인을 줄이는 것과 콘크
리트에 말림으로써 복사열을 받아 빈이 훨씬 빨리 마르는 효과가 있기 때문이다. 바
로 이러한 건조방식을 내추럴 커피(Natural Coffee)라고 부르며, 서아프리카 지역
에서 주로 채택하고 있는데 이것의 특징은 세척방식의 사용으로 생산한 빈에 대해서
좀 더 중량감이 있다는 것과, 커피 맛에서 과실수의 풍미와 생산지의 토질감을 느낄
수 있다는 것이다. 우선 수확한 체리에서 덜 익거나 너무 많이 익어버린 것, 상처 난
것을 구별하는 작업을 거치고 손으로 키질을 하여 이물질을 제거한다. 그런 다음 오

염물질을 제거하기 위해 가볍게 물로 세척하고 규칙적인 써레질로 빈이 햇볕을 고루 쬐게 만들어준다. 기온이 떨어지는 밤에는 체리를 보호하기 위해 덮개를 씌우고, 비가 올 경우에는 건조실로 옮겨 실내온도를 45~60℃로 유지할 수 있도록 히터로 말리기도 한다.

생두가 최적의 수분함량을 보유할 수 있도록 하기 위해 자연건조법을 쓰는데 이것은 3~4주 정도의 기간이 소요된다. 다음에 외피를 파쇄해 내야 하는데 파쇄하기 전에 부서지기 쉬운 상태가 되도록 일조량에 따라 최소 10일에서 최대 2~3주간 햇볕에 말려 진한 갈색으로 변하게 한다. 외피를 파쇄하면서 생긴 이물질과 불순물들을 손으로 골라내거나 체를 이용해 제거하고 내피에 싸인 생두를 선별하여 생두에 수분이 지속적으로 자연스럽게 빠져 최적의 수분함량을 보유할 수 있게 약 1주간 건조시켜야 한다. 농장단지 내에 벽돌로 지은 안뜰의 콘크리트 바닥이나 허리 높이 정도로 설치한 거대 매트에 널어 말리는데 그 이유는 바람이 잘 통하고 햇볕을 고루 쐴 수 있게 하기 위함이다. 이 과정은 생두의 품질을 결정하는 데 가장 중요한 단계이다.

생두를 충분히 말리지 않으면 수분으로 인해 박테리아나 곰팡이, 진균 등이 생겨 생두가 상할 수 있고, 너무 건조되면 내피를 벗기는 과정에서 깨진 콩이 많이 나오게 된다.

(2) 수세(Washed)방식

콜롬비아, 탄자니아, 케냐, 과테말라 등 많은 생산국에서 이 방법을 이용하고 있다. 물을 많이 사용하기 때문에 수원(水源)이 필요하다. 과육 제거기로 체리를 탈각한 후에 점액질이 부착된 파치먼트를 수조에 넣어 (물을 채우는 경우와 물을 넣지 않는 경우가 있다) 자연발효시킨다. 생두 본래의 질을 보존하고 균등질의 생두를 생산할 수 있는 방법인 세척법은 수확 후에 커피체리가 공기에 노출되는 시간을 최소화(12~24시간 이내)시킨 후 바로 가공할 수 있어서 좋지만 이 방식은 일정한 설비를 갖춰야 하기 때문에 경비가 많이 들고 조심스러운 점도 있다. 이렇게 자연건조법으로 생산된 그린빈보다 높은 산도를 천연 그대로 유지할 수 있고 밝고 깨끗한 맛을 낸다는 평가를 받은 이 방식으로 생산된 그린빈들은 대부분의 경우 품질이 더 좋기 때문에 더 비싼 값으로 팔리고 있다. 우선 표면이 움직이도록 특별히 고안된 기계장치의 물탱크 속에 체리를 넣고 외피를 벗겨낸 후 생두에 끈적끈적한 점액질의 과육이 남아 있는 상태로 발효시킨다.

발효가 진행되면서 생두의 성질에 지대한 영향을 미치는 당분이나 다른 물질들을 제거하기 위해 깨끗한 물을 보통 3~5회 정도 갈아주며 발효시키는데 보통은 발효탱크에 넣어 숙성시키는 습식발효(Wet Fermentation)를 한다. 보통 숙성시간은 하루에서 길게는 이틀 동안인데 이것은 빈의 상태와 농장지대의 고저, 기후에 따라 다르다. 이 발효과정이 세척방식의 핵심이다. 또 다른 세척방식은 외피를 벗겨내고 자체 발효시키는 것인데 이것은 건식발효(Dry Fermentation)이다. 어떤 방식이든 생두에 붙어 있던 과육을 떼어내고 파치먼트 스킨에 싸여 있는 상태로 물로 충분히 씻어내야 한다. 이런 방식으로 생산되는 커피로는 과테말라 커피가 있다. 깨끗해진 빈은 생두의 최적 수분함유량인 12%를 유지할 수 있도록 기계설비를 갖춘 인공건조실에서 잘 말려야 한다. 빈 10kg당 약 100리터의 물이 쓰이는 워싱채널 설비로 닦아내는데, 건조시간은 건식방식에 비해 1/2 정도로 짧다.

(3) 펄프드 내추럴(Pulped Natural)방식

이것은 체리를 수확하자마자 외피를 꺼내 파치먼트에 달라붙은 점액질을 제거하지 않고 과육에 둘러싼 채로 말린 후 말라붙은 과육을 벗겨내는 과정인데, 과육 제거 후에 점액질이 붙은 상태의 파치먼트를 건조하는 것이 일반적인 방법이다. 또한 기계(Aqua Pulped)로 점액질의 전부 또는 일부를 제거하고 건조하는 방법도 있다. 기계로 점액질을 제거하는 경우를 세미 워시드(Semi Washed)라 부른다. 점액질은 당질이며, 브라질에서 이런 방법이 많이 이용되기 시작하면서 커피에서 단맛이 느껴진다는 의견이 증가했다.

내추럴의 경우 미숙두의 혼입률이 높아 이를 피하기 위해 세척법과 건조법을 절충한 방식으로 브라질에서 개발된 정제 방법으로 수조에서 완숙두와 미숙두, 과도 완숙두를 선별하고, 탈각할 때 다시 한번 미숙두를 제거한다. 체리를 수조에 넣으면 과도 완숙두와 기타 가벼운 이물질들은 수면으로 떠오르고, 완숙두와 미숙두는 가라앉는다. 가라앉은 체리를 과육 제거기로 넘기는 과정에서 완숙두와 미숙두로 나누어 완숙두만 사용하면 결점이 감소하여 스페셜티 커피가 될 가능성이 높아진다.

2000년대 후반부터는 코스타리카의 소형설비인 마이크로 밀(Micro Mill)에서도 이용되기 시작했다. 코스타리카는 농업이 발달해서 대형밀에서 대량생산하는 것이 일반적이다. 스페셜티 커피의 수요가 증가하면서 소량 생산의 요구가 확대되자 각자 과육 제거기를 도입하여 파치먼트를 건조시켜 부가가치가 높은 커피를 만드는 농원이 생겨나기 시작했으며, 현재 200개 이상의 마이크로 밀이 있다.

(4) 수마트라(Sumatra)방식

인도네시아의 여러 지역 중에서도 수마트라에서만 행해지는 특수한 방법이다. 일반적으로 만델링이라고 불리는 커피는 이 방법으로 정제된 것이다. 대부분이 소농가이며 체리를 수확한 후 과육을 제거하고 파치먼트 상태로 12시간에서 24시간 정도 건조한다. 그 후 중간상인이나 수출 회사 등에 수분치가 높은 상태의 파치먼트로 판매한다. 중간상인들은 이를 탈각하여 생두 상태로 만들어 천일건조한다. 수마트라는 비가 많은 지역으로, 주된 수확기 이외에도 계속해서 체리를 수확할 수 있기 때문에 빨리 건조할 수 있는 이러한 방법이 고안되었고, 이런 과정에서 독특한 풍미가 만들어진다. 풀내음, 잔디, 허브 또는 삼나무, 편백나무 등의 신선한 나무 향, 천연가죽 또는 오렌지, 파인애플 등의 과일 향까지 다양한 향미를 지닌다.

4. 생두의 보관 및 그린빈의 명칭

1) 생두의 보관

실버스킨에 둘러싸여 있는 생두는 껍질과 빈의 분리과정을 거친 상태이다. 생두의 품질이 변질되지 않게 생두를 보호하기 위해서는 실버스킨에 둘러싸여 있는 상태 그대로 창고에 보관된다. 창고의 위치선정과 설비는 매우 중요한데 이는 습도조절이 매우 중요하기 때문이다. 창고의 위치는 생산지와 인접한 곳이어야 하고 산소량이 적은 높은 곳에 있어야 하며 습도를 유지할 수 있는 곳이 가장 안전하다. 이렇게 안전한 곳에 설치되어 있는 창고 내에서 잘 가공되어 탄탄한 구성을 가진 생두도 내부적인 손상을 입을 우려가 있는데 이는 빈 자체에 함유되어 있는 물질로 인해 생화학반응을 일으킬 수 있기 때문이다. 생화학반응을 일으킨 생두의 경우 커피의 맛이 거칠고 목질의 풍미가 나게 되는데, 생두의 어떤 성분이 다른 성분으로 바뀌는 점에 대해서는 아직까지 극복방안이 마련되지 않았다.

2) 선별

창고에 보관되어 있는 생두의 속껍질을 까는 작업은 판매가 이루어져 출하가 결정되어야 실행된다. 탈곡을 마친 그린빈은 색깔, 밀도, 크기에 따른 선별과정을 거쳐 등급이 매겨진다. 정상적인 그린빈은 수확량의 반을 넘기기 힘들 정도로 불량률이 상당히 높은데 이렇게 높은 수치는 탈곡과정을 거치면서 생겨나게 된다. 그린빈의 선별과정은 특별히 제작된 기계를 이용하여 스크린테스트라는 심사과정을 거쳐 크기별로 구분되는데 이 테스트는 빈의 두께, 넓이, 길이 등을 체크하는 시스템이다. 크기별로 나눠진 빈들은 공기분해를 실시하는데 이것은 무거운 빈과 가벼운 빈의 밀도를 체크하기 위해서이다. 그 다음은 그린빈들의 껍질이 깨지거나, 상처가 나거나, 과다 발효된 것들을 제거하는 과정을 거치는데, 컨베이어 벨트 위를 지나는 그린빈들을 숙련된 인력들을 동원하여 눈으로 보면서 일일이 손으로 골라내는 작업이다. 최근 들어 살짝 흠집이 있어 육안으로 구별하기 어려운 결함을 가진 그린빈을 골라낼 수 있고 선별속도도 빠른 레이저 전자기계를 이용하여 선별하기도 하는데 이 시스템은 아직 숙련된 인력의 수작업을 대체할 만큼 완전치 못하다는 단점이 있다. 이러한 전자기계를 이용한 선별은 고급 그린빈의 최종단계에서 수작업을 거친 후에 이루어진다고 한다. 또한 고급 그린빈의 생산을 위한 마지막 단계에서 표면을 잘 닦아 윤을 내는 과정을 추가하여 탈곡과정에서 남아 있을 수 있는 이물질을 제거한다.

3) 출하

선별된 그린빈은 일정 무게씩 포대에 담아 포장하는데 이 과정은 보관과 운반을 쉽게 하기 위함이다. 포장재는 마로 제작되는데 온도와 습도의 변화로부터 그린빈을 보호해 줄 수 있고 내·외부 압력을 잘 견딜 수 있기 때문이다. 이 포장재는 나라마다 조금씩 다르지만 포장단위는 백  (Bag)을 쓰며, 보통 60kg짜리 포대로 만들어 보관한다. 포대에는 그린빈의 품질을 가늠할 수 있는 주요 정보가 표시되는데 표시되는 항목은 생산국가, 생산연도, 생산농장, 가공방식, 품종, 등급, 마켓 이름, 하역지 등이다. 이렇게 해서 그린빈 포대는 선적준비를 마치고 컨테이너에 실려 수출되는 것이다.

수입된 그린빈을 로스팅하기 전까지 보관하는 것은 아주 중요하다. 그중에서도 그린빈의 습도유지가 제일 중요하다고 볼 수 있다. 이 습도 유지로 적합한 장소는 섭씨 20℃와 습도 40~50%를 유지하며 통풍이 잘되고 직사광선이 없는 곳이 가장 좋다. 제대로 된 온도와 습도를 유지하기 위해서는 창고 바닥에 캔버스나 나무 등을 깔아 그린빈에 바닥의 온도가 직접적으로 전달되지 않도록 해야 함을 잊지 말아야 한다.

우리나라의 경우 그린빈의 보관에 주의해야 할 요소가 많은데 그 이유는 우리나라 기후의 특징인 사계절로 인해 품질 유지가 어려울 수 있기 때문이다. 이러한 대책으로는 포대를 쌓는 각도를 변경해 가며 위치를 자주 바꾸어 적재하고 보관기간이 1년이 넘지 않도록 하는 것이다. 그리고 평균습도가 80%를 웃도는 여름 장마철에는 그린빈에 곰팡이가 피어날 수 있으므로 각별히 조심하여야 한다.

4) 그린빈의 명칭과 스타일

(1) 그린빈의 명칭

커피에 조금이라도 관심이 있는 사람들은 시중에서 판매되는 커피빈들의 명칭이 혼란스러울 정도로 많아서 각 커피에 딸려 있는 이름을 알고 싶어하는 경향이 있다. 평소에 꾸준한 관심을 기울여야 자신이 좋아하는 커피를 선택할 때 단지 유명 브랜드라는 이유에 휘둘리지 않을 수 있다. 대표적인 커피의 종류는 아라비카와 로부스타로 나뉘는데, 고급커피(Specialty Coffee)라고 불리며 생산되는 커피는 아라비카라는 고유의 명칭을 단 원두이다. 반면에 대부분 인스턴트 커피용과 블렌드용으로 쓰이는 로부스타는 따로 브랜드를 갖고 커피상점에서 판매되는 경우는 없다.

아라비카만을 고집하지 않고 블렌딩용인 로부스타를 적절하게 섞어 값을 저렴하게 하고 풍미가 좋은 블렌드 커피빈을 만드는 이태리의 유명한 커피빈 회사인 세가프레도 자네티를 예로 들 수 있다. 아라비카와 로부스타를 적절하게 하우스 블렌딩하여 값이 저렴하면서도 고유의 맛을 가진 블렌드 커피를 제공하는 소규모 커피상점이나 로스터들도 많이 있다. 이른바 고급커피라고 불리며 생산된 커피는 아라비카라는 고유의 명칭을 가지고 있다. 이런 이유로 고급 커피빈 판매회사들은 일리(Illy)라든가 라바차(Lavazza)라는 자기들만의 브랜드가 있지만 포장지에 아라비카 100% 블렌드라고 따로 커다랗게 표시하는 것이다. 이와는 반대로 생산지나 아라비카 빈의 종류를 자세하게 표기하지 않는 경우도 있다. 한편 모든 빈에 대한 근거가 표시되어 있는 곳은 전문 커피빈 상점이다. 그 표시는 브라질(생산국가명), 세하도(마켓명), 다테라(농장명), 워시드(가공방식), SHB(등급), Full Cicy(로스트 스타일)와 같은 것이다.

고메(Gourmet)가 무슨 뜻인가요?

레스토랑이나 유러피언 카페를 여행하다 보면 고메라는 단어를 자주 접하게 되는데 상당히 고급스러운 단어이다. 고메는 프랑스어로 '미식가'라는 의미인데 이런 표현을 자주 남발하는 곳의 경우 제품을 위장하기 위해서 아무런 의미없이 사용되기도 한다.

(2) 브랜드를 붙이는 다양한 스타일

각 생산지와 농장별로 자부심을 가지고 붙인 '마케팅브랜드'가 유통되기 시작한 때는 커피산업이 크게 일어난 18세기 말에서 19세기 초이다. 세계 주요 산업품으로써 경쟁력을 높이기 위한 방편으로 생산국가 또는 지역별로 마켓 이름을 붙이기 시작했는데, 이것은 수많은 지역에서 생산되는 다양한 커피들을 선적하는 항구명이나 빈의 타입으로만 구별하기가 어려워졌기 때문이다.

커피의 특성을 '콜롬비아 커피' 이 단어로만 표시하기엔 너무 많은 내용을 포함하고 있고 추상적이라고도 볼 수 있는데, 각기 다른 품종이 다른 재배환경, 다른 가공방식을 거쳐 콜롬비아 여러 지역에서 생산되고 있기 때문이다. 따라서 전문가의 감정을 거쳐 'Huila(후일라)'라든가 'Supremo', 'Excelso' 등의 브랜드를 붙이고 생산 지와 생산공정, 맛의 특성 등을 자세하게 표시하여 수출하게 된다. 그런데 이러한 명칭들이 혼란스럽게 된 이유는 어떤 커피는 별도로 마켓 이름을 붙이지 않고 품종명이나 지역명을 그대로 내세우는 곳도 있고 마켓 이름을 붙이는 방식이 나라마다, 혹은 농장마다 모두 다르기 때문이다. 마켓 이름을 붙이는 기본적인 스타일에는 몇 가지가 있다.

첫째, 브랜드 이름은 기본적으로 생산지역의 이름을 그대로 사용하는 경우가 많다. 커피나무의 성장에 직접적인 영향을 끼치는 생산지의 테루아는 커피 맛의 특성을 결정하는 가장 중요한 요인이기 때문이다. 그러나 얼마 전부터 정부가 나서서 소비자가 인식하기 쉽도록 이름을 붙이고, 소규모 농장들의 조합을 결성하는 것을 지원하고 있는데 이는 커피가 생산국의 중요한 국가 산업이기 때문이다. 콜롬비아의 커피 생산지 중 3곳에서 생산되는 산악지역 앞 글자를 따서 붙인 'MAM(마데린, 아르마니아, 마니잘레스)' 같은 경우가 대표적인 예이다. 하지만 소비자가 그 모든 특성을 알기 어려운 것은 이러한 작업이 커피가 생산되는 대부분의 나라에서 적용되고 있기 때문이다.

둘째, 무역을 위해 선적하는 항구의 이름을 붙였던 전통에 따라 커피 재배가 상업적으로 이루어지던 초기 명칭이 아직까지 사용되고 있다. 예를 들면 '모카(Mocha)'라는 브랜드가 있는데 이것은 에티오피아와 예멘에서 생산되는 빈을 과거에 선적하던 항구의 이름을 그대로 사용하는 것이다.

셋째, 마켓 이름을 내세우는 스타일이 있는데 이것은 커피 재배지가 여러 지역으로 확산되면서 아라비카의 여러 변종들이 각각의 품종으로 자리 잡게 되면서부터이다. 예로는 아라비카의 한 변종인 버번과 선적되는 항구의 이름인 산토스를 합쳐 산토스 버번이라는 브라질 커피가 있다.

넷째, 마켓 이름은 빈의 타입에 따라 구분한 명칭을 사용하기도 한다. 과거 예멘에서 생산된 커피를 지칭하는 것으로, 아라비아반도 선남단의 모카항에서 유럽으로 수출하기 위해 붙여진 이름으로 모카커피라고 부른다. 모카커피는 당시 유럽의 커피시장에서 가장 질 좋은 커피라는 등식이 성립되었다.

이러한 이유로 브라질에서 재배한 커피를 예멘의 모카항으로 싣고 가서 선적하기도 했다고 한다. 아라비아반도 남단의 예멘에서 재배된 것이나, 작고 불규칙하며 양쪽 면이 볼록한 모양에 노란빛을 띠는 생두를 오늘날 커피 무역시장에서는 모카커피라고 지칭한다. 또 버번섬에서 생산되던 '버번 타입'과 마르티니크섬에서 생산되던 '마르티니크 타입' 등 모카처럼 생두의 타입을 구별하는 데 쓰이는 명칭이 있다.

커피에도 레이블이 있나요?

와인을 즐기려면 레이블에 대한 기본적인 이력을 알고 있어야 한다. 보통 프랑스, 이태리 등의 유럽 와인은 레이블을 보고 정보를 이해하기가 쉽지 않다. 품종이 재배되는 지역만 명시하기 때문이다. 따라서 품종을 알려면 재배지역에 대한 정보를 알아야 한다는 것이다.

그러면 커피에도 레이블이 있을까?

커피에도 당연히 있다. 그러나 와인 지역만큼이나 체계적이지 않기에 조금 혼동될 수 있다. 즉 나라명+항구명, 지역명, 등급명으로 나눈다.

예를 들면 브라질 산토스, 예멘 모카라고 한다면 바로 항구명이 이름이 된다는 것이다.

콜롬비아 슈퍼리모라고 한다면 바로 등급명이다. 콩의 크기에 따라 슈퍼리모, 엑셀소 등으로 나눠지는데 콩의 크기를 기준으로 하는 나라는 바로 케냐와 탄자니아다.

에티오피아 예가체프는 바로 지역명이다. 에티오피아의 노른자위 지역이라고 하는 이곳은 상당히 고급스러운 신맛과 달콤한 맛을 지닌 커피라고 할 수 있다.

그래서 이렇게 산지에 관련된 정보를 조금이라도 이해한다면 훨씬 쉽게 이해할 수 있을 것이다.

(3) 재배환경에 따라 인증된 명칭

생산자와 로스터, 딜러들 간의 원활한 커뮤니케이션이 어려웠던 과거에는 로스터와 딜러들이 수동적인 입장을 취할 수밖에 없었는데, 이는 생산지의 결과에 따라 행동할 수밖에 없었기 때문이다. 그러나 요즘 교통, 통신의 발달로 이 모든 과정을 공유할 수 있게 되었다. 커피산업이 지구환경에 미치는 해악을 전 세계에 알릴 수 있게 된 계기가 있는데 그것은 바로 환경운동가들의 인터넷 활동으로 사람들이 그 폐해를 인식하게 되었다. 따라서 경작방식이 환경친화적으로 바뀌게 되었는데 이로 인해 소비자들은 기존보다 좀 더 비싼 값에 커피를 사는 것에 자연적으로 이의를 제기하지 않게 되었다.

① 오가닉 커피(Organic Coffee)

친환경적인 재배방법 중 하나로 유통, 저장, 커피 재배, 로스팅 등 전 단계에서 일체의 인공적인 가공이나 화학비료를 사용하지 않는 유기농 커피로서 주로 바이어가 농장에 직접 요구하는 경우가 많다.

② 셰이드 그로운 커피(Shade-Grown Coffee)

커피나무 주변에서 다른 여러 종의 작물들과 함께 경작하는 유기농법인, 일명 Bird-Friendly Coffee라는 프로그램이 있다. 이 명칭은 집단이주를 하는 새들을 연구하는 센터인 스미스소니언연구소라는 곳에서 붙여졌는데 이 프로그램에는 작은 문제가 하나 있었다. 그것은 커피경작지 어디에나 적용시킬 수 없는 단점이 있다는 사실이다. 우선 비가 아주 적게 오는 예멘, 다소 서늘한 브라질이나 하와이, 구름이 많이 끼는 블루마운틴 등에서는 온화한 기후의 지역에서만 가능한 프로그램의 특성상 적용시키기가 불가능하기 때문이다. 또한 고급 아라비카 커피나무는 다른 작물한 종만 잘 정렬하여 세심한 관리로 커피나무에 영향을 끼치지 않아야 하는 어려움도 있다. 새들도 서식할 수 있게 여러 종의 다른 작물들과 커피나무를 함께 심는 경작법을 절대적으로 지지하는 환경보호주의자들이 있기 때문에 이에 부응할 수 있는 중앙아메리카 지역의 환경은 중미 여러 나라에서 셰이드 그로운 커피로 인증받았다.

③ 페어 트레이드 커피(Fair-Trade Coffee)

공정거래무역 커피라는 뜻으로 국제적으로 결정된 합리적인 가격으로 커피를 판매하는 생산자에게 부여되는 공증방식이며, 일반적으로 오류를 범할 수 있는 경작방식에 따라 인증된 명칭이 아니다. 그러므로 유기농법이나 셰이드 그로운 커피를 생산하는 사람들은 주로 이 페어 트레이드 협동조합에 가입되어 있다.

④ 에코오케이 커피(Eco-Ok Coffee)

에코오케이 커피 인증은 농장 일꾼들의 복지문제까지도 평가기준에 들어가는데 '열대우림동맹'에서 파견된 검사관이 커피 재배로 인해 주변에 파급되는 영향이 올바른가를 보고 재배환경을 판별하는 등의 환경영향평가를 하는 것이다.

⑤ 서스테이너블 커피(Sustainable Coffee)

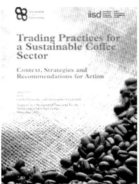

이 인증은 환경영향평가를 위한 기준은 물론 작업환경, 안정적인 가격, 노동자 복지 등의 광범위하고 철저한 기준에 부합되는 커피 생산자에게 부여하는 훈장으로 SCAA로 널리 알려진 미국 고급 커피위원회에서 마련한 기준이다.

⑥ 파트너십 커피(Partnership Coffee)

서로 간의 협정, 동맹으로 맺어진 커피로 커피생산자협동조합과 대형 로스팅회사 간에 협정을 맺어 생산하는 것을 말하는데, 로스팅회사는 판매하는 커피빈 가격의 일정 금액을 생산지의 환경개선에 쓰도록 기부하는 것이다.

또한 소비자들에게 질 좋은 커피를 공급하기 위해 생산자들은 더욱 좋은 커피를 생산하자는 취지로 서로 긴밀한 관계를 유지하며 생산하는 커피이다.

⑦ 올드커피와 몬순커피(Old Coffee & Monsooned Coffee)

올드커피와 몬순커피는 그린빈을 적정한 환경에서 일정기간 동안 묵혀 산도는 서서히 감소하고 바디는 상승하는 효과를 가져오게 되어 이로 인한 화학반응이 일어나 다른 풍미를 나타내게 된다. 그렇기 때문에 올드커피와 몬순커피의 모양은 현저하게 다르지만 그 풍미는 유사한 특성을 나타낸다. 여러 지역에서 생산되는 올드커피들은 그해에 팔지 못한 그린빈들을 수입업자들이 구매하여 창고에 보관했다가 판매하는 것들인데, 의도적으로 올드커피를 만들어 생산하는 곳은 올드 자바로 유명한 인도네시아가 유일하다.

업자들은 특별 설계된 창고를 이용하는데 이 창고는 싱가포르에서 적정한 습도와 온도를 유지할 수 있도록 만들었다. 이 창고의 저장기간은 2년에서 5년인데 커피의 품질을 유지시킬 수 있는 최상의 상태의 특별창고라고 해도 주기적으로 포대의 위치를 바꿔주고, 서늘하고 건조한 상태를 유지할 수 있어야 한다.

습도조절에 실패하면 마대자루의 냄새가 배고 원두 본연의 풍미를 잃어 맛이 약해지기 때문에 세심한 관리가 필요하다. 좋은 올드커피는 달콤하고 바디가 아주 묵직하게 되는데 이런 올드커피는 에이징이 잘되어 있어 빈이 골고루 밝은 갈색을 띤다. 이 경우 그린빈의 산도 함유량이 충분해야 한다. 올드커피의 특징은 창고에 저장되어 있는 동안 빈이 자체적으로 곰팡이 종류의 성분을 생성하는데 이것으로 인해 올드커피에서는 프렌치 치즈에서 나는 '치즈군내'가 가볍게 돈다. 이러한 냄새만 없었다면 싱글 오리진 커피보다 훨씬 매력적인 커피가 될 수 있다. 이렇게 빈 자체 내에서 화학반응을 일으켜 발현되는 풍미는 엿기름향(Malty)과 풍성함(Hearty) 등으로 표현할 수 있는데, 부정적으로 변질될 경우에는 커피의 향이 밋밋(Flat)하다고 표현할 수 있다. 올드커피와 유사한 특성을 가진 몬순커피는 올드커피에 비해 생산과정에서 시간을 절약할 수 있다는 장점이 있는데, 몬순커피로 유명한 것은 인도에서 생산되는 '말라바르(Malabar)'이다.

몬순커피는 그린빈을 창고에 쌓아두어 축축한 몬순바람을 쐴 수 있도록 창고의 문을 활짝 열어 자연건조시킨다. 이렇게 건조가 시작된 지 2~3주가량 지나면 바람에 실려오는 습도를 머금어 빈이 노란빛을 띠게 되고 부풀어올라 커지면서 풍미의 변화를 가져온다. 몬순커피는 브라운 컬러의 올드커피와는 현저하게 다른 색깔과 다른 모양을 띠고 있지만 원두의 풍미는 유사한 편이다. 몬순커피는 올드커피와 마찬가지로 일반적으로 오래된 냄새가 살짝 풍긴다. 몬순커피는 산미가 적게 느껴지고 느낌이 묵직하고 달콤하다. 몬순커피는 초콜릿이나 맥아의 달콤함 같은 몰티(Malty)로 표현할 수 있는 풍미를 나타내기도 하는데 이것은 긍정적으로 나타날 경우이다. 부정적일 때는 밋밋한 맛을 내고 거친 목질의 느낌을 받을 수 있다.

커피의 맛을 좌우하는 게 무엇인가요?

모든 음식이 그러하듯 원재료의 품질은 음식의 맛을 결정한다. 아무리 좋은 호텔의 우수한 조리사라고 해도 신선한 식재료를 사용하지 않는다면 하나의 기교에 불과할 것이다. 신선한 식재료는 음식의 질감과 풍미를 더해준다. 고로 커피 또한 그러하다. 아무리 로스팅과 드립기술이 훌륭하다 해도 그린빈의 품질이 제일 중요하다. 어디서 어떠한 환경에서 어떤 방법으로 가공되는지 어떻게 보관·유통되는지가 상당히 중요하다.

생콩의 품질을 결정짓는 요소들은 다음과 같다.

- 생두의 색이 균일해야 한다. 적절한 시기에 알맞게 관리, 수확, 저장된 생두가 좋은 생두라고 할 수 있다.
- 생두의 크기가 균일하면 좋다. 생두의 크기에 따라 등급을 나누는 산지들이 있는데 생두의 등급이 높을수록 콩의 사이즈가 균일하다고 볼 수 있다.
- 결점두의 비율이 적으면 좋다. 여러 가지 요인에서 결점두가 만들어지겠지만 대부분 시각적으로 구분이 가능하다. 돌, 나무스틱, 벌레 먹은 콩, 발효된 콩, 미숙성된 콩 등이 그러하다.

커피의 발견과 전설

어느 날부터인가 이 세상에 존재하게 된 커피나무, 이 나무의 결실을 통해 사람들은 커피라는 것을 음용하기 시작하였습니다. 그때가 언제인지는 정확히 알 수 없으나 분명한 사실은 고고학적인 자료에 의해 추측할 수 있습니다. 우리가 생각했던 것보다 훨씬 오래전부터 이 커피를 음용했다는 사실인데, 그 이론 몇 가지 중 대표적인 것으로 일컬어지는 두 가지를 소개한다면 다음과 같습니다. 그것은 전 세계 최초로 커피에 의학의 개념을 도입하였다는 칼디의 전설(에티오피아)과 오마르의 전설(아라비아)입니다.

1. 소년, 붉은 열매를 따다

가장 최초로 불리는 에티오피아 이야기

이 전설은 멀고 먼 옛날인 지금으로부터 약 2700~2800년 전, 에티오피아의 한 산골 마을인 카파(Kaffa) 지역에서 한가롭게 염소를 치던 소년인 '칼디(Kaldi)'로부터 시작된 이야기입니다. 칼디는 평소와 별다름 없이 염소를 치던 중 굉장히 괴상한 장면을 목격하게 되는데, 얌전했던 염소들이 자신의 말을 듣지 않고 이리 뛰고 저리 뛰고 우왕좌왕하면서 뛰어다니기 시작했던 것입니다. 이유가 궁금해진 칼디는 어느 날 자신의 염소들이 무엇을 하기에 '이런 행동을 하나'라는 의문점을 갖고 염소들을 몰래 관찰하기 시작하였습니다. 이 염소들은 산 중턱쯤에 있는 언덕의 한 숲속 작은 나무에서 조그맣고 동글동글한 빨간 열매를 먹은 후, 흥분을 하며 또다시 이리 뛰고 저리 뛰는 것이었습니다.

　시간이 흘러 염소들이 다시 돌아와 잠도 자지 않고 계속 흥분상태인 것을 보자 칼디는 직접 열매를 먹어보기로 결심하였습니다. 입안에 넣자마자 느껴지는 힘, 그리고 상쾌함, 이 세상에 태어나서 처음 느껴보는 맛이었습니다. 그래서 칼디는 열매를 집으로 가져와 마을에 사는 이슬람 승려들에게 먹어보게 하였습니다. 이 승려들은 자신들이 가지고 있는 방법을 동원하여 연구해 보았고, 결국 잠이 오지 않게 하는 효과가 있는 것을 알게 되었습니다. 승려들은 집중하는 데 이 열매가 매우 좋은 효과를 발휘한다는 것도 깨닫게 되었습니다. 그때부터 이슬람 승려들의 밤 기도를 위한 음료로 이용되었으며 커피라 불리게 되었습니다. 이렇게 발견된 커피(Coffee)라는 말의 어원은 위에서 본 칼디가 처음 발견한 카파(Kaffa) 지역이라는 주장이 정설로 인정되고 있습니다. 이유야 어쨌든 에티오피아가 커피의 원조 땅임에는 틀림없는 것 아닐까요?

2. 커피, 인간을 치유하다

또 다른 최초라 불리는 아라비아의 이야기

　이 나라의 이슬람 승려 '셰이크 오마르(13세기경)'는 병을 고치는 능력이 있었습니다. 그러나 이 능력을 질투한 사람들에게 모함을 받아 국왕으로부터 버림받게 되었습니다. 결국 먼 땅인 사막을 거쳐 예멘 모카항까지 쫓겨나게 되었는데, 가는 동안 아무것도 먹지 못하여 오마르는 아사 직전에 이르게 되었습니다. 굶주림과 서글픈 마음이 교차되며 자신의 신세를 한탄하던 중 어느덧 자신이 이상한 산길을 걷고 있다는 사실을 깨닫게 되었습니다. 처음에는 배가 고파 환영이 보이나 생각하였지만, 자세히 보니 굉장히 화려한 깃털의 작은 새가 어느 한 나무의 작은 가지에 앉아 자신을 보며 지저귀는 것이었습니다.

　신기하게 생각한 오마르는 작은 새에게 가까이 갔는데, 그 나무에는 매우 아름다운 붉은색을 띤 작고 동글동글한 열매가 달려 있었습니다. 너무나 배가 고팠던 오마  르는 알라신이 자신에게 내린 선물이라 생각하며 그 열매를 맛있게 먹 기 시작하였습니다. 이 열매는 매우 쓴맛으로 그냥 먹기에는 어렵다고 생각한 오마르, 그래서 이 열매를 달여 먹게 되었는데 결과는 매우 놀 라웠습니다. 몸의 피로는 씻은 듯이 사라지게 되었고 힘이 나는 것이었습니다. 원래 병을 고치던 능력이 있던 오마르는 추후 이 열매를 이용하여 환자들을 치료하는 데 쓰게 되었고, 이 효과는 널리 퍼져 입소문이 나게 되었습니다. 이 소문은 국왕의 귀에까지 흘러들어 가게 되었고, 오마르 는 이 덕분에 왕으로부터 죄를 면하게 되었습니다. 그 후 오마르는 이 열매의 주인공이었던 커피 를 통해 모카의 성인으로까지 추앙받게 되었습니다. 이렇게 놀라운 커피의 효능, 예나 지금이나 사람들에게 큰 사랑을 받는 것을 보면 커피는 우리 곁을 떠날 수 없는 음료가 아닐까요?

커피의 모든 것

2. 산지, 커피를 말하다

 # 2. 산지, 커피를 말하다

1. 생두의 등급 분류기준법

생두의 등급 분류기준법은 각 생산지마다 다른 기준을 적용하고 있다. 크게 결점두(Defect Bean), 생산재배고도, 빈사이즈(Bean Size)로 분류되고 SCAA 기준은 자체 기준법으로 마련되어 있다.

1) 브라질/뉴욕기준법

블랙빈(Black Bean)이라는 결점 생두를 기준으로 하여 여러 형태의 결점두와 불순물 등을 수량으로 환산하여 등급을 결정하는 기준법이며 주로 내추럴 커피를 생산하는 국가들로 구성되어 있다. 항목으로는 NO.2~No.6까지 분류되며 샘플생두 300g 안에 몇 개의 결점두와 불순물이 섞여 있는가를 기준으로 판단한다. 디펙트 환산점수가 결점두 수에 따라 다소 차이가 있을 수 있는데 4 defects~86 defects 분류기준에 No.2~No.6까지 등급을 매긴다.

2) SCAA 분류법

스페셜티 커피(Specialty Coffee)라는 말은 미국의 Erna Knutsen 여사가 1974년 프랑스 커피국제회의에서 처음 언급한 것이 시초가 되었는데 커피 품질기준을 통한 질적인 성장을 위해 커피 관계자들의 모임에 의해 1982년에 설립되었으며, 현재는 세계에서 가장 공신력 있고 신뢰받는 커피 무역단체로서 미국뿐만 아니라 세계 50개국 이상의 커피 관련자들로 구성되어 있다. 1990년대에 들어서면서부터 브라질에 이어 코스타리카, 파나마 등의 커피협회가 설립되어 발전하고 있다. 오랜 시간 동안 커피를 재배, 생산해 온 생산지와 커피문화가 생활화되어 있는 유럽, 미국 등지에서는 질 좋은 커피를 마시고자 하는 열망과 노동자 생활권 보장, 생산지 자연환경 유지 보호 등을 위해 오래전부터 스페셜티 커피에 대한 정의를 내리고 협회를 설립해 발전해 가고 있다. (출처 : 커피로스팅 사용설명서, 김일호 저)

◖◗ 등급기준표

등급	등급기준
스페셜티 그레이드 (Specialty Grade)	• 생두 350g 기준으로 결점두가 5개 이내여야 하며 커피 맛에 영향을 주는 Primary defects는 한 개라도 허용되지 않음 • 원두 100g 기준으로 얼룩배전(Quaker)은 허용되지 않음
프리미엄 그레이드 (Premium Grade)	• 생두 350g 기준으로 결점두가 8개 이내로 Primary defects는 허용됨 • 원두 100g 기준으로 얼룩배전(Quaker)은 3개까지 허용됨

출처 : SCAA.com

3) 크기에 따른 분류법

인도 분류기준(Indian Standard)에 기초하여 생두의 크기와 결점 생두, 이물질의 혼합률에 따라 생두의 품질을 분류하는 방법이다. 콩 크기에 따라 분류하는 대표적인 나라는 케냐와 콜롬비아, 탄자니아이다. 콩 크기에 따라 분류되는 나라들을 보면 대체로 양질의 커피를 생산하며 품질관리 기준이 엄격하다고 볼 수 있다.

등급기준표

국가	분류명칭	등급기준
콜롬비아	• Supremo • Excelso	• Screen Size 18 • Screen Size 16~17
케냐/탄자니아	• AA • A • AB	• Screen Size 17~18 • Screen Size 17 • Screen Size 15~16
하와이	• Kona Extra Fancy • Kona Fancy • Kona Prime	• Screen Size 18~19 • Screen Size 17~18 • Screen Size 무관

4) 과테말라 분류기준법

생두의 경작고도에 따라 품질을 분류하는 방법으로 대표적인 나라가 과테말라, 코스타리카이다. 생산고도는 커피의 맛과 향 등의 품질에 상당한 영향을 미치는데 고도가 높을수록 향과 신맛이 뛰어나다.

과테말라의 분류기준법

등급	생두의 경작고도
SHB(Strictly Hard Bean)	해발 4,500피트 이상(1,370m 이상)
HB(Hard Bean)	해발 4,000~4,500피트(1,220~1,370m)
Semi Hard Bean	해발 평균 3,800피트(1,260m)
Extra Prime Washed	해발 3,000~3,500피트(910~1,060m)
Prime Washed	해발 2,500~3,500피트(770~1,060m)
Good Washed	해발 2,500피트 미만(770m 미만)

커피이야기

한눈에 보는 커피의 역사

원래 커피는 사라센 제국 이슬람 사원의 음료였습니다. 하지만 모든 제국은 쇠퇴를 겪었듯이 이 제국도 점점 쇠락하게 되었습니다.

제국은 재정이 어려워지자 이를 충당하기 위해 커피를 국민들에게 팔기 시작하였고, 이것을 맛본 국민들은 커피에 대한 사랑을 마음껏 표출했습니다.

결국 사라센 제국은 멸망하였고 새롭게 떠오른 오스만 제국, 이 제국의 수도인 이스탄불에서는 커피의 대중화가 매우 광범위하게 이루어졌는데 그 계기가 된 것은 바로 '카프베'라는 커피를 마시는 장소가 생겨났기 때문입니다.

이 오스만 제국에서 우여곡절 끝에 이탈리아로 흘러가게 되었는데 로마인들은 가톨릭 신자들이 이 커피를 사탄의 음료라 하여 국민들이 커피를 마시지 못하도록 해달라고 교황에게 청원하기도 하였습니다.

　이러한 사건들을 뒤로하고 커피는 여러 국가에 전파되기 시작하였는데, 처음에는 음식으로 사용되다가 시간이 흘러감에 따라 술로 사용되었고 이후엔 의약품으로 사용되었습니다. 그리고 시간이 더욱 흘러 음료로 사용되었는데 이때는 약 천 년 전입니다.

　이때부터 커피를 볶아서 만든 것을 이용하여 끓인 물을 사용하였는데 이것이 터키에 이르게 되면서 음료로 자리 잡게 되었습니다.

　터키에서 뻗어나간 커피는 매우 큰 비약을 이루어낼 수 있었습니다. 초기에는 가톨릭에 대적되는 이슬람 종교의 음료라 하여 배척당하였으나 점차 종교와는 관계 없이 대중화된 음료로 사용되면서 유럽 전역으로 퍼져나가게 되었습니다.

　17세기가 되자 세계는 새로운 항로를 발견하면서 식민지를 개척하는 시대를 맞이하게 되었습니다. 그중 가장 활발한 활동을 펼쳤던 프랑스, 영국, 포르투갈 등은 전 세계를 상대로 많은 식민지를 건설하였고 커피가 잘 자랄 수 있는 환경에 묘목을 심기 시작하였습니다. 이것을 계기로 전 세계에는 어느 정도 기후가 비슷한 환경에서 커피가 재배되었는데 이것이 바로 오늘날 커피벨트라고 부르는 지역이 되었습니다.

2. 커피의 재배

커피나무가 자라는 곳은 대부분 적도를 중심으로 남북위 25도 사이, 연강수량 1,500mm 이상의 열대 및 아열대 지역이다. 이 지역들은 지도에서 하나의 띠를 이루고 있는데 이것을 커피벨트라고 한다. 커피의 가장 중요한 환경적인 요소는 기온, 토양, 그리고 지형과 고도로 정의할 수 있다.

기후적으로는 브라질이나 인도의 몬순지역처럼 건기와 우기가 뚜렷한 곳도 유리하다. 나무에 꽃이 피어 열매를 맺을 때까지를 우기, 열매가 익어 일차적인 가공을 할 때까지가 건기로 구별된다면 훨씬 좋은 생두를 생산할 수 있기 때문이다. 하지만 기후 못지않게 토양도 매우 중요하다. 현재 커피 재배지역은 대부분 화강암 풍화지대로 토양이 비옥하고 배수가 잘 되는 곳에 자리 잡고 있다. 대표적인 생산국은 브라질, 콜롬비아, 인도네시아, 인도, 케냐 등으로 전 세계 대부분의 판매량을 생산하고 있다. 마지막으로 지형과 고도는 커피의 생두에 있어 고산지대와 경사면이 있는 지형의 커피가 밀도의 우수성 때문에 높은 품질로 인정받는다.

1) 커피벨트에 속한 나라들

커피 생산의 적당한 지리적 조건은 앞부분에서 조금 설명하였지만, 최근에는 다양한 환경조건 및 인위적인 개량에 의해 커피 재배지에서 얻어지는 커피콩의 특색도 해마다 개량되고 있다. 그러나 평균적으로 주요 커피 생산국의 지리적 조건과 커피콩의 특색은 아래에서 살펴보겠다.

세계에서 커피를 제일 많이 생산하고 있는 브라질로부터 시작하여 중앙아메리카

지역에서는 페루, 콜롬비아, 코스타리카, 엘살바도르, 과테말라, 멕시코, 하와이, 아름다운 섬나라 자메이카와 쿠바, 도미니카가 '커피벨트' 내에 위치하고 있다. 아프리카에서는 에티오피아와 탄자니아, 케냐, 예멘이 있고, 동남아에서는 베트남과 인도네시아에서 커피를 생산한다. 이들 나라는 모두 커피를 생산하여 전 세계에 수출하고 있다.

(1) 중앙아메리카의 커피 지도

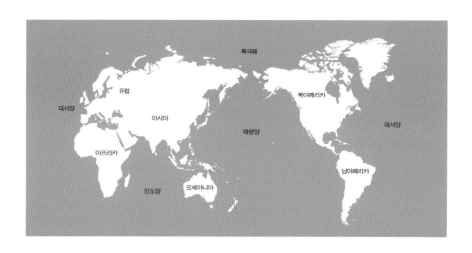

중앙아메리카에서 재배되는 커피는 주로 커피 전체 생산량의 75%를 차지하는 Coffea Arabica인 아라비카 원두를 생산하고 있으며, 주요 재배 국가로는 북쪽의 멕시코에서부터 남쪽의 파나마 지역까지 13개국 정도이다. 이들 나라들은 주로 아라비카만을 재배하고 있으며, 로부스타 재배를 법적으로 금지하는 나라도 있다. 커피 맛에 있어서 중요한 요소인 가공방식을 빼놓을 수 없는데 워시드방식 커피를 주로 생산하고 있다.

① 멕시코(Mexico) : 라틴 아메리카의 대표 유기농 커피 생산국이며 요즘 미국과의 교역을 활발하게 진행 중인 커피 생산국

멕시코 커피는 주로 고지대라는 의미인 알투라(Altura)라는 명칭이 주로 붙는 중남미 최고 위쪽에 위치한 고급 커피 생산국으로 마라고지페, 버번 등 다양한 품종이 생산되고 있다. 아라비카 커피가 커피 재배면적의 97% 이상을 차지하고 있으며, 다양한 커피의 재배와  생산이 가능한 높은 고도, 기후 아울러 화산지대의 비옥한 토양과 지형에서 생산되고 있다. 특히 다양한 커피는 멕시코 정부 법으로 규정되어 엄격하게 관리되고 있다.

멕시코는 브라질, 콜롬비아, 인도네시아 그리고 베트남과 함께 세계적인 주요 커피 생산국 중의 하나이며, 세계 제1의 유기농 커피 생산국임과 동시에 Gourmet 커피 생산국 중의 하나이다.

멕시코는 유기농 커피를 많이 생산하는 생산국 중 1,700m 이상의 고산지대인 알투라에서 재배되는 커피가 멕시코를 대표하는 최고의 커피로 명성을 얻고 있으며 동부에 위치한 베라크루즈(Veracruz)의 알투라 코아테펙(Coatepec), 오악사카(Oaxaca)의 알투라 오악사카(Oaxaca) 커피가 있다.

산지고도에 따라 다음과 같이 나눈다.

알투라(Strictly High Grown : 4,000~4,200feet), 프라임 워시드(Prime Washed : 2,800~3,300feet), 굿 워시드(Good Washed : 2,100~2,500feet)

② 코스타리카(Costarica) : 로부스타종의 재배가 법으로 금지되어 있고 100% 아라비카종만을 재배하는 훌륭한 환경의 커피 생산국

카리브해 서쪽(태평양과 대서양 사이)에 위치한 코스타리카는 해발고도 1,180m에 이르는 고원에 자리하면서도 우기와 건기가 뚜렷하고 1년 내내 쾌적한 기후를 이루고 있어 커피 재배에 좋은 환경적 요소를 갖추고 있다. 수도 산호세 남쪽의 중앙공원 지역의 경사면과 태평양 해변에서 재배되는 타라주(Tarrazu)는 코스타리카의 대표적인 커피이다. 품질은 SHB, HB, HGA, LGA, P 등급으로 나눈다. 대체로 강한 신맛의 특성을 가지고 있으며 감칠맛과 향이 양호하다. 화산 토양인 코스타리카는 바나나와 커피가 주요 수출 품목이며 중앙아메리카에서 최초로 이 두 가지 농산물을 재배하기 시작하였다.

  코스타리카는 아라비카 커피만을 재배하고 있으며 로부스타 커피의 재배는 불법이다. 코스타리카 커피로 국내에서도 상당히 잘 알려진 타라주를 살펴보면 품질도 우수하지만 풍부한 커피향과 감칠맛이 있어서 특히 인기가 높다. 코스타리카 타라주가 가지고 있는 특유의 감칠맛은 수많은 커피마니아들의 사랑을 받고 있다. 주로 중앙고원지대에서 커피가 생산되며 북쪽으로는 니카라과, 남쪽으로는 파나마가 자리하고 있다. 뚜렷한 맛의 특징을 가지고 있어 주로 단종으로 사용되며 더욱이 고산지대의 가장 큰 특징인 밀도가 높아 우수한 커피를 생산하는 것만큼 병충해도 없고 유기농 커피 재배로 높은 고도에서 생산되어 향이 우수한 것이 또 다른 특징 중의 하나이다. 코스타리카의 고지대 커피와 반대로 저지대의 커피는 뜨겁고 습기 찬 환경으로 생두 품질에 부정적인 영향을 미치고, 밀도가 높지 않기 때문에 맛과 향이 좋을 수 없다. 주요 산지로는 타라주(Tarrazu), 태평양 연안의 트레리오스(Tres Rios), 웨스트밸리(West Valley), 센트럴밸리(Central Valley), 브룬카(Brunca), 투리알바(Turrialba) 등이 있다.

🫘 코스타리카 커피의 등급 분류

등급	생산총량(%)	커피생두 재배지 고도(m)
SHB(Strictly Hard Bean)	40	해발 1,200~1,650
GHB(Good Hard Bean)	10	해발 1,100~1,250
HB(Hard Bean)	19	해발 800~1,100
MHB(Medium Hard Bean)	14	해발 500~1,200
HGA(High Grown Atlantic)	5	해발 900~1,200
MGA(Medium Grown Atlantic)	8	해발 600~900
LGA(Low Grown Atlantic)	3	해발 200~600
P(Pacific)	1	해발 400~1,000

🫘 코스타리카 커피 향미 품질에 미치는 고도의 영향

고도	바디(Body)		신맛(Acidity)	
	Typica	Bourbon	Typica	Bourbon
1,400m	2.65	2.80	2.20	2.43
1,000m	1.65	2.35	1.55	1.50
460m	1.65	1.80	1.00	1.00

* 0점(Very Bad), 1점(Bad), 2점(Good), 3점(Very Good)
출처 : Gialluly, M. Factors affecting the inherent quality of green coffee, 1958.

③ 과테말라(Guatemala) : 스타벅스 커피의 주요 단골 생산지로서 스모키한 커피를 재배하는 중남미의 대표 커피 생산국

과테말라는 스모키한 커피의 대명사이며 마야문명의 중심지로 오랜 시간 스페인의 지배를 받다가 독립하여 정치적으로는 불안하지만 세계에서 가장 품질이 좋은 커피를 생산하는 지역 중 하나로 여덟 번째의 생산국가이다.

지형을 보면 과테말라에는 멕시코 아래 동서로 발달한 좁은 해안평야가 있고 중앙을 통과하는 시에라마드레산맥은 멕시코와의 접경지역에서 시작하여 남쪽 접경지역인 온두라스 국경까지 이어져 있다. 북쪽은 해발고도가 3,500m가 되며 남쪽으로 갈수록 낮아져 2,000m에 이른다. 이곳 산맥에는 활화산이 많으며, 서부에 있는 타주물근화산은 무려 4,200m로 과테말라의 최고봉이다. 시에라마드레산맥에 위치한 중앙고원지대는 단층구조라 평야로 이어져 있으며 두꺼운 화산재로 덮여 있어 비옥한 농업지대를 형성하고 있다. '영원한 봄의 나라'라고 불릴 정도로 연평균 15~20℃ 사이의 기온에 알맞은 강우량, 그리고 많은 야채와 곡물이 수확되므로 이런 국가의 닉네임을 가지고 있다.

커피로 국가가 번창해졌고 지금도 인구의 1/3이 커피산업에 종사한다. 과테말라는 태평양 연안에 동서 방향으로 발달한 좁은 해안평야, 북부의 페턴호를 중심으로 한 넓은 저습지, 시에라마드레산맥의 중앙고원, 카리브 해안평야의 4개 지역으로 구분되고 멕시코 접경지역의 해발고도는 무려 3,500m이고, 동쪽으로 갈수록 고도가 낮아서 온두라스와의 국경지역은 2,000m이다. 전체 커피의 80%를 이러한 고산지대의 1,500여 개 농장에서 담당하고 수출은 개인 회사가 담당하고 있으나 아나카페 (Anacafe)가 커피산업의 전반적인 것을 관리하고 있다.

안티구아(Antigua) 버번종의 경우 가장 강한 산과 강한 바디를 만들어낸다. 카투라는 수확량이 많아서 재배지역이 증가하는 추세이다. 버번종의 산은 화사하면서 달콤한 오렌지의 향미를 지니고 있으며, 강한 바디는 중앙아메리카 지역에서 손꼽히는 밸런스 좋은 커피라고 할 수 있다. 매년 품질의 안정성이 높아지고 있어 사용하기엔 편안하지만, 다른 산지에 비해 가격이 비싸다. 많은 농원이 있지만 가짜가 유통되기도 해서 안티구아 생산자 조합(APCA)이 마대자루에 전용 마크(Genuine Antigua Coffee)를 붙여 출하하고 있다.

우에우에테낭고(Huehuetenango)는 엘 인헤르토의 파카마라가 콘테스트에서 입상하여 각광받은 산지이다. 밝은 산미의 커피를 만들어내는 농원들이 많지만, 바디는 중간 정도의 것들이 많다. 생산지가 멀어서 트레이더가 산지에 들어가기 어렵고 안티구아에 비해 전반적으로 늦어졌지만 무한한 가능성이 있는 산지로 높이 평가 받고 있다.

콰테말라 아티틀란(Atitlan)과 프라이하네스(Fraijanes) 지역은 전반적으로 산과 바디의 밸런스는 중간 정도라고 할 수 있다. 훌륭한 향미를 가진 농원도 있지만, 안티구아나 우에우에테낭고에 비해서 향미의 특징이 약한 편이다.

품질 등급은 SHB(Strictly Hard Bean : 4,500피트 이상), HB(Hard Bean : 4,000~4500피트), SH(Semi Hard Bean : 3,500~4,00피트) 등으로 분류되며 외형이 양호한 것이 특징이다. 고산지역에서 생산된 콩은 신맛과 감칠맛을 가지며 낮은 지역에서 생산된 콩은 감칠맛은 부족하지만 향은 부족함이 없다.

과테말라(Guatemala)의 커피등급 체계

분류	생두의 경작고도
SHB(Strictly Hard Bean)	해발 4,500피트 이상(1,370m 이상)
HB(Hard Bean)	해발 4,000~4,500피트(1,220~1,370m)
Semi Hard Bean	해발 평균 3,800피트(1,260m)
Extra Prime Washed	해발 3,000~3,500피트(910~1,060m)
Prime Washed	해발 2,500~3,500피트(770~1,060m)
Good Washed	해발 2,500피트 미만(770m 미만)

④ 온두라스(Honduras) : 유기농 커피 공정무역을 하고 있는 남미의 작은 축구의 나라. 경작지의 고도로 품질을 결정하며 유럽, 미국시장으로의 수출이 해마다 늘고 있는 유기농 커피 생산국

온두라스는 커피 재배에 이상적인 자연환경 조건을 가지고 있는 나라로 과테말라에서 니콰라과 사이에 위치한 커피 생산국이다. 산악지형의 내륙에서 시작되어 카리브해 연안의 저지대까지 몰려드는 서늘한 기후, 태평양 연안으로 몰려드는 난류의 영향 등으로 다양한 기후가 공존하고 있 다. 연중기온은 평균 25~30℃를 유지하며 우기는 5~10월 중순까지로 커피를 재배하는 데 매우 좋은 조건이다.

온두라스의 커피는 고도로 커피의 품질을 결정한다. 높은 지역은 1,000~1,500m이고, SHG는 1,500~2,000m 사이에서 생산되는 커피이다. 원두는 대체로 둥글고

외형이 균일한 편이며 맛은 부드러운 신맛과 캐러멜향, 약간의 쓴맛이 조화를 이루어 스트레이트 커피로 이용되지만 여전히 블렌딩용으로 더 많이 사용되는 커피 중에서 요이하, 라 센추럴(공정거래와 유기농 커피), 그리고 마르카라 커피 등이 명성이 있다.

현재 온두라스는 국가정책 차원에서 Fair – Trade Organic Coffee(유기농 커피 공정무역) 생산에 주력하고 있다. 700m 고지대에 위치한 Yojoa Lake 지역은 화산재로 이어진 풍부한 토양과 넓은 호수에 자연적으로 형성되는 습도와 바람으로 인해 천연적인 커피 재배지로의 개발이 한창인데 이곳이 바로 유기농 커피를 중점적으로 육성 개발하는 지역이다.

⑤ 엘살바도르(El Salvador) : 중남미에서 양질의 스페셜티 커피를 생산하는 작고도 강한 커피 생산국

엘살바도르는 중앙아메리카에서 가장 작은 나라 중 하나이며 과테말라과 온두라스 사이에 위치하고 있다. 엘살바도르 커피 재배 총면적의 68%는 버번(Bourbon)류의 커피이고, 32%는 버번류에서 자연적으로 파생된 파카스(Pacas)류이다. 이 두 종

류 모두 진한 향기와 달콤함 그리고 균형잡힌 산도를 지녔는데 이는 다른 커피와 섞였을 때 품질을 향상시키는 데 이상적인 요소이다. 엘살바도르는 몇십 년 동안의 연구와 개발의 결과인 제한판매용으로 적합한 최상급 수준의 파카마라(Pacamara)(마라고지페(Maragogype)와 파카스(Pacas)의 교배종)라는 특이한 품종의 원천지이다. 엘살바도르 커피의 우수함은 지역주민들이 대대로 전수해 오는 수공재배법과 중·소규모의 생산자들이 조합을 형성하여 자신의 정원을 가꾸듯 정성을 들인 재배의 결과이다. 역시 엘살바도르는 커피 재배에 필요한 최적의 조건을 갖추고 있다. 비옥한 화산지대, 균일한 강우량 등은 크고 신선하며 윤기 있는 생두 생산을 가능하게 한다. 이런 원두는 손으로 수확되어 그 후의 모든 과정은 물론이며 수출될 때까지 조심스레 취급된다.

가족 중심적인 커피 재배방식이 고착화되어 있기 때문에 대규모 로스팅업체의 블렌딩용 커피 원료보다는 지역이나 협동조합의 이름을 블렌딩한 스페셜티 시장에서 활발히 유통되고 있다. 가장 잘 알려진 브랜드는 엘살바도르 팬시 SHB(Fancy SHB)이며 엘살바도르 커피 중 최고 등급의 커피는 SHG(Strictly High Grown) 혹은 SHB(Strictly Hard Bean)이다. 엘살바도르 팬시 SHB(Fancy SHB)는 그늘재배방식으로 재배되고 있다.

요즘 엘살바도르는 품질경매라는 품질분류 프로그램 등을 통해 세계 시장에서의 명성회복과 동시에 내부적으로 더 좋은 커피 재배를 위해 노력과 대책을 경주하고 있다.

생산지로는 산타아나(Santa Ana), 라 리베르타드(La Libertad), 우술루탄(Usulutan) 등 기존의 주요 생산지 이외에도 차라테낭고(Charatenango), 아우아차판(Ahuachapan) 등이 새롭게 주목받기 시작했다. 농원으로는 엘 카르멘

(El Caremen), 시베리아(Siberia), 산타로사(Santa Rosa), 몬테카롤로스(Monte Carlos), 산타리타(Santa Rita) 등이 있다.

⑥ 콜롬비아(Colombia) : '당나귀와 후안 발데스 아저씨'로 유명한 로고마크의 원조국으로 매력적인 커피의 보물국이라고 할 수 있는 커피 생산국

콜롬비아의 인구는 약 4,500만 명 정도이며 남아메리카 서북부에 위치하는데 면적은 우리나라의 약 11배로 비교적 넓은 면적의 나라이다. 토양으로는 양질의 화산토가 대부분이며 커피의 생육에 아주 훌륭한 환경을 가지고 있으며, 커피가 콜롬비아의 주요 생산품으로 큰 비중을 차지하고 있다. 콜롬비아 커피의 품종은 아라비카가 대부분으로 사람 손으로 선별 수확하며, 물 세척으로 가공하고 자동기계로 분류한다. 원두 색깔은 녹청색이며 모양이 균일하고 타원형이다.

콜롬비아 커피의 분류기준법으로 보면 콩의 크기에 따라 등급이 결정되는데 큰 콩인 수프레모(Supremo), 엑셀소(Excelso), UGQ로 나눈다.

1900년을 기점으로 브라질, 베트남에 이어 세계 3위의 생산국이지만, 그 품질은 세계 1위로 인정받고 있다. 대규모 농원은 적고 대부분이 소농가이다. 북부, 중부, 남부 지역에 걸쳐 다양한 테루아를 형성하고 있어 그 향미가 지나칠 정도로 다양하여 현시점에서 모두를 파악하기가 쉽지는 않다. 적도에 가까운 생산지는 메인과 서브로 연 2회 수확을 하지만, 일반적으로 메인 수확 시기의 수확량이 많다.

북부를 중심으로 재배되고 있는 티피카는 녹병(잎곰팡이병)의 증가로 계속 감소되고 있으며, 카투라, 바리에다 콜롬비아로 교체되어 재배되고 있다. 남부는 게릴라 문제로 오랜 기간 산지에 들어가지 못해 생산력이 명확한 콩의 유통이 적고, 이에 따른 품질의 문제도 있어서 테루아나 품질이 확인되지 못했었으나, 2000년 후반 이후 'FNC(콜롬비아 커피생산자협회, Federacion Nacional de Cafeteros de Colombia)와 수출업자의 노력으로 서서히 훌륭한 스페셜티 등급의 콩을 선보이기 시작했다.

북부지역에서는 막달리나(Magdalene), 노르테 데 산탄데르(Norte de Santander), 쿤디나마르카(Cundinamarca) 등지에서 생산되고 있으며, 중부지역의 톨리마(Tolima)에서는 전체적으로 부드러운 산과 적당한 바디의 밸런스가 좋은 커피를 생산하고 있다. 콜롬비아 커피의 일번지인 남부지역에는 후일라(Huila), 카우카(Cauca), 나리뇨(Narino) 등의 생산지가 있다. 특히 나리뇨는 스타벅스가 대부분 사용하던 산지였지만, 최근 수년간 소농가 단위의 훌륭한 커피를 선별하는 수출업자가 생겨나면서 개성 있는 커피를 체험할 수 있게 되었다. 잘 익은 귤의 달콤한 산, 단단한 바디의 커피로 농축감이 있는데, 이는 콜롬비아 커피 본연의 향미를 느낄 수 있다.

🫘 콜롬비아(Colombia)의 커피등급 체계

등급	내용
마라고지페 (Maragogype)	일반 생두에 비해 비정상적으로 큰 생두로 Elephant bean(코끼리콩)이라 불리기도 한다. 비싼 가격에 거래됨에도 불구하고 경제성이 떨어져 현재는 많이 재배되지 않으며, 수명이 다한 나무들은 보통 커피나무들로 대체되고 있다.
수프레모(Supremo)	스크린 사이즈 17 이상
엑셀소(Excelso)	스크린 사이즈 14~16
U.G.Q 이하 등급 (Usual Good Quality)	스크린 사이즈 14 이하

⑦ 브라질(Brazil) : 세계 최대의 생산량을 가진 나라로 세계 커피의 1/3을 차지할 정도로 많고 다양한 커피를 재배하고 있으며 커피의 대부분을 기계수확방식에 의존하는 커피 생산국

산악지대로 되어 있는 다른 중남미 지역과는 달리 브라질은 해발 200~300m 정도의 비교적 평탄한 곳에서 대규모로 재배되고 있기 때문에 기계화 생산이 가능하다. 주로 건식가공방식으로 가공되고 아라비카 생산량이 70% 이상을 차지하며 버번(Bourbon: 부드럽고 마일드하며 생산지역이 좋으면 산뜻한 산과 단단한 바디가 함께하여 브라질다운 농후함을 만들어낸다), 분도노보(Mundonobo: 브라질에서 가장 많이 재배되는 품종이지만 생산지역에 따라 향미의 차이가 다소 있는데 좋은 것은 매끄럽고 혀의 감촉이 좋으며 전체적으로 마일드하다), 카투아이(Catuai: 브라질에서 주로 재배되는데 일반적으로 약간 무거운 향미의 특성이 있으며 때로 화사한 분위기의 향을 느낄 수도 있다)종이 있다.

브라질 커피를 분류하는 방법은 매우 다양하다. 뉴욕 선물시장에서는 결점 수에

의해 분류되지만, 생산지, 선적된 항구, 색깔, 맛, 볶은 후의 외관 등에 의해서도 분류된다. 생산지는 주로 여섯 곳으로 구분할 수 있는데, 땅이 넓어서인지 생산지별 맛과 향의 차이가 다소 큰 편이다. 일반적으로 재배고도가 높을수록 품질이 좋으며, 해발 1,000m 정도에서 가장 좋은 품질의 생두가 생산되고 있다. 세하도(Cerrado)는 대표적인 커머셜 생산지로서 브라질 안에서 전체적으로 바디는 약한 편이며, 너트의 풍미가 약간 느껴진다. 좋은 것은 매끄럽고 바디가 있다. 다테하는 대형 농장으로 품질관리가 철저하며 펜타박스(Penta Box)라는 진공 패키지를 처음으로 도입했으며, 특히 대형 농장이 많아 대부분 기계 수확을 하고 있다. 술 데 미나스(Sul de Minas)는 중간 규모의 농원이 많다. 많은 농원이 있어서 향미는 매우 다양하지만, 전체적으로는 바디가 약하면서 제대로 된 특유의 맛을 갖고 있다.

카르모 데 미나스(Carmo de Minas) 내추럴에서 펄프드 내추럴로 전환되어 품질이 향상된 생산지역이다. 고도가 약간 높은 산지에 속한다. 부드럽고 밝은 산이 있는 것이 특징이며, 타 생산지와는 다른 향미를 지닌다. 매끄러운 바디가 있으며 대회에서 여러 차례 입상한 경력이 있는 생산지이다. 바이아(Bahia)는 소규모 농가가 많은 브라질 안에서는 생산량이 적은 편이지만, 일부 훌륭한 농원의 내추럴, 펄프드 내추럴에서는 부드러운 산과 초콜릿 같은 농후한 바디를 보인다.

파라나(Parana)는 1975년 대대적인 서리로 인하여 큰 피해를 입은 곳으로 생산이 급감하면서 이후 주요 생산지가 미나스 제라스주로 이동했다. 그러나 최근 다시 소규모 농가에서 부활의 움직임이 있다. 모지아나(Mogiana)는 상파울루주에 있으며 인지도가 높고, 가벼운 산과 강한 바디가 있는 커피를 생산하는 농장도 있다.

브라질(Brazil)의 커피등급 체계(결점두 수에 의한 분류)

Type No.	브라질	뉴욕	프랑스
2	결점 4	결점 6	결점 8
2/3	결점 8	결점 9	결점 12.5
3	결점 12	결점 13	결점 17
3/4	결점 19	결점 21	결점 23.5
4	결점 26	결점 30	결점 30
4/5	결점 36	결점 45	결점 58.5
5	결점 46	결점 60	결점 87
5/6	결점 64	–	결점 123
6	결점 86	–	결점 158

브라질(Brazil)의 커피등급 체계(생두 크기에 의한 분류)

분류	내용
Screen 20	Very Large Bean
Screen 19	Extra Large Bean
Screen 18	Large Bean
Screen 17	Bold Bean
Screen 16	Good Bean
Screen 15	Medium Bean
Screen 13/14	Small Bean

브라질(Brazil)의 커피등급 체계(맛에 의한 분류)

분류	내용
Strictly Soft	매우 부드럽고 단맛이 느껴짐(very mild, sweet)
Soft	부드럽고 단맛이 느껴짐(mild sweet)

Softish	약간 부드러움(slightly mild)
Hard, Hardish	거친 맛이 느껴짐
Rioy	발효된 맛이 느껴짐
Rio	암모니아향, 발효된 맛이 느껴짐

⑧ 페루(Peru) : 유기농 커피 생산국으로 주로 그늘식 재배법을 선호하는 작지만 다부진 프리미엄 커피 생산국

　브라질 서쪽지역에 위치한 페루는 비록 품질의 수준이 일정하지는 않지만 현재 인증받는 유기농 커피를 가장 많이 생산하는 국가 중 하나이다. 커피 생산에만 연간 5천만 명의 노동자가 투입되고 있다. 페루는 1887년부터 커피를 수출하기 시작하였는데, 당시 초기 시장은 독일과 이탈리아, 미국이었지만 몇 년 전부터는 독일이 페루 커피의 32%를 소비하면서 페루산 커피의 주요 소비국이 되었다. 여전히 미국은 페루 커피의 22%를 구매하며, 네덜란드, 벨기에, 프랑스가 다음을 잇고 있다. 이 다섯 나라들은 페루 커피의 총 74%를 구매한다. 페루산 커피의 강점은 나무 그늘 아래서 재배되고, 그렇기에 새들로부터 보호받을 수 있다는 데 있다. 또한 페루 커피는 토착 자연 밀림지역에서 생산되고 있다. 때문에 프리미엄 커피를 대량 생산하고, 빛에 강한 커피 종자를 만들기 위해 노력하는 다른 수출국들의 커피와는 차별하고 있다. 특히 요즘 페루 커피의 특징으로는 부가가치를 가진 유기농 커피시장에 주목하고 있으며 이것을 지속적인 발전의 토대로 삼고 있다. 페루산 유기농 커피는 바디감이 매우 좋으며, 부드러운 신맛과 단맛의 풍부한 Aroma의 특징을 가지고 있다.

⑨ 자메이카(Jamaica) : 70kg짜리 나무 오크통에서만 유통되는 세계 최고
급 명품커피로 커피계의 '로마네콩티'를 재배하는 커피 생산국

　자메이카는 동서길이 235km, 남북길이 60~80km의 아담하고 아름다운 쿠바 남
쪽에 위치한 섬나라로 동남부에는 블루마운틴을 최고봉으로 한 산지가 형성되어 있
으며 이 산맥의 남쪽 사면에서 생산되는 커피는 질이 좋아 이 나라 최고봉의 이름을
따서 '블루마운틴'으로 이름붙여지게 되었다.

　자메이카의 커피는 18세기 말 Martinique에서 건너왔고 사탕수수가 주요 생산품
인 자메이카의 경제 재건을 위하여 커피가 장려되었다. 한동안 무분별한 생산 확대
로 인하여 고전을 면치 못하였으나 자메이카 정부의 품질관리 노력과 외국자본의 유
입으로 지금은 세계적으로 인정받고 있다. 자메이카 커피의 특징은 Blue Mountain
이냐 아니냐로 구분된다. 섬의 동서 산맥의 경사면에서 주로 커피를 재배한다.

　이 산맥 동쪽의 제일 높은 산이 블루마운틴으로 최고봉은 해발 7,400피트이며 주

산지는 Manchester, Stann, Clarodom, St. Catherine, St. Elizabeth 등이다.

블루마운틴 커피는 카리브해가 내려다보이는 가장 높은 산인 블루마운틴산맥의 고산지역에서 재배되고 있다. 이곳에는 애틀랜타, 실버힐, 바비스, 웨런포드 등의 농장이 있는데 이들은 200년 동안 대를 이어 커피를 재배해 왔지만 소량재배를 고수하고 있어 이 지역에서 가장 큰 농장이라고 해도 국제 표준농장 규격보다 규모가 작다. 농장들이 위치한 지역은 기후가 서늘하고 안개가 끼며, 비가 자주 오고 땅은 빗물을 잘 투과시키는 천혜의 토질인데 지리적 여건상 커피 재배는 수작업이 일반적이며 이러한 여건들은 커피를 얻는 데 최적의 조건이라 할 수 있다.

블루마운틴 커피의 특징으로는 옅은 신맛, 와인 같은 쌉쌀한 맛, 부드러운 쓴맛과 단맛, 스모키한 맛을 두루 갖춘 아주 균형잡힌 커피로 거의 티피카(Typica) 품종이며 습식가공방식으로 양질의 커피를 생산하고 있다.

등급은 블루마운틴, 하이마운틴, 프라임워시드, 프라임베리 등의 4가지로 나뉘는데 재배되는 산의 높이와 원두의 스크린에 따라 블루마운틴, 하이마운틴으로 분리되며 중, 저지대에서 생산되는 커피는 프라임워시드급 커피로 '자메이칸'이라 부른다.

🫘 자메이카(Jamaica)의 생두등급

두 등급	
High Qualities	Low Qualities
• Blue Mountain No. 1 : 17~18 스크린, 최대 2%	• Blue Mountain Triage : 15~18 스크린, 최대 4%
• Blue Mountain No. 2 : 16~17 스크린	• High Mountain : 17~18 스크린, 최대 2%
• Blue Mountain No. 3 : 15~16 스크린	• Jamaica Prime : 16~18 스크린, 최대 2%
• Blue Mountain Peaberry : 1,200m 이상의 고도에서 재배, 최대 2%	• Jamaica Select : 15~18 스크린, 최대 4%

자메이카(Jamaica)의 커피등급 체계

등급	내용
Blue Mountain	재배 고도는 매우 높다. 색깔은 푸른색을 띠며 Aroma와 Acidity, 단맛 등을 조화롭게 느낄 수 있다.
Blue Mountain Valley	역시 우수한 맛과 향을 느낄 수 있으나 블루마운틴에 비해 고도가 조금 낮은 곳에서 생산된다.
High Mountain Supreme	고지대에서 생산된 커피로, 생두의 모양이 고르고 좋은 Acidity, Aroma, Body를 느낄 수 있다.
Prime Jamaica Washed Type 1 and Type 2	중지대에서 고지대 사이에서 생산되며, Aroma, Acidity, Body가 조화롭다.
Prime Jamaica Type 3 and Type 4	바로 위 등급과 유사하나, 스크린 사이즈가 조금 더 작고, 결점두가 발견된다.
Triage A and B	수출금지 등급이다.

⑩ 파나마(Panama) : 2004년 베스트 오브 파나마에서 에스메랄다 농원의 게이샤가 등장하면서 세계의 주목을 받기 시작한 커피 생산국

보케테(Boquete)는 북쪽에서 불어오는 바람으로 고운 밀도의 안개가 발생해서 기온 상승을 막아주어 특수한 테루아가 만들어지기 때문에, 이로 인해 개성적인 맛의 커피가 만들어진다. 2004년 베스트 오브 파나마에서 에스메랄다 농원의 게이샤가 등장하면서 세계의 주목을 받기 시작했다. 최근 몇 년간 파나마의 농원주들은 내추럴 정제에 관심을 나타냈고, 베를리나, 하트만, 카르멘, 코토와 등 많은 농원주가 내추럴에 도전하고 있다. 중앙아메리카는 워시드 방식이 당연했던 지역이었기 때문에 처음 내추럴 정제를 시도했을 당시에는 결과물이 좋지 못했다. 중앙아메리카는 브라질과 에티오피아처럼 건조한 공기가 아닌, 비도 많이 오고 습한 지역이기 때문에 건조하기가 매우 어려워서 내추럴 건조 공정에서 과잉내추럴취(과잉 발효 및 진흙 냄

새 등등)가 많았다. 그러나 많은 농원주의 노력과 시행착오 끝에 완성도가 상당히 높아졌다. 현재 파나마의 내추럴은 결점의 향미가 없는 스페셜티 커피로서 제대로 평가받을 수 있는 단계에 이르렀다. 생산지로는 보케테(Boquete), 볼칸(Volcan)이 있다. 주요 농원으로는 카르멘(Carmen), 하트만(Hartmann), 베를리나(Berlina), 코토와(Kotowa), 돈파치(Don Pachi), 에스메랄다(Esmeralda)가 있다.

(2) 아프리카의 커피 지도

커피의 고향인 아프리카는 아라비카, 로부스타의 주 생산지이자 커피의 대표성이 있는 지역이다. 에티오피아, 케냐, 탄자니아, 르완다, 부룬디, 짐바브웨 등 동부 아프리카 지역에서 아라비카 커피가 주로 생산되며, 카메룬, 우간다 등 서부 아프리카 지역에서는 로부스타 커피가 주로 생산되는데 아프리카 커피는 전반적으로 특색 있는 향과 부드러운 신맛의 조화가 잘 이루어진 커피 생산지역으로 유명하다.

① 예멘(Yemen) : 세계 3대 명품 커피 생산국으로 '커피의 귀부인'이라고
할 정도의 고급커피를 재배하고 있는 커피 생산국

커피의 귀부인 칭호를 받는 예멘 모카(Yemen Mocha)는 자메이카 블루마운틴
(Jamaica Blue Mountain), 하와이언 코나(Hawaiian Kona)와 더불어 세계 3대 명
품 커피로 인정받고 있다. 예멘은 세계 최초로 커피가 경작된 아라비카(Arabica) 커
피의 원산지이다. 대표적인 모카(Mocha)커피는 한때 세계 최대의 커피 무역항이었
던 모카항(Mocha, Al‐Makha)에서 유래하였다. 네덜란드의 무역상들은 커피나무
를 예멘의 모카항으로부터 인도, 실론, 인도네시아 등지로 퍼뜨렸다. 지형 대부분은
화산암으로 이루어져 있어 미네랄이 풍부하고, 서리가 내리지 않는 적절한 안개 기
후이므로 커피 재배에 이상적이다. 소규모 농가 단위로 경작되고 최소한의 가지치기
만 할 뿐 비료도 거의 주지 않기 때문에 대부분 유기농 커피(Organic Coffee 또는
Natural Coffee)이다. 예멘 사람들은 커피를 마시지 않고, 건조한 과육을 끓여서 만
드는 기실(Gusher)을 음용한다. 공기가 건조하기 때문에 곰팡이가 생기지 않아 건
조시킨 체리를 보관하는 경우가 많아 수확 지역이나 수확 시기 등의 특정이 어렵다.
뉴크롭을 체험할 수 있게 된 것은 최근 몇 년 사이의 일이다. 또 바니마타리(Bani
Mattari), 이스마일리(Ismaili), 하라즈(Haraz) 등 산지를 특정지어 생두를 확보할

수 있게 된 것도 최근에야 겨우 시작된 단계라고 할 수 있다. 예멘에서는 이런 움직임이 매우 획기적인 것이며, 새로운 가치관을 가진 수출업자와 힘있는 바이어와의 견고한 관계가 양질의 커피를 만들어내고 있다.

② 에티오피아(Ethiopia) : 원시적인 모습이 고스란히 존재하는 곳. 커피 발견의 원산지이며 아프리카 최대의 커피 생산국으로 점점 더 개량화·체계화되는 커피 생산국

에티오피아는 아라비카 커피(Arabica Coffee)의 원산지로 아프리카 최대의 커피 생산국이다. '커피'라는 이름은 에티오피아의 '카파(Kaffa)'라는 지역에서 유래하였다. 에티오피아 커피는 해발고도 1,500m 이상의 고지대에서 생산되며 커피 재배에 좋은 환경을 갖고 있지만, 열악한 자본과 낙후된 시설 때문에 전통적인 유기농법과 그늘식 경작법(Shading), 건식법(Dry Method)으로 커피를 재배하다가 1972년 이후에는 습식법(Wet Method)이 도입되어 대형공장들이 생겨났으며, 수출용 고급커피를 비교적 대량으로 생산할 수 있게 되었다.

대부분의 에티오피아 커피는 내추럴로 G4, G5이며, 결점두의 혼입이 많아 산지의 특성보다도 미숙두나 발효 등 결점의 향미가 강하다. 최근에는 스테이션(정제 시

설을 말함)이 많아지면서 수확된 체리에서 잘 익은 것만을 선별하여 과육을 제거하고 건조 공정으로 넘기는 곳이 늘어나 품질이 향상되고 있다. 콩가(Konga), 데포(Depo), 두메르소(Dumerso), 아리차(Aricha) 등이 대표적이다.

커피 마니아라면 대부분 하라(Harar), 시다모(Sidamo), 이르가체페(Yirgacheffe) 정도는 알고 있을 것이다. 그러나 이것 외에도 매우 특색있는 커피가 많은데 리무(Limmu), 짐마(Djimmah), 테피(Tepi), 레겜티(Lekempti) 등 아주 매력적인 커피가 많은 곳이 에티오피아이다. 생산량의 50% 정도가 해발 1,500m 이상에서 재배되고 있다. '에티오피아의 축복'으로 유명한 하라(Harrar, 또는 모카 하라; Mocha Harrar)는 해발 3,000m 이상에서 건식법(Dry Method)으로 가공되며, 와인의 신맛과 과실향을 가지고 있다. 남부지역에는 습식법(Wet Method)으로 가공하는 시다모(Sidamo), 짐마(Djimmah), 리무(Limmu), 이르가체페(Yirgacheffe)가 있다. 이 중 이르가체페는 부드러운 신맛, 과실향, 꽃향기 등으로 에티오피아 커피 중 가장 세련된 커피, '커피의 귀부인'이라는 칭호를 받는다.

에티오피아의 워시드 커피는 전 세계적으로 인기가 있다. 워시드의 시다모 G2, 이르가체페 G2가 보급되었고, 이후 이르가체페 G1이 유통되기 시작했다. 이르가체페는 존재감을 알리는 매우 특징적인 향미를 지니며, 스페셜티 커피를 대표하는 콩 중 하나다. 2000년대 전반부터 전 세계적으로 인기가 높아져 유통량도 증가하는 추세이다. 최근 몇 년은 우수한 품질의 내추럴 커피를 선보이게 되었고, 이 커피들은 체리 단계에서 완숙된 체리만을 골라 사용하고 건조 공정에 주의를 기울이고 있어서 과일의 풍미가 풍부한, 훌륭한 내추럴 커피를 만들어내기 시작했다. 워시드에 비해 건조 공정이 길고 과정이 어려워서 가격이 비싸지만, 향미가 좋기 때문에 향후 이러한 수요는 계속해서 증가할 것으로 보인다.

에티오피아(Ethiopia)의 커피등급 체계

등급	결점두 수(개)	분류
1	0~3	
2	4~12	U.G.Q
3	13~25	(Usual Good Quality)
4	26~45	
5	46~100	-
6	101~153	-
7	154~340	수출금지 등급
8	340 이상	

③ 케냐(Kenya) : 아프리카의 허브이자 동물의 왕국의 주무대인 야생동물
    의 천국이며 커피 유통 경매 시스템이 잘 발전되어 세계적인 품질의 커피
    로 유명한 커피 생산국

케냐는 다른 아프리카 나라와 달리 우리에게 비
교적 친숙한 나라로 아프리카의 허브이자 동물의
왕국의 주무대인 마사이마라, 암보셀리, 홍학으로
유명한 나쿠르, 킬리만자로 등으로 유명하다. 특
히 영화 아웃 오브 아프리카(Out of Africa)의 배
경으로 잘 알려져 있는 나라이다. 케냐도 에티오
피아처럼 상당히 많은 부족으로 나뉘어 있는데 상

당히 근면 성실하다고 한다. 필자의 친구이자 커피 파트너로 지내는 토마스라는 친
구는 상당히 성실하며 케냐 정치분야에 많은 관심을 보인다. 한때 영국의 식민지를

겪은 나라이다 보니 영어가 능통하다. 케냐 커피는 이웃하고 있는 탄자니아나 에티오피아와는 조금 차별화된 색깔을 가지고 있다. 에티오피아의 이르가체페가 클래식 음악의 가는 선율에서 울려 퍼지는 바이올린이라고 한다면 케냐 커피는 여러 악기가 하모니를 이루어서 나오는 품격 있고 절제된 그리고 웅장함이 느껴질 정도의 강한 느낌을 준다고 할 수 있겠다. 이에 커피산업에 종사하는 모든 사람이 케냐 커피를 최고로 꼽는다. 무엇보다도 자연조건이 최상이다. 양질의 화산토양과 적도에 위치한 관계로 일조량이 풍부하다. 또한 국가 차원의 커피산업지원책으로 세계적으로 신뢰받는 케냐 커피의 경매 시스템은 케냐 커피수출입협회에서 주관하고 있고 커피 경매에서 자격을 가진 딜러들이 경매대상의 커피 샘플을 로스팅하여 감정결과를 발표하며 이를 바탕으로 유통되고 있다. 케냐 더블에이(Kenya AA), 이스테이트 케냐(Estate Kenya)가 유명하다.

케냐 커피의 기원은 19세기 에티오피아 커피가 남예멘을 통해 수입되면서 케냐에 소개되었다. 20세기 초반까지도 경작이 시작되지 않았지만, 세인트 오스틴 선교사에 의해 버번 커피나무들이 소개되면서 지금에 이르고 있다. 현재 케냐 대부분의 품종은 Ruiru11, 버번계열의 SL28, SL34, 인도의 토착종인 켄트의 개량종 K7 등으로 구성되며 대규모 농장에서 양질의 커피가 생산되는데 사시니(Sasini), 게텀비니(Gethumbwini), 아웃 오브 아프리카(Out of Africa), 타투(Tatu) 등의 플랜테이션 농장에서 비교적 좋은 콩이 생산되고 있다.

매년 3~4월, 10~11월 두 번의 추수가 있으며, 전체규모의 70% 이상을 차지하는 중소규모의 농가에서 절반 이상이 생산되고 있다. 소규모 농가에서는 신선한 커피 열매들을 협동세척소로 옮겨 파치먼트 상태의 커피를 커피협동조합으로 이동시킨다. 또한 주마다 열리는 경매시장에서 커피의 가격과 유통이 결정된다. 가장 좋은 등급은 피베리(Peaberry)종이며, 그 다음으로 AA++, AA+, AA, AB, C, 기타 등급으로 분류된다. 가장 좋은 커피는 맛있고 향기롭고 밝은 와인맛이 난다.

생산지로는 니에리(Nyeri) 케냐의 중앙부로 고도 1,500~1,700m, 레몬, 오렌지, 살구 같은 산이 있으며 동시에 단단한 바디가 있는 커피이다. 키리냐가(Kirinyaga)는 오렌지·자몽과 같이 밝고 달콤한 산과 바디가 특징적이며 체리와 잘 익은 과일 같은 복합적인 향미의 특징을 가진다. 엠부(Embu)는 귤, 매실, 토마토, 자두 같은 다양한 향미가 있으며 케냐다운 바디와 복합적인 향미를 가진다. 키암부(Kiambu)는 산과 바디가 좋고 애프터테이스트 등 전체적인 균형감이 좋은 커피가 많다.

◖◗ 케냐(Kenya)의 커피등급 체계

등급	크기
AA	스크린 사이즈 17~18
AB	스크린 사이즈 15~16
C	스크린 사이즈 14~15
E	가공과정 중 체리 안에 있는 두 개의 생두가 분리되었을 경우 'Ears'라고 부르며 large peaberry로 분류한다.
이하 등급	TT, T, UG 등급 등으로 분류된다.

④ 탄자니아(Tanzania) : 유네스코가 지정한 세계문화유산인 킬리만자로 산이 있는 나라로 '왕실의 커피', '커피의 신사'라는 다양한 호칭을 지니고 있으며 피베리종이 많이 재배되는 커피 생산국

탄자니아는 아프리카의 북동쪽에 위치하며 북으로는 케냐, 서쪽으로는 우간다, 르완다, 잠비아 등이 있고 역시 영어가 공용어이다. 비교적 풍부한 일조량과 강수량으로 농산물 재배에 최적의 조건을 갖추고 있는 축복받은 땅이다.

따라서 우수한 품질의 커피가 탄생하고 있다. 탄자니아 커피는 유럽이나 일본, 미국에서는 마니아층이 상당히 많이 있으나 국내에는 잘 알려지지 않아서인지 수요가 그렇게 많지는 않다. 케냐에 비해서 유통경로나 여러 가지 관리 시스템이 체계화되지 못한 것으로 보인다.

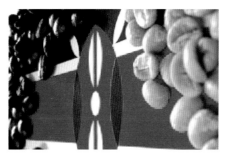

탄자니아의 커피는 해발 5,895m 이상의 킬로만자로산맥에서 재배되고 있으며 영국의 황실에서 즐긴다고 하여 '왕실의 커피', '커피의 신사'라는 별명으로 불리는 스페셜티 커피이다. 보통 커피보다 더 강한 맛을 지닌 것으로 평가되는 피베리종이 많으며, 일반적으로 커피의 맛은 깔끔하고 섬세한 특징을 지닌다. 고품질의 탄자니아 AA는 킬리만자로산 근처 모시 지역에서 생산되는데, 뛰어난 향과 풍부한 질감을 제공한다. 1961년 영국으로부터 독립한 후에도 약 275,000헥타르(1헥타르=사방 100m)에 이르는 커피 재배지에서 50여 만 가구가 커피의 재배를 계속해 오고 있다. 탄자니아 커피의 품질과 수출안정을 위해 커피산업을 주도하는 대표단체로는 1924년에 설립된 KNCU(Killimanjaro Native Cooperative Union)가 있으며, 커피 농가로부터 생두를 사들여 수출하는 역할을 하고 있다. 그 밖에 커피산업에 관련된 면허를 발행하고 커피 경매를 통해 탄자니아 커피산업을 주도하고 있는 TCB(Tanzania Coffee Board)와 Killcafe라는 브랜드를 통해 탄자니아 커피를 세계에 알리고 있는 AKSCG(Association of Killimanjaro Specialty Coffee Growers) 등의 단체가 있다.

이 나라는 커피산업이 국가 경제의 가장 중요한 요소 가운데 하나이다. 탄자니아 커피의 전반적인 특징은 적당한 산도와 바디감으로 검은 대륙 아프리카를 대표할 정도로 인상적이며, 특히 킬리만자로 중턱에서 생산되는 커피는 세계 어느 지역의 커피와 견주어도 손색이 없을 정도로 특급품질의 커피가 재배되고 있는데 품종으로는 Bourbon, Kent, Typica 등이 있다. 지역으로는 북부 탄자니아의 모시(Moshi), 아루샤(Arusha), 카라투(Karatu) 등이 양질의 커피를 생산하는 주요 산지이다. 최근에는 남부에 스테이션이 만들어져서 음빙가(Mbinga), 음베야(Mbeya) 등에서 산지의 품질 향상을 위한 노력이 이어지고 있다.

탄자니아(Tanzania)의 커피등급 체계

등급	등급 체계	내용
로부스타	FAQ	상급
	UG	Undergrade(하급, 등급 이하)
자연건조방식 아라비카	FAQ	상급
	UG	Undergrade(하급, 등급 이하)
세척방식 아라비카	AA	스크린 사이즈 18 이상으로 결점두 중 블랙빈이 없어야 하고, 생두는 푸른색을 띠어야 한다. 커핑 시 잡미가 없고 맛이 균일해야 한다.
	A	스크린 사이즈 17~18

AMEX	원래는 ICO(국제커피기구)에 가입하지 않은 국가의 커피등급 체계부여를 위해 만들어진 등급 중 하나였으나, 탄자니아에서 아직까지 존재한다. 스크린 사이즈가 A와 동일하나 맛이 균일하거나 깔끔한지에 대해서는 정확한 판단 기준을 가지고 있지 않다. 50kg을 기준으로 약 3~4달러 정도 저렴하다.
B	스크린 사이즈 14.5~15.5
C	하급 5.75
PB	피베리(Peaberry)
저품질	E, AF, TT, T, F, HP로 분류한다.

(3) 아시아의 커피 지도

　수많은 섬으로 이루어진 인도네시아, 대안무역 커피로 국내에서 인기를 얻어가고 있는 네팔, 차로 유명한 인도, 로부스타만을 생산하는 베트남 등에서 커피가 생산된 다. 인도네시아는 인스턴트 커피로 쓰이는 로부스타만을 떠올리기 쉽지만 수마트라 만델링, 슬라웨시 토라자, 자바 커피 등은 좋은 품질을 가지고 있다. 다른 지역의 커 피와 다른 강한 쓴맛과 풍부한 바디감, 흙내음 등 독특한 특징을 가지고 있다.

① 인도(India) : 주로 로부스타종이 재배되고 있으며 몬순기후대의 영향으로 올드커피와 몬순커피가 유명함

　인도 커피는 1585년 이슬람의 메카(Mecca)에서 전래되어 1840년 이후부터 본격적인 커피 생산이 시작되었다. 열대성기후인 인도는 커피 재배에 적합한 강수량과 배수가 잘되는 비옥한 고원지대를 갖추고 있다. 아라비카(Arabica)와 로부스타(Robusta)가 1 : 6 정도의 비율로 재배된다. 2008년 국제커피협회(ICO : International Coffee Organization)의 통계에 의하면 총생산량은 276,000톤으로 세계 7위이다. 인도는 과거 유럽으로 커피를 수출할 당시 6개월간의 항해기간 동안 원두가 높은 습도에 노출되어 그 맛과 색에 영향을 주었다. 항해가 끝났을 즈음엔 원두의 색이 초록색에서 신비롭고 은은한 황색으로 변해 있었다. 이는 올드 브라운 자바 커피(Old Brown Java Coffee)로 불리며 유명해졌다. 수에즈 운하(Suez Canal)의 개통으로 항해기간이 단축되자, 올드 브라운 자바 커피의 재현을 위해 인위적으로 습한 남서 계절풍(몬순, Monsoon)에 커피를 건조했고 이는 오늘날 몬순커피(Monsooned Coffee)로 불리며 세계적으로 인정받고 있다. 원두는 몬수닝(Monsooning)과정에 영향을 받지 않은 원두를 골라내기 위해 일일이 수작업을 거쳐 수출용으로 포장된다.

몬수닝과정을 거친 원두의 공급은 10월부터 2월까지 가능하고 이렇게 만들어진 인도산 커피는 특별한 커피애호가들의 사랑으로 커피소매상들의 생업에 도움을 주었다. 유명한 스페셜티 커피(Specialty Coffe) 3종으로 몬순 말라바(Monsooned Malabar), 마이소르 너깃 엑스트라 볼드(Mysore Nuggets Extra Bold), 로부스타 카피 로얄(Robusta Kaapi Royale)이 있다. 그중 세계 최초의 스페셜티 커피로 가장 유명한 것은 몬순 말라바인데 노란빛을 띠며 톡 쏘는 맛, 풀맛이 밴 풍부한 맛, 쓴맛이 있어 에스프레소용으로 적합하다는 평가를 받는다.

커피의 등급은 17 스크린 이상인 Plantation A가 90% 이상이고 15 스크린 이상인 Plantation B가 75%이다. Aged 커피인 Monsooned Malabar AA는 과거에 커피 수출을 위한 여섯 달 동안의 항해기간 중에 숙성된 커피를 재현하기 위하여 지금은 인도의 우기에 개방된 창고에서 몬순바람에 6주간 노출하여 신맛을 감소시키고 달콤함을 증가시켜서 인도네시아의 Aged 커피와 비슷하게 만든다.

② 인도네시아(Indonesia) : 인디아 근처에 있는 섬이라는 의미의 'Indosnesos'에서 유래되었고, 천여 개의 섬으로 이루어진 군도들 중에서 가장 큰 나라

인도네시아의 현지인들은 인도네시아를 '누산타라'라는 이름으로 주로 사용하는데, 이는 중세 때 자바의 주민들이 사용한 것으로 '많은 섬들의 나라'라는 뜻이다. 특히 섬들이 많은 만큼 최고의 휴양지와 다양한 커피를 보유하고 있다. 커피가 어디에서 처음

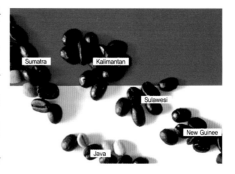

으로 생산되었는지에 대한 의견은 분분하지만 오늘날에는 브라질 등 남미가 가장 큰 커피 생산지이고, 인도네시아 역시 많은 커피를 생산하고 있다.

인도네시아는 아시아 최대의 커피 생산국으로 처음에는 아라비카 고급종을 재배하였으나, 커피녹병에 의해 아프리카 콩고(Congo)에서 가져온 Robusta 품종을 재배함에 따라 Robusta 생산국의 대명사가 되었다. 유일하게 습식가공(Wet Method)으로 고품질의 로부스타(Robusta)종을 경작하며, 세계에서 가장 값비싼 커피인 코피루왁(Kopi Luwak)으로 유명하다. 생산지로는 수마트라, 자바, 술라웨시 등이 있고 수확최적기는 3월에서 6월이며 질 좋은 커피는 전체 커피 생산량에 비하여 적지만 세계 최상급의 커피가 몇 가지 있다. 주요 생산지를 알아보면 수마트라(Sumatra), 자바(Java), 술라웨시(Sulawesi), 발리(Bali), 플로레스(Flores), 파푸아(Papua)이다. 전체적인 재배는 그늘 경작법을 사용하여 자연친화적인 생산을 추구하고 있다.

인도네시아의 커피 생산량 중 로부스타종이 85%를 차지하고 수마트라섬이 최대산지인데 람봉, 사우스 수마트라, 범불루 등의 3개 지역에서 생산되며 해발고도 400~800m 지역에서도 잘 자라며 병충해에도 강하기 때문에 인도네시아 전 지역에서 폭넓게 재배되고 있다.

✔ 수마트라(Sumatra)

수마트라는 인도네시아에서 두 번째로 큰 섬이고, 세계에서 다섯 번째로 큰 섬이며 인도네시아의 섬들 중 자연과 문화 양쪽 모두에서 풍부함과 다양성을 가진 매력적인 섬이다. 엄청난 천연자원, 많은 야생동물, 원시의 열대정글, 매혹적인 건축물, 다양한 문화 등을 수마트라에서 접할 수 있다. 수마트라에서는 세계 최상급의 커피인 Mandheling과 Ankola가 생산된다. 둘 다 서부에서 중부 수마트라 지역 2,500~ 5,000feet의 고도에서 재배된 자연건조방식의 커피이다. 만델링은 독특하고 달콤하며 시지 않은 커피로 세계에 잘 알려져 있다. 케냐 커피가 와인 비슷한 밝기를 제공하는 데 반하여, 수마트라는 깊은 달콤함을 제공한다. 볶지 않은 수마트라 커피를 보면 대부분의 다른 나라에서 생산되는 커피보다 꽤 거칠게 처리된 다양한 색과 사이즈의 콩을 볼 수 있는데 좋은 수마트라 커피는 아주 진한 농도를 가진 달콤함이 있다.

🖉 자바(Java)

자바섬은 인도네시아에서 인구밀도가 가장 높은 지역 중의 하나이며 가장 풍요로운 섬 중 하나이다. 산업, 상업 및 정치의 중심지이며 인도네시아에서 가장 개발된 지역이다. 수도인 자카르타는 혼합종족으로 구성되어 있고, 여전히 커다란 문화의 다양성을 나타내고 있다. 문화공원인 타만 미니는 시의 남동쪽에 위치하고 있다. Estate Java는 그 지역의 다른 커피에 비하여 신맛이 더 나고 농밀함이 가벼운 수세건조식 커피가 생산된다. 종종 톡 쏘면서 스모키함이 이 커피의 신맛과 합쳐진 풍미로 나타나는 경우가 있다.

🖉 술라웨시(Sulawesi, 예전에는 Celebes)

셀레베스라고 알려진 술라웨시섬은 세계에서 매우 좋은 커피들 중에 몇 가지를 생산한다. 그 섬의 중앙부분 산에서 재배된 셀레베스 토라자는 가장 유명한 커피 중 하나이다. 술라웨시섬에서 생산되는 커피는 자연건조방식을 사용하는데 달콤함과 흙맛의 오묘한 조화를 이루며 진한 농밀함과 함께 약간의 신맛이 난다. 이 커피는 소규모 재배와 일본의 적극적인 수입으로 인하여 수마트라산 커피보다 훨씬 높은 가격으로 거래되고 있다.

🫘 인도네시아(Indonesia)의 커피등급 체계

등급	결점두 수(단위 : 개)
Grade 1	11
Grade 2	12~25
Grade 3	26~44
Grade 4a	45~60
Grade 4b	61~80
Grade 5	81~150
Grade 6	151~225

③ 파푸아뉴기니(PNG) : 유기농 커피로 유명하며, 1930년경 영국인에 의해 블루마운틴종이 이식되면서 더욱 질 좋은 커피를 재배하는 커피 생산국

남태평양의 섬나라인 파푸아뉴기니는 1927년 자메이카 블루마운틴의 커피를 들여와 재배를 시작하였다. 고지대의 온난습윤한 기후에 기온차가 적어 커피를 재배하는 데 좋은 조건을 가지고 있어 매우 훌륭한 커피 맛을 자랑한다. 자메이카와 유사한 환경이기 때문에 비슷한 향미를 가지고 있다. 특히 단맛이 좋고, 살짝 감도는 신맛과 감칠맛이 잘 어우러져 처음 커피를 접하는 사람들이 마시기에 상당히 매력적이다. 가장 큰 섬인 뉴기니(New Guinea)에는 해발 4,694m의 빌헬름(Mt. Wilhelm)산이 있는데 이 지역을 중심으로 한 고원지대를 하이랜드(Highland)라고 부른다. 파푸아뉴기니 커피의 대부분이 생산되는 하이랜드는 적당한 강수량과 일조량 등 커피 재배에 적합한 조건을 갖추고 있다. 주요 생산지역은 시그리(Sigri), 아로나(Arona), 마운트 하겐(Mount Hagen) 등이 있는데 연간 생산량이 51,000톤으로 세계 19위이다. 파푸아뉴기니는 정부 차원에서 유기농 커피의 경작을 장려하고 있고 국제유기농운동연

맹의 산하인 호주 유기농 인증기관의 자격을 취득하는 등의 노력을 기울이고 있다. 파푸아뉴기니의 커피는 특히 시그리, 번놈 와오, 킴멜 등 3대 브랜드가 유명하고, 뛰어난 산도와 훌륭한 맛, 좋은 농도로 평가받고 있다.

④ 네팔(Nepal) 공정무역 : 유기농 공정무역 커피로 부드러운 맛을 가지고 있으나 생산량이 적은 편인 커피 생산국

네팔 굴미의 아르가칸치 지역에서 생산되는 커피로 37개 마을 900여 명의 소규모 농부들에 의해 재배된다. 17~27℃의 온도를 보이는 이곳의 기후는 아열대 성향을 띠며 연강수량 760~890mm를 보인다.

4월에서 8월까지는 우기이며 커피열매의 주재배지는 해발 1,500~2,000m에 위치한다. 1월에서 3월 사이에 수확하며, 너티한 향과 다크초콜릿의 단향이 혼합된 쓴 맛과 단맛이 조화롭다.

⑤ 베트남(Veitnam) : 세계 2위의 커피 생산국이며 로부스타 재배지역으로
  잘 알려져 있고 주로 블렌드용 커피와 인스턴트 커피의 원료를 공급하는
  커피 생산국

베트남 커피는 오래전에 커피가 전해졌지만,
괄목할 만한 성장을 하지 못했다. 1990년대 들
어 생산량이 급속하게 늘어나서 브라질, 콜롬
비아와 인도네시아에 이어 세계 제2위의 생산
국이 되었으며 베트남의 주 생산품종은 로부스

타이다. 짧은 커피역사를 가졌으나 명실공히 세계 커피시장에 큰 반향을 일으키고
있다.

세계적으로 유명한 커피브랜드 쯩웬이 베트남 커피를 세계에 알리겠다며 시작한
이래 현재는 세계 43개국 커피 애호가의 사랑을 받고 있다. 현재 싱가포르, 일본, 태
국, 캄보디아, 베트남 등에 1천여 개의 커피 프랜차이즈를 운영하고 있으며, 쯩웬의
스페셜티 브랜드로 가장 유명한 Weasel coffee 일명 족제비 커피라 불리는 쯩웬의
대표제품은 수확철에 배고픈 족제비들이 잘 익은 커피열매를 따먹으면 과육은 소화
되고 소화되지 않은 커피빈이 족제비 몸속의 위액과 반응을 일으켜 커피의 쓴맛과 신
맛이 완화된 커피빈이 그대로 배설물로 나오게 되는데 이를 가공하여 만든 제품이며
인도네시아 루왁과 같은 최고급커피로 알려져 있다. 2006년에 런칭한 G7 인스턴트
커피는 서방 선진 7개국의 입맛을 사로잡겠다는 것을 Moto로 한 브랜드 이름으로 현
재 많은 커피 애호가로부터 높은 평가를 받고 있다. 베트남 커피산업의 시장은 계속
해서 발전하고 있다. 로부스타 원두의 생산에서 큰 변화를 보이고 있으며 앞으로 아
라비카 원두 생산의 가능성도 열어두고 있다.

⑥ 하와이(Hawaii) : 8개의 큰 섬과 120여 개 이상의 작은 섬들로 구성된
　최상급의 커피지역인 하와이는 세계 3대 명품 커피 중의 하나로 미국에
　서 유일하게 커피가 재배·가공되는 생산지이며 해마다 한 번씩 하와이
　코나 축제가 열리고 있는 곳이기도 함

　하와이는 미국에서 유일하게 커피 재배가 가능한 지역으로, 하와이안 코나
(Hawaiian Kona)는 자메이카의 블루마운틴(Blue Mountain), 예멘의 모카
(Mocha)와 더불어 세계 3대 커피로 인정받는다. 1825년부터 커피 경작을 시작하였
고 적절한 강수량과 비옥한 화산재 지형, 구름이 만들어주는 자연그늘(free shade)
등 커피 재배에 이상적인 조건을 갖추고 있다. 보통 해발 250~750m 지역에서 재
배하는데 생산고도가 높지는 않지만 위도가 높은 지역이라 좋은 맛의 커피가 생산된
다. 1829년부터 커피가 재배된 후 기술 개발에 의해 단위면적당 수확량이 많다. 800
~2,400피트에서 주로 재배되며, 주요 산지는 Mauna Loa, Mauna Kea 화산 서쪽
경사면 지역이다.

　하와이안 코나의 품질 등급은 커피 원산지를 기준으로 4등급으로 나눌 수 있다.
즉 Kona Extra Fancy, Kona Fancy, Kona Prime, Kona Caracoli No. 1으로
나누었으며 표준에 적합하지 못한 커피는 등급 열외(Off Grade)로 분류하였다. 또
한 No. 3와 등급 열외 커피에는 하와이와 관련된 어떠한 명칭도 표기하지 못하도
록 금지하였고, 등급 열외 커피를 수출하려면 송장(Invoice)에 등급 열외 커피(OFF
GRADE COFFEE)라고 크게 명기하도록 법을 제정하였다.

　코나 원두는 다른 어떤 원두보다도 더 광택이 나며 완벽하게 균형 잡힌 맛을 자랑
한다. 강하고 풍부한 맛과 견과류의 맛이 나며, 좋은 향과 매우 깊은 맛을 낸다. 어
떤 미식가들은 감칠맛 나고 차분한 향에서 계피맛을 감지한다. 하와이에서 생산된

코나 커피는 매우 짙은 풍미를 자랑한다. 코나 커피는 주로 아라비카 티피카종으로, 모든 커피는 9월에서 이듬해 3월까지 일일이 손으로 따서 수확하고 수세식으로 처리하며, 현지에서 35% 정도를 소비하고 미국 본토에서 50%, 캐나다와 일본 그리고 유럽으로 15% 정도를 수출한다. 코나 커피는 명품커피로 국제시장에서 인정받고 있으나 품질과 비교된 가격이 높게 평가되었다는 일부 비평이 있기도 하다. 하지만 여전히 여러 커피협회와 미식가협회에서 뛰어난 명품커피로 인정받고 있다.

하와이(Hawaii)의 커피등급 체계

등급	내용
Kona Extra Fancy	스크린 사이즈 19, 허용 결점두 수 최대 10개(300g 기준)
Kona Fancy	스크린 사이즈 18, 허용 결점두 수 최대 16개
Kona Prime	스크린 사이즈와 상관 없으나 허용 결점두 수 최대 20개
Kona Caracoli No. 1	스크린 사이즈 10, 허용 결점두 수 20개

커피도 와인처럼 값비싼 것이 많은데 어떤 커피가 명품이라고 할 수 있나요?

모든 상품에는 최고, 최상의 명품이라는 브랜드가 있다. 와인이라고 한다면 로마네콩티, 샤토라투르, 샤토 무통로칠드 등이 세계에서 가장 알아주는 대표와인이라고 할 수 있다. 과연 맛이 좋아서 명품이라고 할 수 있는가? 의구심을 한 번쯤 가져볼 만하겠다. 그러나 알고 보면 희소가치 때문에 명품의 고가로 판매되는 것이기도 하다. 그러면 커피에는 어떠한 것이 있을까?

대표적으로 코피루왁(야생 사향고양이)이라는 인도네시아의 커피이다. 원두 100g에 50만 원 이상 고가로 판매되고 있다. 이것은 만들어지는 과정이 조금 다르다. 일반 커피는 재배지에서 수확, 가공, 건조, 저장이라는 과정을 거치지만 루왁은 사향고양이가 커피열매를 따먹으면 소화되지 못한 커피가 배설물로 나오는데 이것을 모아서 처리한 커피를 루왁이라고 한다. 위액 등의 영향으로 쓴맛이 적고 보다 부드러운 맛이 특징이라고 할 수 있다. 가공되는 과정이 조금 엽기적이고 생산량이 많지 않다 보니 가격이 높지 않나 생각된다. 그리고 블루마운틴 커피가 좋다.

자메이카 블루마운틴은 블루마운틴 자락에서 자란 커피로 재배환경이 뛰어나다. 와인 중 프랑스 와인이 고급으로 판매되는데 특히 보르도라는 지역은 천혜의 자연환경을 타고난 지역이기도 하다. 아침 저녁의 일교차에서 오는 기온의 영향으로 서리가 생기는데 이의 영향으로 보다 뛰어난 맛을 만들어낸다고 한다. 블루마운틴 역시 그러한 환경을 가지고 있다. 루왁도 그렇고 블루마운틴도 그런 것처럼 이러다 보면 상업적으로 왜곡되어 판매되는 경우가 많은데 유사품에 유의해야겠다. 참고로, 슈퍼에서 판매되는 블루마운틴을 보면 브랜드나 스타일이라는 단어를 사용하는 경우가 있는데 이는 블루마운틴의 가치를 이용한 하나의 상술이라 볼 수 있다.

내가 바로 국제무역의 원조다

커피는 아무 곳에서나 재배될 수 없었기에 커피벨트라 불리는 일정한 위도상에서 재배하게 되었습니다. 물론 그때 당시 사람들은 이런 사실을 모르고 재배하였습니다. 이곳에서 재배된 커피들은 처음엔 낙타를 이용하여 운반하였습니다. 당시에는 겨우 예멘에서 카이로, 알렉산드리아, 이스탄불, 인도까지 운반되었습니다. 이후 제국주의 시대가 열리면서 각국은 식민지 건설에 힘쓰게 되었습니다. 이러한 식민지 중 알맞은 기후를 가진 지역에는 커피가 재배되기 시작하였습니다.

18세기가 되자, 유럽의 강대국들은 해양기술이 발달하게 되었고 배를 통해 아프리카를 거쳐 예멘까지 상륙할 수 있었습니다. 이에 따라 원두를 직접 구입하였고, 커피가 재배될 수 있는 남·북회귀선 사이에 위치한 지역을 앞다투어 장악하기 시작하였습니다. 그 덕분에 우리들에게 익숙한 항구 마르세유, 암스테르담 등은 일찍부터 발전한 나머지 지금까지 아름다운 항구로 불리게 되었습니다.

현대에 이르러 수입과 수출이 매우 활발해지게 된 커피, 요즘에는 국제 대형화물선 컨테이너에 담겨 매일같이 움직이고 있습니다.

커피의 모든 것

3. 향기를 만드는

시간의 예술, 로스팅

3. 향기를 만드는 시간의 예술, 로스팅

 ### 씨앗에서 한 잔의 커피가 되기까지

과거 제국주의 시대에는 무력을 이용하여 노예들에게 커피를 재배할 수 있는 토지를 경작하게 하였습니다. 이러한 무력으로 인하여 재배자들이 힘들었다면 현대에는 어떠한 점이 힘들까요? 현대에는 커피 생산국가에서 주로 소규모 단위로 커피가 생산되는데, 환율에 따른 안정되지 못한 시세, 너무나 많은 유통업자, 수요를 예측할 수 없는 공급물량 등으로 수많은 커피 재배자들이 힘들어 하고 있습니다. 물론 선진국에서는 이러한 커피업계의 상황을 잘 알고 있어 길드나 조합 등을 만들어 상황에 따라 신속하게 대응할 수 있도록 하고 있습니다. 하지만 이에 반해 후진국이나 개발도상국에서는 상황이 많이 어려운 편입니다. 이유를 막론하고 커피시장은 점차적으로 확대되고 있습니다. 통계에 의하면 전 세계 인구 중 3분의 2가 커피를 마시고 있으며, 생산은 약 70여 개국에서 이루어질 정도로 커피산업이 뿌리 깊게 확산되고 있습니다. 이러한 원산지에서 생산되는 원두는 오늘날의 다국적 기업이라 불리는 곳에서 가공을 거쳐 고객의 기호에 맞게 로스팅 및 포장하여 판매되고 있습니다.

1. 로스팅이란 무엇인가?

로스팅이란 생두에 열을 가하여 볶는 과정을 말한다. 일반적으로 커피나무에 열린 열매 속에 있는 씨앗을 생두라 하며 이것을 가공하고 여러 가지 방법으로 추출하면 우리가 마시는 커피가 되는 것이다. 생두는 보통 열매 속에 대칭으로 2개가 들어 있다. 복숭아씨를 연상하면 쉽게 이해될 것이다. 우리가 일반적으로 복숭아씨라고 하는 부분이 사실은 씨껍질이며, 실제 생두는 씨껍질 안에 들어 있다. 즉, 연한 녹색을 띤 생두는 볶는 과정에서 열을 받으면 우리의 눈에 친근한 다갈색으로 변하는데 이것을 로스팅(Roasting)이라고 한다. 로스팅을 하면 속에서 열분해가 일어나 생두의 세포조직이 부서지기 쉬운 구조로 되면서 여러 가지 성분들(유기산, 카페인, 지방, 당분)이 밖으로 나오면서 커피의 맛과 향이 더욱 그윽해진다. 또한 동일한 커피라 해도 로스팅의 강도에 따라 맛이 달라지기도 한다. 로스팅의 강도가 낮으면 밝은 톤의 산미가 느껴지고 로스팅 강도가 높으면 무거운 느낌의 바디감과 쓴맛이 많이 난다. 커피의 맛은 로스팅 시간과도 관계가 있는데 로스팅 시간이 짧으면 커피액의 밀도가 가벼워지고 로스팅 시간이 길면 맛은 깊어지는 반면 잡맛이 섞일 염려가 있다.

커피를 로스팅(볶는)하는 작업은 커피산업의 여러 단계 중에서 가장 중요한 일이며 또한, 로스팅은 커피에 대한 폭넓은 이해와 그린빈 각각의 특성을 무시한 채 할 수 없는 작업이다. Roasting하는 과정에는 여러 가지 변수가 나타날 수 있는데 특히 날씨의 변화가 많은 영향을 미친다. 그렇기 때문에 로스팅에 숙련된 사람은 온도와 습도 등 주변환경의 요소를 체크하고 그 결과에 따라 로스팅의 조건을 제각기 달리한다. 커피는 볶는 과정에서 그 특유의 맛과 향이 다시 창조되는데, 약 1,500가지가 넘는 유기물질로 구성된 생두에 열을 가하면 대략 1,000개가 넘는 화학물이 발견됨에 따라 보다 화학적 구성에 대한 접근이 가능하게 되었다. 이러한 변화들을 통해 생두는 커피원두로 재탄생되면서 커피 향미에 대한 섬세한 접근이 가능해지는 것이다. 따라서 커피 로스팅에서 무엇보다 중요한 것은 생두에 대한 지식인데 산지나 품종 등 여러 과정을 통해 생두가 가지는 향미의 차이도 생두가 구성하고 있는 화합물의 성분비가 중요하다고 볼 수 있다. 이는 좋은 환경의 생두에서 적절한 로스팅이 가능하기 때문이다.

 ## 이 정도면 나도 커피 전문가, 홈 로스팅!

"로스팅이 뭐예요?"라는 질문을 받을 때면 '커피의 진수, 꽃'이라고 한다.

왜냐하면 로스팅을 예술과 과학과 마술이라고 할 수 있기 때문이다. 여러 가지 경우의 수에 따라 변화되는 커피의 맛과 향의 스펙트럼!! 바로 이것이 예술이 아닌가.

와인은 완제품을 가지고 맛을 즐기지만 커피는 생콩을 자기만의 방식으로 직접 로스팅하여 커피를 만들어낸다. 그래서 더 열정이 담기게 마련이다. 홈 로스팅을 간편하게 할 수 있는 방법은 많다. 가정용 홈 로스터기부터 수망로스터기까지 여러 가지가 있다. 보다 저렴하게 구매해서 사용하려면 수망이 좋겠다. 수망은 보통 5천 원 정도면 구매할 수 있으며 처음부터 불을 너무 세게 하지 말고 천천히 수분을 날려가면서 볶는다. 보통 100g 정도로 10분 이상 볶다 보면 색깔이 변하면서 향이 발생하는 것을 경험할 수 있을 것이다.

2. 로스팅 과정

생두에 열을 가하면 커피의 여러 가지 성분들은 나름대로의 특성에 따라 물리화학적으로 반응을 일으켜 새로운 Flavor로 변화되고 사라지기도 한다. 다시 말하면 커피를 볶는다는 것은 커피가 근본적으로 가지고 있던 성분을 변화시키는 것이다. 그렇기 때문에 다양한 커피의 성분들이 열에 의해 변화하는 과정을 구체적으로 이해할 수 있다면 원하는 향미를 가진 커피를 만들기가 비교적 쉬울 것이다. 로스팅 기술을 익히는 과정은 연습과 시행착오를 통한 프로파일링하면서 만든 가치 있는 경험의 체적물이라고 할 수 있다. 이러다 보면 자신이 원하는 향미를 잡기 위해 노력하면서 어떤 생두를 어떻게 로스팅해야 하는지 감각적으로 알게 된다. 이처럼 여러 경험을 통해 이해의 폭을 확대해 나가면 새로운 관점으로 로스팅에 대한 접근이 용이해질 수 있다.

로스팅 과정은 3단계로 나눠지는데, 즉 건조 단계(Drying Phase), 로스팅 단계(Pyrolysis Phase), 냉각 단계(Cooling Phase)이다.

1) 건조 단계(Drying Phase)

　로스팅 초기 단계이며 이 단계에서 열을 흡수하는 흡열단계가 진행되는데 Caramelization까지라고 볼 수 있다. 수분이 감소하면서 생두 내부에 열이 잘 전달될 수 있도록 수분을 최대한 탈기시켜 주는 것이 중요한데 초반의 풋향에서 마이야르 반응이 진행되면서 빵 굽는 듯한 구수한 향을 경험할 수 있는 단계이다.

2) 로스팅 단계(Pyrolysis Phase)

　로스팅은 매순간 중요하지 않은 곳이 없다고 볼 수 있는데 열분해 단계는 아주 실질적으로 커피의 스타일을 결정짓는 단계라고 볼 수 있다. 콩의 부피가 증가하고 부스러지기 쉬운 구조로 바뀌면서 여러 가지 성분이 나타나는데 주로 이산화탄소와 여러 산들이 생성되었다 감소된다. 크게 1차 크랙과 2차 크랙으로 나눈다.

① 1차 크랙

생두의 수분이 기화되어 수증기 막을 형성하면서 엄청난 압력을 생성시키고 당질이라고 하는 탄수화물이 산화되면서 많은 양의 CO_2가스가 생성된다. 생두의 조밀도에 따라 다소 차이는 있을 수 있지만 주로 조직이 팽창되어 주변 에너지와의 열균형이 무너지면서 발생하는 소리이다.

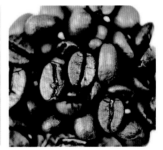

② 2차 크랙

연소에 의해 원두 내부에 쌓여 있던 CO_2가스가 방출되면서 1차 크랙과 또 다른 소리를 낸다. 이를 세포 내의 탈수현상(dehydration)이라고 한다. 연소가 가속화되면서 원두의 내부상태는 더더욱 쉽게 부서지며 타기까지 하는데 로스팅 진행이 오래될수록 오일이 이동을 시작한다. 커피오일이 가열되면 커피콩 표면이 반짝이게 되는데 이때 짙은 연기가 지속될 수 있다. 상대적으로 당이 열분해 과정으로 대부분 소실되기 때문에 쓴맛의 비중이 높아지고 신맛은 줄어들게 된다.

3) 냉각 단계(Cooling Phase)

로스팅의 마지막 단계라고 할 수 있는데 열을 최대한 빠른 시간 내에 냉각시켜 주는 것이 관건이다. 로스팅이 끝나자마자 냉각시켜도 바로 떨어지지 않는다. 찬 공기를 순환시켜야 원두 내부의 열량 공급이 중단되어 원하는 단계인 아로마를 지켜낼 수 있다. 4분에 40℃ 이하로 마무리하면 좋다. 냉각방식으로는 공기의 흐름을 이용한 공랭식과 물을 분사시켜 냉각하는 퀀칭식(water quenching)이 있다.

3. 로스팅 가열방식과 구조

　산지에서 생산된 그린빈에 영혼을 불어넣는 작업인 로스팅. 산지의 고도나 기후가 빚어낸 그린빈은 각각의 특성을 가지고 있다. 이러한 그린빈의 특성을 잘 살려내는 중요한 작업이 바로 로스팅이다. 요즘 하루가 다르게 새로운 기계들이 개발되고 생산되는데 어떤 로스터를 사용하느냐도 중요하겠지만, 가열방식과 구조적인 메커니즘을 우선 잘 이해하는 것이 중요하다고 하겠다. 형태에 따라서 수평형(horizontal), 수직형(vertical), 유동층(fluidized bed)으로 나눌 수 있으며, 작업방식에 따라서도 나눌 수 있지만 무엇보다 로스터들이 가장 예민하게 생각하는 부분은 바로 열전달 방식(heat transfer)의 구조이다.

1) 가열방식

　다양한 열원을 사용하여 공기를 데우거나 드럼을 직접 데우기도 하여 드럼 안에 있는 커피를 익히도록 만드는 것이 바로 로스팅이다. 현재 사용되고 있는 가열방식은 다음과 같다.

(1) 직화식

　직화식은 말 그대로 불로 커피를 로스팅하는 방법이다. 가스나 전기를 연소하여 불꽃을 발생시켜 콩이 들어 있는 드럼을 직접 가열하여 로스팅하는 형식이다. 이때 드럼이 회전하며 전체가 골고루 열을 받을 수 있도록 고안되어 있다. 드럼에 구멍이 나 있어 불꽃이 직접 커피와 접촉하지만 별도의 열풍구멍은 없다. 장점은 경제적이며 커피의 맛과 향이 직접적으로 표현되는 보다 개성적인 맛을 만들 수 있다는 것이다. 단점은 그린빈의 팽창이 적고, 내부로 열전달이 다소 어려워 오일 생성이 잘 안 되어 바디감이 떨어진다는 것이다. 균일한 로스팅을 위해서는 고도의 기술이 필요하므로 보다 숙련된 로스터들이 사용하고 있다.

(2) 반열풍식

반열풍식은 직화식이 변형된 방식으로 직화식과 마찬가지로 불꽃이 드럼을 가열시킨다. 그리고 드럼의 뒷부분에 뚫려 있는 통풍구를 통해 뜨거워진 공기가 들어가 드럼 내부를 순환하여, 균일한 로스팅을 가능하도록 고안된 방법으로 현재 가장 많이 사용하는 로스팅 방식이다.

장점은 열효율이 높아 직화식보다 균일한 로스팅이 가능하고 드럼 내부로 공급된 열량의 손실이 적어 원두 내부의 팽창이 쉽고 로스팅 과정 변화가 일정하여 판단이 좋고 바디감 있는 연출이 가능하다는 것이다. 단점은 드럼 내부의 예열시간이 직화방식에 비해 길고 고온으로 로스팅 시 얼룩 배전으로 인한 풋향과 비릿한 맛이 날 수 있다는 것이다.

(3) 열풍식

직화나 반열풍식과는 달리 별도의 연소실에서 연료가 연소되어 뜨거운 공기를 발생시켜 로스팅을 진행한다. 발생된 뜨거운 공기가 별도의 흡입팬의 힘에 따라 드럼 내부로 전해져 열풍을 순환시켜 로스팅하는 방식이며 주로 자동화된 대형공장에서 많이 사용된다. 장점은 균일하고 로스팅시간이 짧고 대량으로 로스팅할 때 적합한 방식이라는 것이다. 아울러 공급되는 열량 손실이 가장 적은 방식이다. 드럼이 아닌 다른 형태로 가열된 열풍이 생두 사이를 통과시키며 가열하는 방식도 있다. 단점은 직화나 반열풍 로스터에 비해 원하는 커피 스타일을 표현하기가 상대적으로 어렵고 드럼 내부의 예열시간이 가장 길다는 것이다.

2) 로스터기의 구조

(1) 열원 방식

현재 로스터에 사용되는 연료는 크게 가스와 전기로 나눌 수 있다. 그 밖에 숯이나 기타 연료도 있지만 극히 드물다. 가스는 액화석유가스(LPG)와 액화천연가스(LNG)로 나눌 수 있다. 액화석유가스는 원유를 증류하여 각 등급별 기름으로 정제하는 과정에서 발생하는 부탄과 프로판을 액화시켜서 만든 것이고, 별도의 가스통을 통해 공급된다. 액화천연가스는 천연가스를 정제하는 과정에서 발생하는 메테인을 액화시킨 재료로 대용량 배관을 통해 도시가스로 공급된다. 화력 즉, 열량 면에서 액화석유가스가 액화천연가스보다 2배 정도 강해 로스팅에 더 적합하다는 이야기가 있지만 가스를 공급하는 배관의 크기를 조절하여 비슷한 정도로 사용할 수 있다. 전기를 열원으로 하는 것은 크게 2가지 방법으로 나눌 수 있는데, 열풍을 발생시키는 별도의 히터를 가동시키는 방법과 코일에 전기를 공급해 열을 발생시킨 후 공기를 흡입하여 데우는 방법이 있다. 가스의 경우 순간적인 폭발력과 화력이 강해 빠르고 온도조절이 수월한 반면, 전기의 경우 가열되는 시간이 가스에 비해 길다. 이렇듯 로스팅은 로스터의 구조에 따라 결과물이 달라지기 때문에 열원 방식을 이해하면 플레이버를 원하는 대로 조절할 수 있다.

(2) 드럼(Drum)

드럼은 로스터기의 핵심이다. 내부에는 교반날개가 달려 있는데 회전되면서 콩이 한곳에 머물지 않고 골고루 열을 잘 흡열 발열할 수 있도록 도와주는 역할을 한다. 보통 직화식보다는 반열풍식 구조의 드럼이 더 두꺼우며 열전도율도 좋다. 내부와 외부의 두 겹으로 제작된 듀얼드럼(Dual Drum)과 한 겹으로 제작된 싱글드럼(Single Drum)이 있다.

(3) 샘플러(Sampler)

로스팅 시 여러 가지 감각을 최대한 동원하게 되는데 로스팅 도중에 수시로 외관의 색과 크기, 향을 체크할 수 있도록 하는 기구이다.

(4) 댐퍼(Damper)

댐퍼가 모든 기계에 달려 있는 것은 아니다. 기계의 메커니즘에 따라 다소 차이가 있는데 드럼 내부의 열이나 로스팅 시에 발생하는 여러 가지 미세한 향을 댐퍼를 조절해서 배기량을 제어할 수 있다. 밸브가 액체의 흐름을 조절하는 기능이라면 댐퍼는 기체의 흐름을 조절하는 역할을 한다. 조절을 잘하면 보다 섬세한 향미의 구현이 가능할 수 있다.

(5) 버너(Burner)

열의 흐름을 드럼으로 전달하는 장치이며, 가스 종류에 따라 버너의 노즐 구조가 다르므로 정확한 체크가 필요하다. 참고로 LNG와 LPG의 경우 압력의 세기와 배관 설비의 공간이 다르므로 장단점을 고려하여 선택할 필요가 있다.

(6) 사이클론(Cyclone)

로스팅 시 채프(Chaff)가 발생하는데 이를 모아주는 장치가 바로 사이클론이다. 일일점검사항으로 항시 로스팅 전에 확인 후 주기적으로 비워주어야 드럼 내부의 열 균형 상태가 일정해진다.

(7) 열(Heat)

물리적 에너지의 일종인 열은 수치로 측정이 가능하며 열에너지의 총량인 열량은 온도에 비례한다. 로스팅에서 열은 플레이버의 변화에 주도적인 역할을 하기 때문에 열을 이해하는 것은 로스팅 결과를 향상시키는 것과 직결된다고 할 수 있다. 로스팅에 적용되는 열은 크게 대류, 복사, 전도로 나누어진다.

대류는 가열된 기체나 액체가 순환하며 열을 전달하는 것을 말하는데 뜨거운 기체와 생두가 밀접하게 접촉되기 때문에 열이 한층 더 효율적으로 전달되고 로스팅 결과도 균일하다고 볼 수 있다.

복사는 전도나 대류와 달리 매개체 없이도 열이 전달되는 방식이며, 로스팅에서는 가열된 생두나 드럼 등의 요소가 적외복사를 발산하는데 다각도로 열을 가해 생두를 안팎으로 고르게 익게 한다.

전도는 온도가 높은 물체와 낮은 물체 사이의 전도체를 통해 열이 전달되는 방식으로 로스팅에서는 온도가 낮은 생두가 드럼처럼 온도가 높은 요소와 접촉했을 때나 서로 다른 온도의 생두들이 접촉했을 때 수분을 매개로 한 열전달이 이루어진다. 특히 로스터의 교반이 원활하지 않은 경우 생두와 드럼의 접촉시간이 길어져서 스코칭같이 표면이 타는 현상이 일어날 수 있다.

4. 로스팅 단계별 분류와 로스팅 공정

1) 로스팅 단계별 분류

원두는 로스팅 과정을 거쳐야만 맛과 향을 가질 수 있다. 하지만 로스팅 단계의 정확한 이해를 위해서는 단계별 명칭의 명확한 표현이 필요하다. 국가나 지역마다 서로 간의 상이한 기준법을 가지고 있는데 한국에서는 주로 SCAA 로스팅 분류법을 따르는 실정이다. Agtron사의 'M-Basic/E10-CP' 측정값을 총 8단계로 분류하여 8개 Color Disk를 사용하고 있다.

로스팅 단계별 분류

Roast Classification	Agtron No.	Color Disk Values
Very Light	95/75	Tile #95
Light	85/67	Tile #85
Moderately Light	75/59	Tile #75
Light Medium	65/51	Tile #65
Medium	55/43	Tile #55
Moderately Dark	45/35	Tile #45
Dark	35/27	Tile #35
Very Dark	25/19	Tile #25

출처 : Color Roast Classification System by scaa.com

2) 로스팅 공정

(1) 전처리 : 결점두 선별

콩을 볶기 전에 꼭 해야 하는 과정으로 고르지 못한 생콩 즉 결점두를 선별해 내는 것이다. 이는 얼룩 볶음의 원인이 되는데 맛에 지극히 나쁜 영향을 줄 수 있다. 결점두는 주로 잘못된 펄핑이나 탈곡, 과발효, 유전적 원인, 곰팡이 발생, 미성숙상태에서의 수확, 해충에 의한 요인 등의 여러 발생원인이 있다. 커피를 가열하면서 나타나는 변화는 매우 복잡해도 단계별로 나타나는 가장 기본적인 변화는 일정하기 때문에 결점두의 선별은 중요하다고 볼 수 있다.

(2) 기계의 예열 : 커피 맛에 미치는 영향

대부분의 기계가 그러하듯 그린빈 투입 시점의 드럼 내부 설정온도가 맛과 향을 결정하는 매우 중요한 포인트이다. 일반적으로 로스터는 로스팅 시작 전에 예열해 주는데 대개의 경우 160~180℃의 온도를 설정하고 여름철에는 짧게, 겨울철에는 약 30분간 가열한 후 로스팅을 시작한다. 이때 200℃ 이상에서 10여 분간 가열한 후 그린빈이 익어가는 과정을 관찰하면 원두가 커지는 것을 알 수 있다. 즉 낮은 예열온도(160~180℃)에서 그린빈을 투입하면 경우에 따라 원두의 팽창률이 큰 차이를 보인다. 미디엄 로스팅 시 낮은 온도에서의 원두 팽창률은 40%인 데 비해 200~220℃에서 그린빈이 투입된 경우에는 약 80~85%의 팽창률을 보이게 된다. 이런 팽창률의 차이는 바로 추출과 연관되어 맛의 변화가 가장 크게 느껴질 수 있는 부분이다.

(3) 로스팅 볶음도 : 단계별로 다양하게 느낄 수 있는 향미

일반적으로 로스팅 정도를 강/중/약 볶음의 3단계로 나누기도 하고 라이트(Light), 시나몬(Cinnamon), 미디엄(Medium), 하이(High), 시티(City), 풀시티(Full City), 프렌치(French), 이탈리안(Italian)의 8단계로 나누기도 한다. 색깔은 크게 중요하거나 정확한 것이 아니다. 하지만 각자가 원하는 맛의 기준으로 경험을 쌓아야 하는 것이다. 그렇다 해도 생두  의 품종에 따라 특성이 다르므로, 일반적으로 '어떤 품종의 생두에는 이런 로스팅이 어울린다'라는 표준은 있다. 이러한 표준을 기반으로 자신만의 로스팅 단계를 만들어가는 것도 중요하다고 볼 수 있다.

(4) 1차 크랙의 신호 : 생두 세포 내부의 수분이 증발하면서 발생

1차 크랙이란 그린빈 내부까지 충분한 열
을 받아 팽창이 시작되고 있다는 첫 신호이
다. 즉 1차 크랙에 도달하는 시간은 그린빈
투입 시 그린빈 내부의 온도와 기계예열온
도 그리고 불의 세기에 따라 조금씩 차이가
날 수 있다. 1차 크랙 도달시간의 차이는 그

린빈의 조밀도 차이 등 여러 요인에 따라 변할 수 있겠지만 무엇보다도 그린빈 외관
에 열이 전해지는 시간이 길고 짧음에 따라 결정된다. 그린빈이 서서히 흡열반응을
통해 건조되면서 외피는 더 진행되거나 덜 진행되면서 맛의 차이가 나타난다.

(5) 2차 크랙 : 이산화탄소의 생성으로 인한 팽창으로 발생

2차 크랙은 210℃ 부근에서 가스 생성으로 인한 팽창력으로 생성되는 소리이다. 1
차보다는 파핑소리가 뚜렷한데 맛의 결정시기는 이미 1차 크랙에서 기본이 갖추어
졌으므로 그 영향력이 실제로 크지는 않지만 화학적으로 성분 변화의 가속화로 콩의
스타일을 결정지을 수 있는 단계이다. 로스팅 정도에 따라 조금씩 차이는 있지만 원
두의 무게가 20% 정도 감소하고 부피는 50~100% 정도 증가한다.

(6) 크랙에 따른 맛의 편차

콩이 볶아지면서 색깔, 향 등 여러 변화가 있겠지만 크랙의 변화는 무엇보다도 맛
에 영향을 미친다고 볼 수 있다. 크랙음을 장시간 듣고 난 후에 볶은 커피의 맛과 짧
은 시간 듣고 난 후의 커피 맛을 보면 전자의 맛이 더 강렬하다. 그러나 커피를 상온

에 오랫동안 유지할 수 있는 보관기간은 짧아지게 된다. 그래서 크랙 허용시간은 로스터들의 노하우가 되면서 보다 다양한 맛과 향을 가질 수 있다.

(7) 원두의 배출과 냉각

원하는 포인트의 볶음을 얻었다고 해도 빠른 시간에 배출과 냉각이 진행되지 않으면 원두 자체의 온도에 의해 더 진행될 수 있다. 그래서 냉각 시에는 회전식 교반기나 송풍기를 이용해서 원두를 빨리 상온으로 떨어뜨려야 한다.

(8) 마무리 작업

로스팅 후에도 결점두를 선별해야 한다. 물리화학적인 변화에 의해 형태가 변한 원두 그리고 미리 골라내지 못했던 불량두나 이물질을 선별해 내야 한다.

3) 완벽한 로스팅을 위해 고려할 Tip!

로스터들의 직관적인 능력과 노하우는 콩을 볶는 과정에서 발현된다고 볼 수 있다. 그러나 장기적인 경험과 감성의 편향된 판단을 통해 범할 수 있는 부분을 최소화함으로써 보다 과학적인 접근을 통한 이해를 높일 필요성이 대두되고 있다.

(1) 드럼 내부온도의 편차

로스팅 기계의 드럼 내에는 온도 센서가 있는데 위치에 따라 각기 다르게 표시하고 있다. 그러므로 각 기계마다 다르게 표시되어 있는 내부의 온도를 잡기는 조금 무리가 있다. 무엇보다도 주변상황과 온도, 기계 사용 후 잔열의 온도차 등 드럼 내부의 온도를 정확하게 잡기는 힘들다고 볼 수 있다.

(2) 생두의 수분함량이 커피에 미치는 영향

커피와 수분은 상당히 밀접한 관계가 있다고 볼 수 있다. 무엇보다도 어떤 가공방식을 통해 건조되었는지는 그린빈의 수분과 밀도와의 관계 때문에 중요하다. 그린빈의 수분 변화로 콩의 색상이 변하고 경도가 단단해져서 열량공급을 달리해야 하기 때문이다. 이러한 콩의 수분상태를 파악하지 못하면 볶음이 불확실해질 수 있다. 보관장소의 습도에 따라 차이가 있긴 하지만 생두는 대체로 8~12%의 수분을, 원두는 1%대의 수분을 가지고 있으며, 이를 통해 생두의 무게가 어떻게 변화하는지를 알 수 있다. 로스팅 중에 일어나는 생두의 수분 손실은 중량 감소로 이어져 무게가 12~24% 정도 줄어들게 된다. 특히 1차 크랙에서 생두는 증기압의 발생과 캐러멜화에 의한 열분해로 인해 수분이 손실되어 열전도율이 낮아진다. 그러나 생두는 로스팅이 계속 진행됨에 따라 내부의 온도와 압력이 높아지고 열을 발산하는 발화점에 가까워지면 조직이 무른 부분을 중심으로 연소되기 시작한다. 2차 트랙을 일으키는 요인인 이산화탄소의 방출도 이 시점을 기점으로 더욱 활발해지는데, 이를 두고 불꽃이 없는 연소과정에 들어간다고 표현한다.

(3) 로스팅 시 생성되는 연기와 커피의 관계

그린빈이 열을 받고 크랙이 발생됨과 동시에 연기가 생성된다. 볶는 과정에서 가장 중요한 부분은 연기를 어떻게 이용하느냐는 것인데 이를 적절하게 사용한다면 보다 풍부한 커피의 깊은 맛을 살릴 수 있다. 만약 발생되는 연기를 모두 배출시키면 커피 맛의 플랫(Flat)함과 중후함이 조금 부족할 수도 있다. 실버스킨이나 센터 컷을 통해 연기의 함침량을 가늠할 수 있는데 어느 정도의 연기량이 커피 맛에 영향을 미치는지에 대한 명확한 수치는 없지만 여러 가지 훈련을 통해 비교해 보면 좋은 결과

물을 얻을 수 있을 것이다.

(4) 이산화탄소가 커피에 미치는 영향

이산화탄소는 양면성을 가졌다고 볼 수 있다. 환경오염의 주범이기도 하지만 커피에서는 향미를 보존 즉 신선도를 유지하고 부패를 방지시켜 준다. 로스팅 시 콩이 팽창하면서 조직 내외부에 구멍이 생성되는데 이산화탄소가 가득 채워지면서 수분과 산소가 들어갈 수 없어서 커피의 신선도가 유지되는 반면 볶은 지 24시간 정도 경과할 경우 이산화탄소가 자연스럽게 공기 중으로 탈기되는데 그 자리에 수분과 산소가 들어가 커피 내부의 화학반응을 일으켜 아주 훌륭한 향미를 만들어주는 중요한 역할을 한다. 시간이 지나 공기 중에 많이 노출되면 당연히 산패가 진행되겠지만 추출 시에 이산화탄소가 용출되므로 빠른 시간에 어떻게 제거하느냐가 커피의 향미와 연관될 수 있다.

 커피 원두를 주문하다 보면 로스팅 포인트라고 적혀 있는데 어떤 의미이며 어떤 단계가 맛이 좋은가요?

로스팅에 의한 원두의 단계적인 분류를 나타내는데 보통 8단계로 나눈다. 라이트, 시나몬, 미디엄, 하이, 시티, 풀시티, 프렌치, 이탈리안 로스팅 단계로 나눌 수 있다.

보통 드립 용도로 사용하는 커피는 풀시티 단계가 좋은데 이 단계는 신맛의 거의 없고 바디감과 풍미가 제일 높은 단계라고 볼 수 있다. 아울러 에스프레소 용도로 사용되는 커피는 주로 풀시티 후반부나 프렌치 로스팅 단계를 선호한다. 커피가 가지고 있는 가장 진한 느낌의 고유의  향미, 중후한 느낌이 극대화되는 단계이다. 요즘은 에스프레소라고 해도 조금 약하게 볶는 카페도 많은 걸로 알고 있다.

유럽의 커피문화 ①
디카페인과 로스팅의 원조, 독일

독일은 사실 카페문화가 늦게 정착된 나라입니다. 하지만 커피기술 분야에서는 독일이 압도적인 두각을 나타내고 있었습니다. 유럽 초기 시절에는 커피가 항상 부족했었습니다. 그래서 대용커피, 즉 치커리 뿌리를 커피 대용으로 마시기 시작하였습니다.

독일은 호밀과 보리를 이용하여 말적커피를 마시기 시작하였습니다. 이 말적커피가 얼마나 인기가 많았냐 하면 19세기 말, 독일에서만 말적커피 공장이 64개나 생길 정도였습니다. 커피를 싫어하는 이유 중 하나가 카페인의 섭취 때문인데 잠을 못 이룬다거나 심지어 가슴까지 뛰는 사람도 있습니다. 당시 독일은 화학이 발전하였는데 이미 1820년에 룽게라는 화학자가 커피성분을 분석하는 방법을 개발해 냅니다. 이것으로 독일의 유기화학자 프리들리프 룽게가 카페인 제거기술을 최초로 개발하였고, 카페인을 분리해 낼 수 있게 됩니다. 이로 인해 1905년 독일에 '카페하그'라는 회사에서는 카페인 프리 커피를 만들어냈습니다.

카페인 프리 커피가 독일에서 만들어졌고 시간이 지난 뒤 독일에서 커피를 볶는 방법으로 열풍식 로스터가 개발되었습니다. 초기에는 커피를 그냥 불 위에서 볶았는데 이 열풍기를 이용하여 볶으면 고르게 볶아지고 빠른 시간 안에 볶을 수 있었습니다. 이러한 기술개발 덕분에 제2차 세계대전 후 커피가 부흥과 재건의 심벌이 되었습니다. 어디에서나 커피를 마실 수 있었고 커피의 효능 덕에 일을 하고 좋은 결과까지 이루게 되었던 것입니다.

5. 로스팅 과정 중에 나타나는 변화

그린빈의 물리적 반응은 현상을 통해 쉽게 이해할 수 있는데 수분이 증발하면서 무게, 부피, 조밀도가 감소하고 드럼 내부의 마찰열로 인하여 열전달이 빠르게 진행되면서 세포조직이 부서지기 쉬운 구조로 변화되어 로스팅 진행상태를 판단할 수 있다.

1) 색의 변화

그린색을 가진 생두는 로스팅이 시작되면 색깔이 변화된다. 색깔의 변화를 보면 처음에는 생두의 색깔인 녹색으로 시작해서 과정이 진행되면서 노란색, 밝은 브라운톤의 갈색, 크랙이 일어나면서 점차 어두운 갈색, 최종적으로 검은색으로의 색깔 변화를 볼 수 있다.

어두운 색으로 진행되는 것은 당분의 캐러멜화 반응, 단백질의 메일라드(마이야르) 반응 물질의 생성에서 기인한다고 볼 수 있다. 볶음도의 색상은 로스팅의 지표이며 로스터가 공정을 조정하고 조율하는 데 도움을 줄 수 있다.

2) 부피의 변화

커피콩의 부피는 볶음 중에 커진다. 볶음된 커피콩의 결과치는 길이, 폭, 높이에 있어 얼마간 비례적이다. 증기와 가스의 형성을 통해 세포 내부에는 높은 압력이 형성되고 이를 통해 커피콩은 커져간다. 수분의 탈기가 진행되면서 생두 표면에는 주름이 생기는데 해발고도에 따른 조밀도와 상관관계가 있으며, 세포벽의 기본구조를 이루는 유기화합물인 섬유소(cellulose)에 따라 다소 차이가 있는데 열에 저항하는 힘의 크기에 따라 열전도율에 차이가 있을 수 있다. 1차 크랙 이후 다공질 조직으로 부피가 팽창하는데 거의 50% 이상 커지고 2차 크랙이 진행되면서 세포벽의 교착이 이루어지면서 부서지기 쉬운 구조로의 진행이 가중되면 무려 100%까지 커진다.

3) 질량의 변화

생두는 열량의 흐름에 따라 수분에 탈기가 이루어지고 증발되면서 중량이 가벼워지는데 이것은 로스팅 시간과 상관관계가 있다고 볼 수 있다.

볶음 중 질량의 감소는 성분 감소로도 알려져 있는데, 생두의 수분함량, 커피콩의 물리화학적 변화, 가스 방출량과 관계가 있다. 특히 수분 증발에 의해 거의 80% 정도가 줄어든다. 로스팅 시 열량의 흐름을 놓고 비교해 보면 거의 1차 크랙 시점에서 15%, 2차 크랙 시점에서 25% 정도의 수분이 감소하고 특히 2차 크랙이 진행되면서 세포 내 성분의 변화가 빨리 일어나는데 거의 화학적인 성분의 분해가 진행된다.

4) 향의 변화

색깔이 변화되면서 향도 같이 변화되는데 생두가 투입되고 드럼의 열량 흐름이 원활히 공급되면 수분이 증발하고 특유의 풋내(Peasy)가 나면서 4분 정도 경과하면 고소한 향이 시작되고 6분 정도 경과하면 가벼운 신향에서 무거운 신향으로의 변화가 일어난다. 1차 크랙이 진행되면서 톡 쏘는 듯한 신향과 함께 복합적인 향이 나타나고 2차 크랙이 일어나는 시점부터는 드럼 내부의 포화도가 높아지면서 자극적인 향이 나기 시작한다.

5) 오일

오일은 커피품종의 품질 차이를 만드는 대표적인 요소 중 하나로 로스팅 중 열에 의해 변화하지만 로스팅 강도에 따라 큰 변화는 없다고 볼 수 있다. 생두에 포함된 고체상태의 지방과 액체상태의 오일은 전체 중량의 12~15%를 차지하며 커피오일이라고 한다. 커피오일에는 커피의 방향족 화합물이 농축돼 있으며 실제 커피로 추출했을 때는 0.1~0.8% 정도로 소량만 물속에 녹아든다. 단지 로스팅 강도가 높아짐에 따라 눈에 보일 정도로 표면에 액상화되어 나타난다.

6) 카페인

일반적으로 아라비카에 비해 로부스타가 카페인 함량이 높은데 씨앗뿐만 아니라 잎에도 소량으로 함유되어 있다. 카페인의 쓴맛은 외부 공격으로부터 커피열매를 보호하기 위한 방어기전으로 상대적으로 로부스타가 아라비카에 비해 단위 생산량으로 비교했을 때 높은 이유이기도 하다. 로스팅 시 카페인은 열에 상대적으로 안정적이므로 로스팅 강도와 비례하지는 않는다.

7) 휘발성분

아미노산, 유기산, 당질 등이 로스팅 과정을 통해 휘발성 향기물질을 만들어내는데 48~50%는 알데히드(aldehyde), 18~20%는 케톤(ketone), 6~8%는 에스테르(ester)이다. 휘발성 향기물질은 1%도 채 안 되지만 무려 850여 가지나 되는 향기물질로 가스 방출과 함께 증발되며 상온에서 아주 쉽게 소실되는 성분이기도 하다.

8) 갈변현상

커피는 별다른 효소 활동 없이 식품성분 간의 열에 의한 비효소적 갈변현상(non - enzymatic browning)으로 갈색을 띠게 된다. 커피의 갈변현상으로는 메일라드 반응(Maillard Reaction)과 캐러멜화 반응(Caramelization)이 있다. 프랑스 학자 마이야르가 포도당과 글리신을 가열하게 되었을 때 나타나는 반응이라고 하여 명명되었는데 단백질의 구성물질인 아미노산과 환원당 사이에 일어나는 화학반응으로 갈색중합체인 멜라노이딘(melanoidine)이 생성되는 과정이다. 그리고 캐러멜화 반응은 자연적으로 일어나기보다는 당을 고온으로 가열하였을 때 다당류의 하나인 자당(sucrose)의 열분해로 일어나는 현상이다.

6. 로스팅 진행과정

1) 투입-터닝 포인트(Input-Turning point)

로스팅의 시작단계로 예열된 드럼에 실온의 수분이 함유된 생두를 투입하면 드럼과 빈 온도가 열평형을 이룰 때까지 온도가 계속 떨어지는데, 전환점을 지나면서 다시 상승세를 보이게 된다. 투입온도는 로스팅 프로파일의 터닝 포인트에 따라 결정되는데, 터닝 포인트의 온도가 너무 낮으면 1차 크랙까지 도달하는 속도가 너무 느려서 로스팅 시간이 길어지고, 반대로 터닝 포인트의 온도가 너무 높으면 1차 크랙까지 도달하는 속도가 너무 빨라서 로스팅 시간도 짧아진다. 이 때문에 로스터는 생두 투입량이 정해져 있을 때는 투입온도를 조절하고, 투입온도가 정해져 있을 때는 생두 투입량을 조절하는 방식으로 열량을 맞춰야 한다.

　＊ 터닝 포인트란? 전환점이라고도 하며 생두를 투입한 후 드럼 내부에서 온도가 처음으로 상승하기
　　시작하는 지점

2) 터닝 포인트-옐로우 단계(Turing Point-Yellow Phase)

　터닝 포인트는 생두를 투입하고 2분 이내 정도 경과한 시점이며, 이후로 생두는 열을 흡수하는 흡열구간에 들어간다. 이 구간에서 섬유질로 구성된 생두는 표면을 통해 열을 흡수하며 서서히 온도가 상승하게 되고 열이 외부에서 내부로 이동하는 열전도도 일어난다. 이때 생두는 열을 전체적으로 고르게 흡수하기 위해 수분이 지닌 전도성을 이용한다. 빈(bean) 온도가 100℃까지 오르면 외부의 자유수는 증발하고, 내부의 결합수는 전도체가 되어 생두 밖에서 안으로 열을 전달한다. 생두는 열전도에 의해 흰색 또는 밝은 연두색에서 노란색으로 색깔이 변하고, 100℃를 기점으로 수증기가 발생하면서 내부에 증기압이 형성된다. 그러다 옐로우에 가서는 높은 온도 때문에 조직이 유리화되고 수분함량이 줄어들면서 구조가 불균일해지고 결국 내부 압력의 영향을 받아 부피가 팽창하기 시작한다.

3) 154℃-메일라드 반응(154℃-Maillard Reaction)

　생두의 내부와 외부 온도의 차이는 154℃에 도달해서야 거의 비슷한 수준으로 줄어들고 압력도 동일하게 유지된다. 이 단계의 생두는 부피가 팽창하면서 채프(Chaff)가 벗겨지고 가수분해에 의해 메일라드 반응이 일어나며, 착색물질인 멜라노이딘과 휘발성 유기물질이 생성된다. 그 결과 원두는 갈색빛이 돌고 특징적인 플레

이버를 만들어낸다. 메일라드 반응에 의해 생두 내부의 압력이 커질수록 더 많은 방향족 향기 화합물이 생두 내부에서 외부로 이동하게 된다. 그 과정에서 생두는 유기물질이 분해되고 증기압이 늘어나며 부피가 팽창함에 따라 열을 흡수하는 표면적이 넓어진다.

　* 가수분해란? 포도당의 화학반응식으로 물분자가 식품성분과 결합하면서 크기가 점점 작아지고 단당류로 분해되는 현상

4) 160℃-캐러멜화(160℃-Caramelization)

생두는 열분해에 의해 캐러멜화가 진행되면서 탄수화물이 분해되기 시작하는데, 그중에서도 당을 쪼갤수록 단맛은 줄어들고 아로마가 늘어나게 되는데 설탕을 가열하면 당분이 녹는 과정에서 일어나는 현상으로 이해하면 좋을 것이다. 로스팅 시간이 길어질수록 단맛에 비해 쓴맛이 도드라지게 느껴지는 것도 같은 원리이다. 이 단계에서 생두는 유기물질의 연소로 인해 발생한 이산화탄소와 수분 증발로 인한 증기압의 상승으로 높은 압력을 받게 되며, 생두가 열분해를 통해 조금씩 열을 방출하는 발열반응이 일어나기 시작한다.

5) 194℃-1차 크랙(194℃-1st Crack)

빈(bean) 온도가 194℃에 근접하면 화학적 반응은 더욱 활성화되어 많은 양의 이산화탄소와 수증기를 만들어내고, 결국 생두의 표면이 높아지는 압력을 견디지 못해 파핑소리를 내며 부분적으로 터지며 갈라지는 1차 크랙이 발생한다. 또한 원두 표면에 생긴 공극에 의해 열을 방출할 때 순간적으로 온도가 낮아졌다가 열을 흡수하면

서 온도가 다시 높아지는 증발효과가 일어나고, 이로 인해 조직의 팽창과 수축이 반복되며 세포구조의 균열을 가속화시킨다.

1차 크랙은 로스팅의 마무리 시점을 정하는 기준이 되므로 로스팅 과정에서 가장 중요한 변곡점이라고 할 수 있다. 1차 크랙 이후에 생두의 향미가 잠재력을 발휘하기 때문이다. 로스터가 자신의 테마를 만들어내는 단계이기도 하다. 많은 로스터들이 1차 크랙을 디벨롭이 시작되는 지점이라 보는 이유는 그때 비로소 커피로 추출할 수 있는 원두가 되기 때문이다. 한편 로스팅에서 1차 크랙부터 로스팅이 마무리되는 시점까지의 구간이 차지하는 비율을 흔히 디벨롭 타임(Develop Time)이라고 한다. 예전에는 휴지기 단계라고 명명하기도 했는데 요즘은 좀 더 체계적이고 객관화된 기준을 마련하고자 디벨롭 타임에 대한 이해가 필요하게 되었다.

예를 들어 로스팅 시간이 총 10분이고 1차 크랙이 8분 30초에 발생했다면 디벨롭 타임은 15.5%가 된다. 이 시기에 로스터는 원하는 향미를 섬세하게 표현할 수 있도록 어느 때보다 집중해야 한다. 산미를 중시하는 로스터라면 디벨롭 타임을 단축해 라이트 로스팅이나 미디엄 로스팅을 하고, 단맛과 바디를 중시하는 로스터라면 디벨롭 타임을 연장해 미디엄 다크 로스팅이나 다크 로스팅을 하는 방식으로 기준을 마련하면 된다.

6) 210℃-2차 크랙(210℃-2nd Crack)

빈 온도가 210℃에 이르렀을 때 시작되는 2차 크랙에서는 연소에 의해 원두 내부에 쌓여 있던 이산화탄소가 방출되면서 1차 크랙과 또 다른 소리를 낸다. 연소가 가속화됨에 따라 생두의 세포구조는 파괴되고 내부도 다 타버려 쉽게 부서질 수 있는 상태가 된다. 이때 원두는 진한 갈색이나 검정색을 띠며 로스팅이 진행될수록 더 많은 커피오일이 표면으로 흘러나온다. 또한 당이 열분해 과정에서 대부분 사라지기 때문에 상대적으로 쓴맛의 비중이 높아지고 다소 거칠고 매운 듯한 향미가 시작되는 이 시기에는 향미 3그룹에 해당하는 드라이 디스틸레이션의 카본(Carbon)계열의 뉘앙스가 전개된다.

7) 배출-냉각(Emission-Cooling)

로스팅의 마지막 단계인 냉각은 플레이버에 많은 영향을 미치는 굉장히 중요한 절차지만 쉽게 놓칠 수 있는 부분이기도 하다. 원두의 외부는 배출 후 차가운 공기와 만나면서 온도가 서서히 낮아지지만 내부는 열량 공급을 중단한 후에도 열이 안에서 밖으로 계속 전달되어 열손실을 안팎으로 비슷하게 맞추려고 하기 때문이다. 휘발성 기체인 아로마는 높은 온도에 노출될수록 더 많이 배출되지만 원두를 빠르게 냉각시키면 아로마의 일부가 원두 내부에 고체상태로 남아 발산되지 못한다. 때문에 로스팅 시 냉각은 4분 이내 40℃ 이하로 마무리해야 한다.

7. 커피 블렌딩

1) 커피 블렌딩의 의미

커피의 향미 특성은 커피품종의 고유한 특성이며, 생두를 숙성하거나 볶음도를 조절하면 다소 변하지만 단종의 특성을 크게 벗어나지 않는다.

그래서 서로 간의 보완과 상승효과를 위해서 하는 작업이 바로 블렌딩이다. 단종 커피가 갖지 않은 다양한 맛과 향기를 블렌딩을 통해 재창조하는 것이며 특성이 같은 그룹의 커피콩을 대체 사용함으로써 품질과 원가관리를 극대화할 수 있다. 커피를 볶는 과정에도 당연히 기술이 필요하다.

예를 들면 볶아둔 커피콩을 잘 숙성시키면 산도가 다소 약해지고 중후함이 풍부해지지만 또한 커피를 진하게 로스팅해도 산도가 약해지고 향기와 중후함은 풍부해진다. 이런 여러 가지 기술적인 원리를 알면 블렌딩이 한결 수월해질 수 있다. 로스팅 기술도 필히 선행되어야 할 과정이지만, 블렌딩 기술은 에스프레소를 이해하기 위해 당연히 알고 넘어가야 할 부분이라고 할 수 있다.

블렌딩에는 선, 후 블렌딩이 있다. 하지만 지금 말하는 블렌딩은 바로 커피의 선별과 배합을 하는 선블렌딩에 대한 포인트라고 말할 수 있다. 좋은 맛과 향을 위한 블렌딩 기술은 바로 좋은 에스프레소 추출을 위한 기본이라고 할 수 있다.

2) 커피 블렌딩을 위한 고려사항

커피 블렌딩은 어떤 한 종류의 커피콩이 가지지 못한 향미의 특성을 두 종류 이상의 커피콩을 잘 섞어서 서로 치우치지 않게 잘 배합하는 것이 중요한데 블렌딩 시 고려할 사항은 다음과 같다.

- 고객의 기호를 먼저 파악함으로써 커피의 타입을 조사한다.
- 각 커피콩의 특성을 잘 파악하여 서로의 향미가 조화를 이룰 수 있도록 한다.
- 커피콩 공급이 원활히 진행될 수 있는지를 잘 파악하여 항상 일정한 품질을 유지하기 위해 노력한다.

- 커피콩의 가격을 비교·분석하여 서로 대체할 수 있는 블렌드를 미리 연구한다.
- 다양한 블렌딩 방법을 연구하여 상황에 맞는 블렌딩 방법을 선택한다.

3) 에스프레소 블렌딩의 원칙

에스프레소용 커피의 블렌딩 목표는 중후하고 매력적인 향기가 있고, 신맛이 너무 강하지 않으며, 달콤한 맛의 느낌을 가진 균형된 커피 맛이다. 일반적으로 에스프레소 블렌딩을 할 때는 먼저 기본 베이스가 되는 콩, 독특한 특성을 가진 커피콩, 중후함을 강하게 하는 커피콩의 배합을 기본 원칙으로 세운다.

① 기본 베이스가 되는 콩

산도가 너무 강하지 않으면서 부드럽고 달콤한 콩이 좋다. 전통적 기본 베이스는 건조가공한 브라질 콩이다. 수세가공한 페루와 멕시코 콩은 부드러운 에스프레소에 사용하면 좋다. 그리고 인도네시아 수마트라 콩은 중후함이 강하기에 강하게 볶으면 쌉쌀하면서도 달콤함이 있어서 아메리칸 스타일의 라떼 같은 우유를 넣는 커피 메뉴에 많이 사용한다.

② 독특한 특성의 커피콩

와인의 상큼한 맛을 내는 케냐 커피, 균형 잡힌 맛을 내는 코스타리카 커피, 과일 향기가 있는 과테말라 안티구아, 그리고 꽃향기와 달콤함이 함께 느껴지는 수세가공한 에티오피아 커피콩이 적합하다.

③ 중후함을 강하게 하는 커피콩

에스프레소는 중후함이 중요하다. 인도네시아 수마트라 만델링은 바디감이 있는 커피에 많이 사용된다. 유러피언 스타일의 커피에 주로 사용하는 로부스타종은 중후함은 있으나 향미의 몰트향이 너무 진하기에 매력이 없다고 볼 수 있다.

4) 로스팅 전후 커피 블렌딩의 특징

배합방법에는 로스팅 후 블렌딩과 로스팅 전 블렌딩이 있다. 로스팅 후 블렌딩 방법은 커피콩이 가진 향미 특성을 최상으로 만들 수 있으나 커피의 종류별로 로스팅해야 하며, 시간과 단종 커피의 특성을 충분히 고려해야 하는 복잡함도 있으며 특별히 신선한 블렌딩을 유지하기 위해 버리는 커피도 많을 수 있다. 로스팅 전 블렌딩은 커피콩의 로스팅 특성이 비슷할 때만 가능하다. 특별히 커피콩의 크기, 수분, 비중 등을 고려하여야 하며 열전도율이 다른 콩을 무리하게 섞어서 사용하다 보면 한 가지 커피콩은 풋내가 나거나 다른 콩은 과도하게 로스팅될 가능성도 배제할 수 없지만, 하나의 조화된 맛을 만들 수 있다는 장점도 있다. 오랫동안 같은 커피를 반복해서 먹고 마시다 보면 점점 자극적인 걸 찾아서 진하게 혹은 강하게 즐기려고 하는데 어디까지나 커피는 주관적인 음료라고 판단했을 때 여러 가지 방법과 시행착오를 통해 찾아가는 것이 제일 이상적이지 않을까 생각한다.

5) 대표적인 커피 블렌드와 그 특징

🫘 대표적인 커피 블렌드 (🫘 10%)

중후하고 조화된 맛의 블렌드(풀시티)	콜롬비아	브라질	모카	과테말라
	🫘🫘	🫘🫘🫘🫘	🫘🫘🫘	🫘
신맛과 향기가 있는 블렌드(시티)	콜롬비아	브라질	멕시코	모카
	🫘🫘🫘🫘🫘	🫘🫘	🫘🫘	🫘🫘
중후하고 감칠맛 있는 블렌드(풀시티)	콜롬비아	만델링	모카	과테말라
	🫘🫘🫘	🫘🫘🫘	🫘🫘🫘	🫘🫘🫘
부드러운 맛과 달콤한 과일 향의 블렌드(시티) 콜롬비아	콜롬비아	과테말라	자바	에티오피아
	🫘🫘🫘	🫘🫘🫘	🫘🫘	🫘🫘

① 중후하고 조화된 맛의 블렌드

쌉쌀한 맛이 강한 Coffee계열(브라질, 멕시코, 콜롬비아 등)과 Mild 또는 신맛이 강한 Coffee계열(과테말라, 콜롬비아, 마라고지페, 코스타리카, 에티오피아 등)을 3 : 2의 비율로 블렌딩하고 Full City Roast를 선택하면 쌉쌀한 맛과 끝에 감도는 부드러운 신맛을 함께 즐길 수 있다.

블렌딩 배합	Roasting 정도
브라질 400g + 콜롬비아 200g + 과테말라 100g + 모카 300g	Full City Roast

Extra Tip!

에스프레소 블렌드(Espresso Blend)

연하게 볶은 에스프레소 블렌드는 달콤하고 초콜릿 향기가 있으며 자연건조한 에티오피아 커피에서 나는 과실 향기가 뒷맛에 남는다.

• 파나마 35%, 브라질 25%, 과테말라 25%, 에티오피아 25%

② 신맛과 부드러운 향기가 있는 Coffee 블렌딩

Mild 또는 신맛이 강한 Coffee계열(과테말라, 콜롬비아, 마라고지페, 코스타리카, 에티오피아 등)과 쌉쌀한 맛이 강한 Coffee계열(브라질, 멕시코, 만델링 등)을 아래의 배합비율로 블렌딩하고 City Roast를 선택하면 부드럽게 감도는 신맛과 천천히 느껴지는 커피의 쌉쌀함을 동시에 즐길 수 있다.

블렌딩 배합	Roasting 정도
콜롬비아 400g + 멕시코 200g + 모카 200g 브라질 200g	City Roast

Extra Tip!

여름 블렌드(Summer Blend)

여름철 고객들의 입맛을 돋우는 커피로, 연하게 볶은 커피의 상큼한 맛이 특징이다.

• 케냐 35%, 니카라과 35%, 파나마 30%

③ 중후하고 감칠맛 있는 Coffee 블렌딩

강한 Body의 Coffee계열(수마트라 만델링, 칼로시 토라자, 브라질 산토스, 멕시코 등)과 Mild한 Coffee계열(콜롬비아, 마라고지페, 과테말라 등)을 아래의 비율로 블렌딩하고 Full City Roast를 선택하면 강한 Body와 부드러운 끝맛이 감도는 커피를 즐길 수 있다.

블렌딩 배합	Roasting 정도
수마트라 만델링 300g + 콜롬비아 300g + 모카 200g + 과테말라 200g	Full City Roast

Extra Tip!

프렌치 블렌드(French Blend)

진하게 볶은 수마트라 커피가 쓰지 않고 달콤한 맛을 갖도록 주의한다. 쌉쌀하고 달콤한 뒷맛이 강하다.

• 수마트라 40%, 콜롬비아 40%, 브라질 20%

④ Mild한 맛과 여운이 남는 과일향을 느낄 수 있는 Coffee 블렌딩

Mild한 Coffee계열(마라고지페, 과테말라 등)과 부드러운 신맛과 과일향이 강한 Coffee계열(킬리만자로, 에티오피아, 코스타리카 등)을 3 : 2의 비율로 블렌딩하고 High Roast를 선택하면 Mild한 맛과 여운이 남는 과일향을 느낄 수 있다.

블렌딩 배합	Roasting 정도
콜롬비아 300g + 과테말라 300g + 에티오피아 200g + 자바 200g	City Roast

Extra Tip!

트로피컬 블렌드(Tropical Blend)

태평양 연안에서 생산되는 커피를 배합한 블렌드로 많은 사람들이 즐겨 마실 수 있다.

• 파나마 30% + 니카라과 30% + 콜롬비아 40%

악마로 불렸던 커피, 유럽에 스며들다 ①

음식문화를 비롯 음료문화 등 어떠한 문화든지 한 사회에 정착한다는 것은 결코 쉬운 일이 아니라고 볼 수 있습니다. 그 사회가 갖고 있는 본연의 문화가 있기 때문입니다. 사실 커피도 마찬가지입니다. 유럽에서 태어난 품목이 아니었기에 초기엔 커피가 넘어야 할 두터

운 벽은 매우 많았습니다. 그중에 하나가 바로 종교의 벽입니다. 당시 유럽은 가톨릭이 지배하는 나라였고 종교개혁이 일어나 프로테스탄트가 생겼지만 결국 같은 계열인 기독교가 지배하는 나라였습니다. 그래서 기독교의 입장에서 보면 커피는 악마의 음료이고 사탄의 음료였습니다. 만약 기독교에서 커피를 금지하면 커피의 확산은 어려워지게 됩니다. 그래서 종교의 벽을 넘어야만 커피가 확산될 수 있었습니다. 그러나 커피가 들어오니 실제로 먹고 마시는 일을 금지하는 것이 매우 어려워졌습니다. 하물며 성직자들 사이에서도 커피 마시는 풍조가 조금씩 스며들게 되어 이대로는 안 되겠다 싶었던 일부 성직자들은 교황에게 청원을 하게 됩니다. "이 커피를 금지해 주십시오. 사악하게도 사탄의 음료를 마시고 있습니다." 이렇게 성직자들은 커피 금지 청원을 내었고 그 내용을 전달받은 클레멘트 8세 교황은 직접 커피 시음회를 열어 터키식 커피로 확인을 하였습니다. 교황은 받은 커피를 한 잔 마시고 "아~ 참으로 감미로운 음료구나. 이슬람의 음료이기는 하지만 이것을 어찌 이교도에만 마시게 할 수 있겠는가? 기독교의 음료로 만들어두게." 이렇게 말하였습니다. 상황이 이렇게 되자 일부 성직자들의 기대는 빗나가 버렸고 기독교가 커피를 금지하는 일은 없어지게 되었습니다. 하지만 종교의 벽을 넘

었다고 해서 다른 벽이 없어진 것은 아닙니다. 그 다른 벽은 바로 다른 음료문화, 즉 원래 마시던 음료문화인 포도주와 맥주가 버티고 있었습니다. 커피는 결국 마실거리이기에 사람들이 커피를 즐기면 기존에 마시던 음료를 덜 마실 수밖에 없는 구조를 낳습니다. 그래서 포도주 양조장 주인들은 사업에 타격을 입을 수밖에 없었습니다. 그리고 포도주와 커피의 입장을 뒤바꾸어 생각해 봐도 마찬가지의 결과를 볼 수 있습니다.

포도주는 당시 공식적인 음료였는데 성당이나 교회에서 성찬식을 베풀 때 포도주를 한 잔씩 주는 예식이 있습니다. 이것은 포도주가 공식석상에서의 자리를 완벽하게 차지하고 있다는 것으로 볼 수 있어 이 자리에 커피가 끼여들 여지는 아예 없었습니다. 다행스럽게도 커피는 공식석상이 아닌 사적 자리에서의 음료로 서서히 퍼져 나가게 되었습니다. 이것은 결국 현대인들의 관점으로 본다면 타깃시장이 다르기에 포도주와 경쟁할 필요성이 매우 줄어들게 된다는 것입  니다. 다시 말하면 포도주는 공적 자리를 차지하고 커피는 사적 자리를 차지하게 됩니다. 이렇게 해서 포도주와의 경쟁은 거의 완화되었습니다.

4. 한 방울의 과학, 추출

4. 한 방울의 과학, 추출

 추출의 과학

1. 추출이란?

〈 Karita 방식 〉   〈 Kono 방식 〉

커피가루의 수용성 물질인 용질(Solute)이 용해되어 주입된 물, 즉 용매(Solvent)와의 교반현상에 의해 추출되는 용액(Solution)이 바로 우리가 음용하는 추출 커피의 개념이다. 커피 추출(Extraction 혹은 Brewing)은 커피가 가지고 있는 섬세한 향미성분을 적절하게 뽑아내는 일련의 과정인데 추출의 과정을 잘 살펴보면 중력에 의해 물이 분쇄된 가루 사이로 스며들면서 가벼운 향미성분들이 용해되는데 이는 중력과 확산작용에 기인하는 현상이다. 확산현상이란 농도가 높은 쪽에서 낮은 쪽으로 퍼져나가는 현상이라고 할 수 있는데 커피가루 위로 떨어진 물이 커피가루 사이사이를 지나가면서 고농도의 성분이 물로 전해지는 현상으로 침투, 용해, 분리가 유기적으로 잘 이루어져야 한다.

2. 추출방식의 종류

커피 추출방식은 기구와 추출방식에 따라 다양하게 분류되고 있는데 국제 표준이 되고 있는 SCA(스페셜티커피협회)의 *The Coffee Brewing Handbook*에서는 Drip filtration, Vacuum filtration, Percolation, Pressurized infusion 등으로 분류하고 있으며, 일반적으로 우리나라에서는 침지식과 여과식으로 나누고 있다.

1) 침지식

침지에는 달임과 우려내기 방법이 있는데 분쇄된 커피에 물을 넣고 끓이거나 우려내는 방법으로 침출식으로도 불린다.

① 달임 혹은 보일링 : 끓는 물에 커피가루를 담가 같이 끓인 후 마시는 방법(예 : 터키식 커피)

② 우려내기 : 커피가루에 뜨거운 물을 부은 후 적당한 압력을 가해 커피액을 추출하는 방법(예 : 프렌치프레스(French Press))

2) 여과식

분쇄된 커피를 여과필터에 넣고 물을 통과시켜 커피를 추출하는 방법으로 드립여과법과 에스프레소식 추출법으로 나눈다.

① 페이퍼드립, 융드립, 워터드립

② 더치(Dutch)커피

③ 핀(Fin)드립

④ 에스프레소(Espresso), 모카포트(Mocha Pot)

3. 좋은 커피를 추출하기 위한 요소

1) 신선한 원두

좋은 품질의 생두를 적절한 로스팅 포인트로 낸 결과물인 원두의 신선함은 커피 추출에 있어 제일 중요하다. 생두에서 원두가 되는 순간 향미성분이 급속히 변하여 산패되기 때문에 보관상태가 중요하다.

2) 물과 커피 간의 올바른 비율

물과 커피 간의 비율을 이해하기 위해서는 TDS(Total Dissolved Solids)에 대한 개념이 선행되어야 하는데 농도(바디감)와 관련 있다. 이는 커피 안에 들어 있는 커피 맛을 내는 성분으로 총량을 수치화한 것인데 고형물의 양에 따라 바디의 무게감을 나타낸다. 커피는 극도로 농축된 방향물질이므로 용해물의 농도 즉, 추출물의 강도가 높을 수밖에 없다. 이를 적절한 비율로 물과 커피가 희석되어야 제대로 된 커피 향미를 느낄 수 있는데 가장 바람직한 농도는 커피가 1.0~1.5%이다. 이는 99~98.5%를 물이 차지하고 있다는 뜻이다. 다음으로는 추출수율이라고 하는데 커피를 추출과정 중 물에 용해된 것을 제거한 무게로 나눈 백분율이다. 분쇄된 커피는 무게의 30%까지 추출되고, 나머지 70%의 대부분은 섬유소이며 물에 잘 녹지 않는 성분이다. 국제기준법 SCA(Specialty Coffee Association)에서 말하는 추출수율의 범위는 18~22%이다. 18% 아래의 수율에서는 견과류계의 풋풋한 풀냄새가 나며 22%를 초과하는 경우는 톡 쏘는 듯한 자극적인 맛이 난다. 물과 커피의 올바른 비율을 이해하고 진행한다면 보다 체계적인 추출의 기준이 마련될 것이다.

3) 분쇄입자

커피를 맛있게 마시기 위한 Tip 중 커피가루의 굵기를 조절하는 분쇄도의 크기는 추출기구와 볶음도에 따라 달라진다. 커피성분의 과소와 과다를 방지하기 위해서는 분쇄도 커피입자의 크기를 추출기구에 잘 맞추어 추출하는 것이 중요하다. 최상의 커피 맛을 내기 위한 조건으로 원두의 표면적을 넓게 하여 물이 커피를 통과할 시 커피의 수용성, 지용성 성분을 알맞게 추출하는 것이다. 여기에서 주의할 점은 커피분쇄입도에 따라 추출시간을 달리 적용하는 것이다. 입자가 굵으면 시간을 다소 길게, 가늘면 시간을 다소 짧게 가는 것이 좋다.

4) 추출시간

커피입자가 물을 흡수하고 추출되기까지는 시간이 걸린다. 너무 오랜 시간 추출하면 과다추출로 인하여 커피 맛에 좋지 않은 성분이 용해될 수 있고 과소추출 시 제대로 된 향미를 추출하지 못할 수 있다. 물이 커피의 화학적인 성분을 우려내는 시간은 화학성분에 따라 각기 다르기 때문에 성분의 혼합비는 상대적으로 계속 달라진다. 적절한 추출시간을 가지고 조화된 맛을 우려내는 연습이 필요하다.

5) 질 좋은 물과 온도

물은 모든 음료의 기본인 만큼 아주 중요하다. 물은 커피음료의 98%를 차지하기 때문에 더욱 그러하다. 물은 경도에 따라 연수와 경수로 나눠지는데 커피에 사용되는 물은 약경수의 물이 좋으며 광물질을 얼마간 포함한 물은 맛을 보다 좋게 해준다. 대체로 50~100ppm 정도의 광물질이 녹아 있는 물일 경우 커피의 맛이 좋다. 물의 온도는 92~95℃ 사이에서 방향물질을 보다 유연하게 우려내는데 일반적으로 물의 온도는 추출이 끝날 때까지 일정하게 유지되어야 한다.

4. 커피의 분쇄

보다 맛있는 한 잔의 커피를 추출하기 위한 중요한 과정으로 커피의 볶음도에 따라 맛이 달라지기도 한다. 분쇄하면 커피 원두의 표면적이 넓어지므로 물이 커피가루를 쉽게 통과해서 커피가 가지고 있는 가용성 향미오일, 가스 등의 성분을 보다 용이하게 추출할 수 있다.

1) 분쇄의 종류

분쇄입자 크기는 물과 가루의 접촉시간에 따라 달라진다. 물과의 접촉시간이 길수록 분쇄도는 굵게, 접촉시간이 짧은 경우는 보다 가늘게 분쇄하는데, 이는 수용성 성분을 적절하게 우려내는 데 있다. 따라서 추출하고자 하는 기구의 특성을 최대한 고려해서 이에 맞는 분쇄를 결정하는 것이 좋다.

🫘 분쇄의 종류

구분	에스프레소 분쇄	가는 분쇄	중간 분쇄	굵은 분쇄
적정 분쇄도	0.2~0.3mm	0.5mm	0.5~0.7mm	0.7~1.0mm
추출기구	에스프레소	사이폰	드립식 추출	프렌치프레스
추출시간	25~30초	1분	3분	4분

🫘 분쇄도에 따른 특성

입자 크기	물의 통과	추출성분	쓴맛	특징
가는 입도	느리다	많고 강함	자극적임	추출과다로 잡미, 쓴맛 등이 발생
굵은 입도	빠르다	적고 약함	밋밋함	빠른 추출로 인해 커피 맛이 약하고 개성이 없다.

　　추출방법에 맞는 분쇄도를 조정하는 것은 한 잔의 맛있는 커피를 만들어내기 위한 중요한 사항이다. 가장 고운 터키식 커피용 분쇄에서부터 굵은 편인 프렌치프레스까지 추출법에 맞는 분쇄를 염두에 두고 커피 추출에 임해야 한다.

2) 그라인더의 종류

　　완벽한 한 잔의 추출을 위해서는 그라인더의 성능과 구조가 상당히 중요하다. 그라인더는 분쇄원리에 따라 충격식(Impact)과 간극식(Gap)의 두 가지 방식이 있고, 날의 형태에 따라 칼날형(Blade)과 버형(Burr), 롤형(Roll)으로 구분된다.

충격식의 대표적 구조인 칼날형은 날카로운 칼날이 고속으로 회전하며 커피콩에 충격을 가해 분쇄하는 원리인데 이런 방식은 입자 크기를 조정하기가 다소 어려우며, 분쇄 미분이 많이 발생하여 다소 날카로운 추출이 될 수 있다.

커피 매장에서 주로 많이 사용하고 있으며, 간극식의 대표적인 그라인더 구조별 분류로는 버형(Burr)과 롤형(Roll)이 있는데, 버형은 또다시 원뿔형(Conical Burr)과 평면형(Flat Burr)으로 나뉜다. 원뿔형은 회전수가 다른 구조에 비해 적어 열 발생이 적으나 RPM속도가 느리며 주로 전동식에 사용되고 있는데, 단점은 수명이 짧고 단위 처리량이 다소 떨어진다는 점이다.

평면형이라고 하는 플랫버(Flat Burr)는 두 개의 금속 평면판을 통과하면서 분쇄되는데 비교적 균일한 분쇄 및 입자조절을 통한 다양한 분쇄가 가능하고 편차가 거의 없다는 장점이 있다.

5. 물의 종류와 조건

1) 물의 구성

물은 커피 추출에 있어 매우 중요한 요소이다. 물은 자체의 맛은 물론, 커피 맛에 영향을 미치는 광물질을 함유하고 있다.

우리가 사용할 수 있는 물에는 크게 3종류가 있

다. 수돗물, 연수, 경수이다. 그중에서 수돗물은 절대 사용하지 않는 것이 좋다. 왜냐하면 수원지로부터 집수된 물이 여러 가지 화학적인 정수·소독과정을 거쳐 이미 향미가 화학적으로 진행된 상태이기 때문인데 냄새가 나지 않고 염소성분이 없는 물이면 좋다. 그리고 혹시 사용한다면 끓인 후 사용하는 것이 좋다.

🫘 물의 종류

물의 종류	함유량(ppm)	맛
경수	150~300mg/L	거친 쓴맛
약경수	75~150mg/L	볼륨감과 쓴맛
연수	0~75mg/L	미끈한 감촉

* 함유량 : 칼슘과 마그네슘 등을 탄산칼슘으로 환산한 값(경도)

2) 좋은 물의 기준

좋은 물의 기준은 커피 추출에 있어서 매우 중요한 요소이다. 물은 주로 광물질을 함유하고 있는데 적당한 무기물(50~100ppm)이 함유되면 커피 맛을 좋게 만든다. 염소성분이 없는 정수물이나 냄새가 없고 불순물이 없을수록 좋다. 흔히 광물질 여과장치를 연수기라고 하는데 연수물의 질감을 느껴보려면 물을 마실 때와 삼킨 후에 입 안쪽에서 미끈거리고 끈적이는 맛이 느껴지는지 확인해 보면 된다. 이들 무기물들은 물이 커피 입자 사이를 흐르는 것을 막거나 수용성 성분이 추출되어 나가는 것을 어렵게 함으로써 추출을 방해한다.

3) 물의 종류

(1) 생수(Mineral Water)

생수는 지하 암반대수층 안에 있는 지하수나 용천수 등에서 뽑아 올린다. 이것을 여과한 뒤 병원균에 오염되는 것을 막기 위해 살균 처리한 다음 시중에 유통시킨다. 이러한 생수는 일 반적으로 가장 쉽고 값싸게 접할 수 있으며 근래에는 가정에서 식수는 물론 음식을 할 때도 사용하고 있다. 그런데 매스컴에 종종 등장하듯 생수 오염문제가 빈번하게 발생하고 있으므로 좋은 생수를 선택해서 마셔야 한다.

(2) 여과수(Filtered Water)

여과수란 여과하는 통에 숯을 넣어 정화한 물을 말한다. 숯은 냄새 제거를 비롯해 방부효과가 뛰어나며 방사능 물질까지 흡수한다. 또한 다른 무엇보다 정수기능이 뛰 어나다. 우리가 사용하는 수돗물도 숯을 이용한 정수 시스템을 거쳐 나온다.

물에 숯을 담가두면 물은 제 기능을 회복하고 이 숯을 통과한 물은 자연상태의 물 로 돌아간다. 최근에는 숯뿐만 아니라 옥이나 맥반석, 자수정 등 여러 가지 여과장치 를 거친 물을 사용하는 사람들이 늘고 있다. 물이 자연적인 물질과 만나면 스스로 정 화능력을 갖추기 때문이다.

(3) 해양심층수(Deep Ocean Water)

해양심층수는 바다 200미터 이상의 깊은 물속에서 물을 끌어올려 소금기를 제거한 뒤 마시는 물을 말한다. 이러한 해양심층수는 1980년대부터 본격적으로 '마시는 물'로써 연구를 시작했다. 현재 우리나라에서도 해양심층수를 개발해 시중에 시판하고 있는데 이것은 일반 물보다 미네랄이 풍부해 경도가 높다. 해양심층수는 2℃의 일정한 온도에서 2000년 이상 질소, 인, 규소, 마그네슘 같은 영양염류와 미네랄이 쌓인 물이다. 이에 따라 해양심층수가 미네랄이 부족한 갈증을 해갈해 주는 물로써 각광받고 있다.

(4) 역삼투압수(Reverse Osmosis Water)

역삼투압수란 머리카락 굵기의 100만 분의 1을 통과한 물을 의미한다. 이 정도 굵기면 물의 입자가 광장히 잘게 부서지고 웬만한 바이러스나 균, 곰팡이, 이물질은 통과할 수 없다. 그래서 가장 안전한 물로 불린다. 하지만 물의 pH농도를 결정짓는 물속의 미네랄까지 걸러지기 때문에 오히려 인체에 해롭다는 의견도 만만치 않다. 원래 역삼투압수는 정수기가 개발되면서 나온 물이다.

(5) 중공사막수(Hollow Fiber Water)

중공사막수는 역삼투압 방식과 달리 물의 모든 것을 걸러내는 것이 아니라 인체에 해로운 것만 걸러내고 유익한 미네랄은 통과시킨 물이다. 이것은 수돗물에 가장 적합한 정수 시스템이다. 물속의 미네랄은 물의 표면장력이나 이온화에 영향을 미친다. 그리고 식물은 미네랄을 이용해 수분을 빨아당김으로써 성장한다.

(6) 이온수(Electro-Analysised Water)

이온수는 전해수라고도 한다. 이것은 양극과 음극의 직류 전기를 통해 물을 이온화한 것으로 음극에는 칼슘, 마그네슘, 칼륨 같은 알칼리 이온수가 형성되기 때문에 식수나 음식에 사용한다. 이 물은 입자가 작고 체내 흡수율이 좋으며 인체 내 활성산소를 제거하는 기능을 한다. 반대로 양극에는 염소, 황, 인 같은 산성 이온수가 만들어지는데 이것은 식수로는 부적합하지만 세안이나 세척용으로는 매우 탁월하다. 특히 세안할 때 약산성이 피부 미용에 좋으므로 미용수로 사용할 경우 뛰어난 효과를 볼 수 있다. 여기에다 살균 및 표백기능이 있어 환경오염 제거용으로 사용해도 좋다.

(7) 증류수(Distilled Water)

증류수란 일반물이나 수돗물을 가열해서 얻은 수증기의 물을 말한다. 이것은 세 번 정도 증류를 거쳐야 완벽한 증류수가 된다. 대표적인 증류수로는 주사액의 원료로 사용하는 주사용 증류수(Water for Injection)가 있다. 증류수에 염화나트륨(NaCl)을 넣어서 만든 것이 생리식염수이다. 그러나 물에 들어 있어야 할 미네랄이 전혀 없기 때문에 식수로 사용하기에는 부적합하며 보통 질병 치료용으로 사용한다.

(8) 수소수(Hydrogen Water)

수소수는 전기로 물속에 수소가 발생하게 해서 수소를 늘린 물이다. 인체는 매일 2%의 적당한 활성산소를 만드는데 이것은 몸안에서 살균과 면역 방어 시스템에 쓰인다. 반면에 환경적 요인으로 인체 내에 활성산소가 필요 이상으로 증가하면 질병이 발생한다. 활성산소는 자유기나 유리기로 불리기도 하는데, 이는 몸안의 산소 증가로 분자가 불안정해지면서 유리하거나 자기 마음대로 움직이는데 이때 수소를 투입하면 분자가 안정을 찾고 활성산소는 제거된다.

9) 산소수(Oxygen Water)

산소수는 산소가 풍부한 물을 말한다. 일반적으로 질병상태에 있는 사람들은 산소 결핍증상이 나타난다. 특히 현대인은 대기오염으로 과거 그 어느 때보다 산소가 결핍되어 있다. 그래서 몸안을 해독하는 방법 중 하나로 산소수를 마시는 이용자가 꽤 많다. 산소수 속에 용해된 산소량을 용존산소량(Dissoloved Oxygen)이라고 하는데 이것이 부족해지면 물이 썩기 시작한다. 우리가 마시는 물의 용존산소량은 일반적으로 10ppm 정도다.

커피이야기

커피로 불리게 되기까지의 변천과정

전 세계에서 사용하는 커피의 명칭은 매우 다양합니다. 커피(coffee)의 어원은 아랍에서 유래하는데, 에티오피아의 'kaffa'는 힘의 뜻을 지니며, 아랍에서는 'kaweh'로 부르고 있습니다.

이것은 다시 한번 아라비아에서 'Qahwa'(여러 음료를 총칭하는 말)로 불리게 되었고, 터키에서 'kahve', 프랑스에서 'cafe', 이탈리아에서 'caffe', 독일에서 'Kaffe', 네덜란드에서 'Koffie', 영국에서 'Coffee'로 불리게 되었습니다.

6. 커피의 추출시간

1) 추출수율(11g/180㎖) : 미터법으로 환산하면(50~60g/물 1ℓ)

볶은 콩의 유기 · 무기물질 중 대략 28% 정도가 물에 급속히 녹는다. 남은 72%는 일반 추출조건에서 물에 녹지 않는 셀룰로오스의 섬유질이다. Coffee Brewing Center(CBC)의 연구로 밝혀진 추출수율과 농도의 관계는 다음과 같다.

커피성분의 가용성 성분 24~27% 중 추출수율이 18~22%일 때 향기가 풍부하고 조화된 맛(Balanced Flavor)을 느낄 수 있다(16% 미만이면 풋내와 땅콩냄새, 24% 이상이면 과도하게 추출되어 쓰고 떫은맛이 난다).

농도는 1.15~1.35%(1,150~1,350TDS)가 적당하다(1.0% 미만이면 맛이 약하고, 1.5% 이상이면 너무 강해 조화롭지 않은 맛이 난다).

* TDS(Total Dissolved Solids : 총용해물질) : 물에 녹아 있는 물질의 양을 측정하는 계측기

2) 추출시간의 중요성

핸드드립의 추출방법은 드리퍼에 따라 달라지기도 하고, 추출하는 사람들의 노하우에 따라 달라지기도 한다. 추출의 과정을 한 번 하든 여러 번에 나누어서 하든 자신의 방식에 맞게 추출을 진행하면 된다. 하지만 분쇄된 커피가루가 물을 흡수하는데 용해물을 녹이고 추출하여 음료로 뽑아내기까지의 시간이 걸린다. 물이 커피에서 여러 성분들을 용해해 내는 시간은 화학적 성분에 따라 각각 다르기 때문에 음료 속의 성분 혼합비는 계속 달라진다. 그러므로 추출시간을 조절함으로써 최적의 추출과 조화된 맛을 내는 결과물을 얻을 수 있다.

원두를 사서 마시다 보면 오래된 커피인지 아닌지 구분을 할 수가 없는데요?

일반인들이 일상으로 경험할 수 있는 것으로 집에서 사용할 때 제일 구분하기 쉬운 법은 추출되면서 올라오는 거품의 상태를 보는 것이다. 원두의 신선도는 매우 중요하다. 아무리 좋은 커피라도 볶고 나서 시간이 지나면 산패가 진행될 수 있는데 텁텁한 맛과 불쾌한 맛이 난다. 외국 여행한 지인에게서 선물로 받은 커피의 거의 90%가 이러한 이유 때문이라고 볼 수 있다. 좋은 원두는 거품이 곱고 풍부하다. 그리고 볶은 지 2~3일 된 커피의 향이 제일 풍부하다. 그리고 관리를 잘해야 하는데 진공된 용기에 직사광선을 피해서 보관하면 적어도 일주일 이상은 유지가 된다.

 # 핸드드립(Hand Drip)

핸드드립은 Filtered Drip이라고도 하며 기계가 아닌 손으로 커피를 만드는 것을 뜻한다. 구체적인 의미를 보면 물, 드립포트와 드리퍼를 사용하여 커피를 추출하는 방법을 말하며 멜리타, 칼리타, 고노, 하리오 등의 다양한 드리퍼를 이용한 추출방법을 말한다. 여과지를 통한 핸드드립은 독일 멜리타 벤츠 여사에 의해 시작되었고, 일본으로 넘어가 지금의 다양한 드리퍼를 개발하기에 이르렀다. 이 핸드드립의 특징은 기계가 아닌 사람이 내리다 보니 그 사람만의 개성을 맛볼 수 있는 추출방식이라는 것이다.

1. 핸드드립에 필요한 도구

1) 드리퍼

분쇄된 커피를 여과지(Filter Paper)에 담을 때 지탱해 주는 기구로 구조와 크기에 따라 여러 종류가 있고 같은 커피라도 어떤 드리퍼를 사용하느냐에 따라 다양한 맛을 느낄 수 있는 커피기구이다.

(1) 재질에 따른 분류

① 플라스틱 드리퍼 : 일반적으로 많이 사용되며 물이 커피에 닿는 모양을 볼 수 있어 물줄기 조절이 수월한 반면, 시간이 지날수록 변형이나 변색이 일어날 수 있다.

② 도자기 드리퍼 : 플라스틱 드리퍼에 비해 가격이 고가이지만 보온성이 좋아 커피의 향미가 오래 지속된다. 파손위험이 있다는 단점이 있다.

③ 금속 드리퍼 : 동이나 스테인리스의 재질로 만들어지며 보온성, 열전도율 모두 좋으나 고가이며 관리의 세밀함이 요구된다.

(2) 형태에 따른 분류

▲ 고노 Kono

▲ 하리오 Hario

▲ 칼리타 Kalita

▲ 멜리타 Melita

▲ 융

▲ 칼리타 웨이브 Kalita Wave

🖊 리브의 역할

Rib(종이 필터가 드리퍼에 잘 밀착되고 추출이 원활하게 될 수 있도록 만든 홈)는
물이 커피층을 통과할 때 물의 흐름을 원활하게 해주며 추출 시 공기가 빠져나가는
통로역할을 하므로 커피성분이 골고루 추출될 수 있게 해주는 역할을 한다.

2) 드립포트

핸드드립을 위한 물 주전자로 커피의 맛에 영향을 주
는 물의 흐름과 속도에 안정감을 주기 위한 다양한 모
양이 있다. 드립포트의 배출구는 긴 S자 형태로 물이
배출구를 통해 나올 때 물줄기를 조절할 수 있도록 좁
거나 넓은 드리퍼가 있다. 따라서 자신이 원하는 커피
의 스타일을 알고 드립포트를 선택하면 된다. 드립포트는 일반 주전자가 아니기 때
문에 직접 열을 가해 물을 끓이지 않도록 유의해야 한다.

3) 여과지

여과지(Filter Paper)로는 종이필터의 천연펄
프 여과지와 표백 여과지의 두 종류가 있으며 종
이 냄새가 나는 천연펄프 여과지에 비해 표백 여
과지는 커피 맛의 재현성이 우수하다. 종이필터는
커피의 지방성분을 걸러 보다 깔끔한 느낌의 커피
추출이 용이하며 일회용이므로 편리하다. 반면 융
으로 된 융필터는 플란넬이라는 천 소재로 향미오일성분이 그대로 추출되기 때문에
보다 중후하고 매끈한 느낌의 부드러움이 일품이다. 하지만 보관상의 어려움이 있어
관리를 잘 해야 한다.

2. 준비도구와 추출순서

준비도구

원두, 드리퍼, 서버, 드립포트, 온도계, 그라인더, 스톱워치, 계량스푼, 드립포트, 드립필터, 커피잔

추출순서

① 서버 위에 드리퍼를 올려놓고 드리퍼 위에 필터를 공간이 뜨지 않게 밀착시킨다.

② 계량한 원두를 그라인딩한 다음 드리퍼에 담는다.

③ 커피의 수평밀도가 맞도록 평평하게 살짝 쳐준다.

④ 드리퍼에 끓는 물을 붓고 적절한 온도를 맞춘다.

⑤ 적당한 물줄기와 속도로 드립을 시작한다.

3. 자세

왼손을 테이블에 얹어놓고 최대한 몸이 움직이지 않도록 균형을 맞춘다. 드립세트와 손의 위치를 적당히 두어 드립포트를 돌릴 때 서버에 드립포트가 부딪히지 않도록 한다. 몸에 힘을 빼고 일정한 방향과 속도로 가볍게 물줄기를 만들어준다.

4. 추출과정

1단계는 뜸(불림작업)이다. 뜸을 잘 들여야 커피 맛이 좋다. 뜸의 역할은 커피 전체를 골고루 적셔줌으로 해서 커피성분이 원활하게 뽑힐 수 있도록 도와주고 물길을 확보해 1차 추출 시 수용성 성분 용해를 돕는다. 뜸을 어떻게 들이느냐에 따라 커피 맛이 크게 좌우된다.

🫘 뜸들이는 이유와 방법

처음 추출 시 물을 부어 불림을 하며 이것을 뜸들이기라고 하는데 물이 균일하게 확산되도록 하는 것이 가장 중요하다. 가루 전체에 물이 골고루 퍼져야 충분한 성분이 우러나게 되면서 용해 및 분리가 되는데 최대한 물 붓기를 조심히 해야 한다.

뜸을 들일 때는 최대한 물 붓기를 조심히 해야 한다. 엇듯이 일정한 굵기와 속도로 물을 부어주면 커피에 균일하게 확산되면서 가루 전체에 고르게 퍼지게 된다. 만일 위에서 부어주는 물의 힘이 너무 세거나 약하면 표면이 꺼지거나 물이 제대로 커피층을 통과하지 못하게 된다. 예를 들어 뜸들일 때 물의 양이 너무 적은 경우는 커피층이 제대로 활성화되지 않아 불필요한 맛을 내기 쉽다. 반대로 주입량이 너무 많은 경우 커피층이 활성화되기도 전에 용해되므로 싱겁고 바디감이 떨어지는 커피가 추출될 것이다.

5. 추출방법

1) 나선형 추출

가장 널리 쓰이는 방법으로 중앙에서 외곽으로 나갔다가 다시 원점으로 원을 그리며 물을 주입하는 방법이다. 커피의 부드러운 맛을 느끼기에 적합하고 추출이 일정하다. 물의 스피드를 조절하며 커피층이 얇은 외곽은 조금 빨리 주입하고 커피층이 두꺼운

가운데층은 천천히 주입해 물줄기의 속도를 최대한 조절해 커피 농도를 맞춰야 한다.

2) 스프링식 추출

하리오나 고노, 융드립 추출 시 유용하게 사용되는 드립 추출방법 중의 하나이다. 작은 원을 그리며 주입하는 방법으로 나선형 방법보다는 조금 세심한 노력이 요구된다. 물줄기를 가늘게 해야 하므로 주의하지 않으면 물줄기가 끊기거나 출렁일 수 있다.

추출 시 유의할 점

① 물을 부을 때 수구의 높이를 적당히 하여 커피층에 충격을 덜어주어야 한다.
② 커피층이 두꺼운 가운데를 중심으로 돌려주고 페이퍼에 물이 닿지 않도록 한다.
③ 추출 시 한쪽 방향으로 균일하게 돌려주어야 한다.

3) 요인에 따른 커피 맛의 변화

물의 온도 외에 커피 맛을 결정짓는 또 하나의 중요한 부분은 추출시간인데, 분쇄도와 상당히 연관이 있다. 커피 분쇄입도가 가늘면 표면적이 넓어져 물의 투과속도가 느려지고, 추출량도 작으며 보다 강한 맛이 추출된다. 이런 원리를 이해하면 쉽고 맛있는 추출 커피를 즐길 수 있다.

🫘 커피 맛의 변화

가볍고 Flat한 신맛	분류			자극적이고 강한 맛
	크다	입자크기	작다	
	낮다	물의 온도	높다	
	많다	추출량	적다	
	약볶음	볶음도	강볶음	
	빠르게	유속	느리다	

4) 커피 양과 추출량

드리퍼나 전문가들의 노하우(Knowhow)에 따라 다소 차이가 있을 수 있으나 다음 도표는 어디까지나 기준을 제시한 것이다.

🫘 커피 맛의 변화

인분	기준 커피 양(g)	기준 추출량(cc)	실제 커피 양(g)	실제 추출량(cc)
1인분	10	150	15	200
2인분	20	300	20	300
3인분	30	450	30	450

집에서 내리면 커피 맛이 달라져요!! 어떻게 하면 맛있게 내려서 먹을 수 있을까요?

보통 드립을 처음 배우신 분들의 한결같은 궁금증이다. 먼저 드립커피를 잘 내려 마시려면 거기에 맞는 용품의 선택이 중요하다. 드립세트를 먼저 구매하시고 보다 신선한 원두를 사용하는 것이 기본이 되어야 한다.

참고로, 드립추출에는 다음과 같은 기본원리가 있다.

물의 온도, 원두의 분쇄도, 추출시간이 있는데 하나라도 문제가 생기면 커피 맛이 달라질 수 있다. 기본적인 커피의 기준을 알아보자. 2인 분량을 내린다고 가정하면, '20g의 잘 갈아둔(0.5~0.6mm 정도) 원두와 90℃ 정도의 일정한 온도 그리고 2분에서 3분을 넘기지 않는 추출시간'이 적합하다.

물을 주입했을 때 뜸들이기(불림작업)를 어떻게 하느냐가 가장 중요하다. 추출수율의 18~22%일 때가 제일 맛있는 커피의 농도라고 할 수 있다.

 # 추출 따라하기

1. 멜리타 추출

1908년 독일의 멜리타 벤츠(Melitta Bentz) 부인에 의해 커피 거르는 방법을 처음 접하게 되었으며, 초기의 드리퍼는 추출구가 8개로 많았는데 현재의 멜리타는 추출구의 중앙에 작은 구멍 하나로 경사가 급하고 리브가 끝까지 형성되어 있어 물빠짐을 균일하게 도와준다. 구멍이 작아 커피가 물과 섞여 드리퍼 안에 머무는 시간을 늘려주므로 묵직한 바디감과 강한 맛 등 감칠맛이 있는 커피 추출이 가능하며 중강볶음 커피에 알맞은 드리퍼이다.

2. 칼리타 추출

반침지식, 반여과식 드리퍼라 침지식의 장점인 묵직한 쓴맛과 여과식의 장점인 부드러운 맛을 조화롭게 느낄 수 있는 추출방식이다. 일본 '칼리타Kalita'사의 드리퍼로 핸드드립 커피를 추출할 때 가장 많이 사용하는 드리퍼 중 하나로 추출구가 바닥에 3개나 있지만 구멍크기가 작은 편이라 추출속도가 어느 정도 제어된다. 커피 맛의 변화폭이 적고 안정적이며 바디감보다는 산뜻한 신맛을 강조한 드리퍼의 형태이므로 약한 로스팅 정도의 커피에 적합한 기구이다.

🫘 (1/2) 추출방법 : 멜리타/칼리타 동일한 방법

① 뜸들이기 : 커피의 중심부에서 외곽방향으로 나선형으로 천천히 물빠짐 없이 섬세하게 주입한다.

② 1차 추출 : 도넛 모양으로 팽창하면서 부푸는 과정이 끝나면 나선형으로 회전하며 두 번째 물을 준다.

③ 2차 추출 : 물의 주입량을 조금 늘려서 스윙속도를 좀 빨리한다.

④ 3/4차 추출 : 물줄기를 굵게 하여 스윙을 마무리한다.

⑤ 마무리 : 원하는 추출량이 되면 드리퍼와 서브를 분리한다.

3. 고노 추출

1925년 일본에서 최초로 사이폰을 선보인 '커피사이폰 주식회사'가 개발한 드리퍼로 원뿔모양에 리브가 짧고 본체의 경사는 가파르며 하나밖에 없는 추출구는 크기가 큰 편이다. 이러한 형태 때문에 고노는 추출속도가 빠르고 커피성분을 제대로 뽑아내기 어렵다는 단점이 있다. 하지만 드리퍼의 특성상 본체의 깊이가 깊어 커피가루의 층이 두꺼운 한편, 물이 상대적으로 빠르게 빠지는 구조라 추출할 때 일정 시간

간격을 두고 천천히 내리면 보다 깊고 중후한 바디감과 감칠맛을 느낄 수 있는 전문가용 드리퍼라고 볼 수 있다. 어떻게 내리느냐에 따라 맛의 변화에 따른 차이도 큰데 천천히 내렸을 때보다 고노만의 특징을 최대한 이끌어낼 수 있다.

4. 하리오 V60 추출

일본 '하리오Hario'사에서 고안된 형태로 대표 모델인 V60는 드리퍼 각도가 '60도'라고 해서 붙은 이름이다. 가파른 경사 각도와 효과적인 원뿔 모양의 본체와 큰 추출구 덕분에 보다 깔끔하고 풍부한 풍미를 잘 연출해 내는 반면 추출변수를 적절히 조절하지 못하면 밋밋한 느낌의 커피가 될 수 있다. 하리오V60 드리퍼는 고노 드리퍼와 다르게 보다 약하게 볶은 커피를 부드럽게 내려 마시는 용도로 적합하다.

🍵 **(3/4) 추출방법 : 고노/하리오 동일한 방법**

① 뜸들이기 : 나선형으로 조심스럽게 물을 주입하여 원두를 팽창시킨다.

② 1차 추출 : 팽창이 끝난 후 가운데를 기점으로 천천히 가늘게 스프링식으로 주입한다.

③ 2차 추출 : 중심부부터 보다 더 섬세하게 골고루 주입한다.

④ 3/4차 추출 : 교반현상이 일어나지 않도록 하되 물줄기를 굵게 하여 스윙속도
  를 빠르게 한다.

⑤ 마무리 : 원하는 커피 양이 되면 드리퍼를 신속히 제거한다.

5. 융Nel 추출

일반적으로 '플란넬Flannel'이라는 천을 이용해 만든 추출도구로 커피의 지방성분
이 융을 그대로 통과해 보다 매끄럽고 기분 좋은 바디감을 느낄 수 있다. 융필터는 원
뿔 모양에 한쪽은 직모, 다른 한쪽은 기모로 되어 있어서 양면의 질감이 다르다. 기모
는 리브역할을 하며, 보온력을 높이는 기능이 있다. 기모를 안쪽에 두고 추출하면 추
출 시 발생하는 미분을 적절하게 통제할 수 있는 반면 바깥에 두고 추출하면 보다 균
형감 있는 추출이 용이하다. 사용 후 관리가 까다로워 불편함이 따르지만 융드립만을

추구하는 마니아가 있을 정도로 매력적인 추출도구이다.

🫘 융 관리방법

융을 처음 사용할 때 먼저 융을 주물러 새로 받은 물에 융을 가열한다. 10분 정도 끓인 후 식힌다. 식힌 융을 다시 찬물이 든 밀폐용기에 담아 냉장고에 보관한다.

🫘 추출방법

① 사용하기 전에 천의 상태를 잘 확인하다. (가끔씩 보관상의 문제로 추출 시 결점 있는 향미를 동반하기도 한다.)

② 사용하기 전에 마른 수건으로 물기를 제거한다.

③ 융의 밑부분을 당겨서 커피가 촘촘하게 담기도록 한다.

④ 스프링식이나 점식 드립으로 중심부부터 촘촘히 적셔준다.

⑤ 융에 물기가 직접 닿지 않게 주의해서 주입한다.

⑥ 표면의 거품이 꺼지기 전에 천천히 주입해서 마무리한다.

6. 칼리타 웨이브 추출

칼리타 웨이브 드리퍼는 기존의 드리퍼와 다른 새로운 형태의 드리퍼이다. 드리퍼의 리브, 추출구의 모양이 특별하며 전용 필터도 따로 있다. 드리퍼 추출구가 120도(삼각구도) 간격으로 3개가 있는데 별다른 기술 없이도 추출이 용이한데 추출과정에 영향을 주는 변수를 최소화했기 때문에 큰 편차 없이 안정적인 맛을 낼 수 있다. 기존 드리퍼와의 차이는 주름진 전용필터를 사용하기 때문에 상대적으로 팽창이 자유롭게 진행된다는 특징이 있다는 것이다. 따라서 균형감 있는 아로마를 이끌어낼 수 있다.

🫘 추출방법

① 뜸들이기 : 물이 종이필터에 닿지 않게 주의하면서 나선형으로 주입한다.

② 1차 추출 : 드리퍼 안쪽에서 바깥쪽으로 물을 천천히 주입하면서 성분을 녹여낸다.

③ 2차 추출 : 일정한 물줄기로 1차 추출 때보다 빠르게 추출한다.

④ 3차 추출 : 마지막으로 원하는 양만큼 추출을 위한 농도조절을 한다.

⑤ 마무리 : 드리퍼와 서버를 분리한다.

7. 골드 드리퍼 추출

골드 드리퍼는 유럽에서 시작되었는데 종이필터보다 오래 사용할 수 있는 스테인리스 소재의 반영구 필터이다. 매일 수천 장씩 버려지는 일회용 종이필터를 대신해 재사용이 가능한 골드 드리퍼가 탄생한 것이다. 기존 종이 드리퍼에서 느낄 수 있는 농밀함과 깔끔함은 없지만 원두의 방향을 가장 자연스럽게 연출할 수 있는 드리퍼라고 볼 수 있다. 미분에 의해 찌꺼기가 생길 수도 있으며 맛이 깔끔하지 못한 단점이 있지만 다양한 시도와 연구로 필터 추출구 채널의 변화를 꾀하고 있다.

추출방법

① 기존의 드립방식과 같이 나선형이나 스프링형으로 천천히 뜸들이기를 한다.

② 드리퍼 외벽으로 물이 흘러들어 내려가지 않게 조심스럽게 주입한다.

③ 천천히 원하는 농도에 맞도록 주입속도를 유지하면서 내린다.

④ 원두와의 접촉시간이 불필요하게 길어지지 않도록 하며 마무리한다.

8. 사이폰

사이폰은 물을 끓일 때 발생하는 수증기의 움직임을 이용하여 커피를 추출하는 도구이다. 플라스크를 가열하여 발생하는 증기압의 차이를 이용해 추출하는 진공여과기로 정식명칭은 베큠브루어(Vacuum brewer), 즉 진공여과식 추출이라 불린다. 1840년경 스코클랜드에서 사이폰의 원형인 진공식 추출기구를 응용하여 만들어졌다고 한다. 그러다 1925년에 고노사가 '사이폰'이라는 이름으로 개량한 버전을 상품화하면서 널리 알려지게 되었다. 사이폰으로 맛있게 커피를 내리기 위해서는 열 조절과 교반 횟수가 맛을 좌우하는 핵심요소이다. 물과 커피가루가 만나는 시간이 커피의 농도를 결정하기 때문이다.

🫘 추출방법

① 플라스크에 물을 부어 가열한다.

② 사용할 커피를 분쇄한다.

③ 로드에 필터를 설치하고 분쇄한 커피를 골고루 담아서 물이 끓기 전까지 비스듬히 꽂아둔다(급격한 온도차이로 인해 로드의 파손위험과 온도편차를 줄여주기 위해서).

④ 로드를 플라스크에 결합한다.

⑤ 물이 로드로 밀려 올라오면 열원의 크기를 줄여준다.

⑥ 막대를 이용해 골고루 교반시켜 준다(1분 동안).

⑦ 열원을 제거한다.

⑧ 로드의 튜브를 통해 커피가 내려온다.

⑨ 분리한다.

9. 홈 에스프레소 모카포트

가정에서도 쉽게 에스프레소 메뉴를 즐길 수 있다. 바로 '모카포트(Mokapot)'인데 모카포트는 1933년, 이탈리아에서 알루미늄 공장을 운영하던 '알폰소 비알레티(Alfonso Bialetti)'에 의해 개발되었으며, 이탈리아에서는 아주 대중적인 에스프레소 추출도구이기도 하다. 추출은 단순한 원리로 이루어지는데 내부 보일러에서 끓는 물을 통한 수증기압차를 이용한 추출이다. 이것이 기계적으로 발전된 것이 에스프레소 머신이다. 모카포트의 구조는 상부(컨테이너)와 하부(보일러)로 나뉜다. 이 중 하부(보일러)의 물이 담기는 곳에 열이 가해지고 물이 끓기 시작하면 스팀압력에 의해 필터(바스켓)에 담긴 커피를 통과하며 추출액이 뽑아져 나오는 원리이다. 참고로 모카포트는 머신보다 압력이 낮아 완전한 크레마를 만나기 어렵지만 이를 보완하여 크레마 형성이 다소 긍정적인 다양한 제품들이 등장하고 있다.

현재 비알레티 외에도 여러 브랜드에서 출시하고 있다. 비알레티(Bialetti) 제품으로는 모카, 브리카, 다마, 피아메타가 있고 일사(Ilsa) 제품으로는 슬란치오, 옴니아 익스프레스 등이 있으며 안캅(Ancap) 제품으로는 니콜, 쉐리, 카리나, 프레지오사, 지오또, 달링 등의 모델이 있다.

🫘 추출방법

① 하단 포트에 압력밸브보다 낮게 물을 붓는다.

② 바스켓에 커피를 담는다.

③ 수북한 커피를 평평하게 깎아둔다.

④ 살짝 힘을 가해 다져준다.

⑤ 바스켓 하단에 넣는다.

⑥ 포트 상단과 하단을 단단히 고정시켜 준다.

⑦ 중불 정도로 끓인다.

⑧ 커피가 추출되면 불을 끈다.

요즘 원두커피가 인기가 많은데 내리고 난 후 재활용할 방법이 있나요?

예전에 맥심 인스턴트 커피를 많이 음용했는데 요즘 원두커피를 선호하는 분들이 많고 심지어 집에서 추출해서 즐기는 경우가 많은데 내리고 남은 커피향이 아까워서 재활용하려는 사람들 또한 많다.

의외로 여러 가지 쓰임새가 있는데 먼저 냄새 흡착 성질을 이용한 탈취제로 쓸 수 있다. 담배냄새, 냉장고 반찬냄새, 신발장 등 냄새가 나는 곳에 넣어두면 커피 찌꺼기가 냄새를 흡수해 준다. 가끔씩 화분에 사용하시는 분이 있는데 곰팡이가 생길 수도 있다. 따라서 확실하게 건조해서 사용하는 것이 좋다. 커피 찌꺼기는 훌륭한 화분의 거름이 될 수 있다. 케냐에 토마스 라곳이라는 지인이 있는데 현지 농장을 경영하는 분이다. 토마스는 "커피는 생두에서 원두 찌꺼기까지 버릴 것이 하나도 없다"고 한다. 그래서 요즘 필자도 유용하게 사용하고 있다.

악마로 불렸던 커피, 유럽에 스며들다 ②

1618~1648년 독일을 무대로 신교(프로테스탄트)와 구교(가톨릭) 간에 벌어진 종교전쟁, 전쟁이 길어지다 보니 유럽 사람들은 힘들어지고 생활의 활력을 찾을 수 있는 것을 찾게 되었습니다. 그것의 한 획을 그었던 것이 바로 맥주였습니다.

맥주는 사실 포도주에 비해 재배도 쉽고 양조도 쉽습니다. 때마침 포도주 재배지역은 원래 재배되던 지역보다 남쪽인 마인-라인강 하류로 밀립니다. 그래서 북유럽 쪽에서는 맥주가 재배됩니다. 당연히 재배지가 인접해 있고 개수도 많다 보니 맥주를 즐겨 마시는 사람들이 늘어나게 되었습니다. 사람들은 스트레스를 풀기 위한 용도로 맥주를 마셨는데 이 용도에 따른 효과가 매우 좋다 보니 적당히 마시지 않고 과다하게 마시는 경우가 많아졌습니다. 즉 맥주에 따른 폐해가 굉장히 커지게 되었습니다.

맥주는 포도주와 다르게 식사하면서 마시는 음료가 아닙니다. 포도주는 식사하면서 조금씩 마시는 데 비해 맥주는 폭음이라는 결과를 불러오게 되었습니다. 덕분에 유럽 사람들은 맥주를 많이 마시게 되어 술에 취해 거리 곳곳에 쓰러져 있거나 과다 섭취로 비만을 불러일으켜서 뚱뚱해지게 되었습니다.

이 상황은 정치지도자들 입장에서 볼 때 그냥 지나치기엔 심각한 문제였습니다. 자기 국민들이 온통 살이 쪄서 움직이지 못하고 또 노상 술을 퍼 마시고 있으니 보통문제가 아니었던 것입니다. 이러한 사회문화가 발생한 타이밍을 이용, 커피가 북유럽에 진출하자 정계에서는 매우 반가울 수밖에 없었습니다. 그래서 사회지도층 사람들이 솔선수범하여 커피를 마실 수 있는 환경을 조성하였고, 이에 따른 전체적인 환경이 자연스럽게 조성되었습니다. 이러한 요소들을 보면 커피는 정말 행운의 여신이 함께한 것이라 볼 수 있습니다. 이것을 통해 맥주와의 경쟁도 격렬하게 진행되지 않을 수 있었고 대체로 커피를 마실 수 있는 여건과 배경이 마련되었습니다.

커피의 모든 것

5. 정신의 세수, 에스프레소

5. 정신의 세수, 에스프레소

 ## 에스프레소의 고향, 이탈리아

이탈리아는 원래 커피문화가 발전한 나라가 아닙니다. 커피보다는 오히려 초콜릿문화가 발전했던 나라입니다. 초콜릿문화 하면 현대에는 프랑스나 벨기에가 대표적인데, 사실 초콜릿문화가 초기부터 발전한 곳은 스페인과 이탈리아입니다.

이탈리아도 초기에는 초콜릿문화가 지배적이다가 서서히 변환점이 오게 되는데 그 과정 중에 생겨난 것이 바로 여러분들이 잘 아시는 '에스프레소'의 발명입니다.

에스프레소는 아주 진한 이탈리아식 커피로서 공기를 압축해 짧은 순간에 커피를 추출, 카페인 양이 적고 아주 순수한 맛을 느낄 수 있는 것입니다.

현재 이탈리아에서만 1년에 95억 잔의 에스프레소가 판매되고 있습니다. 지금 이탈리아는 에스프레소 덕분에 에스프레소 머신인 마키나(베제라, 시모넬리, 페마, 라침발리, 세코 등)를 세계에서 거의 독점적 수준인 90% 정도 판매하고 있습니다. 이것들은 밀라노나 피렌체 근처에서 생산되고 있습니다.

어쨌든 이탈리아는 에스프레소 커피를 발명하면서 커피문화의 강국으로 떠오르게 됩니다. 커피는 생두를 볶은 뒤 분쇄하고 물을 통과시켜 커피가 내려지게 되는 것인데, 커피를 천천히 내려보면 커피의 쓴맛과 떫은맛이 많아집니다.

다시 말해서 커피는 처음에 좋은 맛이 내려오고, 다음으로 신맛 · 감칠맛, 다음으로 쓴맛, 마지막으로 떫은맛들이 내려옵니다.

이 기계가 만들어지기 이전 시절에는 수동식 에스프레소 기계를 사용하였습니다. 그것은 모카포트라고 불리는 것이며, 현대의 유럽 가정에도 없는 곳이 없을 정도로 대중화되어 있습니다.

이탈리아를 보면 북유럽보다는 상당히 강한 에스프레소를 마십니다. 그래서 유럽에 가면 정말 강한 에스프레소와 연한 에스프레소를 나눠서 제공하기도 합니다. 바로 이 에스프레소의 질을 책임지는 사람이 바리스타입니다.

바리스타는 이탈리아어로 '바 안에서 만드는 사람'이라는 뜻으로 좋은 원두를 골라 전문적으로 커피를 만들어내는 사람을 말합니다.

원래는 바에서 일하는 사람 모두를 바리스타라 불렀지만 포도주를 다루는 사람들을 소믈리에라 부르게 되어 커피를 만들고 서빙하는 전문가를 바리스타라고 부르게 되었습니다.

바리스타는 원두를 신선하게 보관하고 분쇄 정도도 정확해야 했으며, 따뜻한 잔을 이용한 서빙을 하였고 사람과 사람을 매개하는 자로서 친절한 미소가 생명이었습니다. 그래서 이탈리아 사람들은 동네에 있는 에스프레소 바를 자기 집 드나들듯이 자주 들르게 되었습니다. 그곳에서 이웃의 소식도 듣고 자신의 무언가를 남기기도 하면서 대화의 장을 이루었고, 이러한 과정을 거치면서 '사람들이 소통하는 공간'으로 에스프레소 바가 자리 잡게 되었습니다.

1. 에스프레소 탄생배경

에스프레소의 기원은 '산타이스(Edourard Loysel de Santais)'에 의해 시작되었다고 볼 수 있다. 1885년 프랑스 파리 만국박람회에 증기압을 이용한 커피머신을 선보이면서 시작을 알리고 산업혁명이 시작된 이후 이태리에서부터 증기압을 이용한 커피 제조의 노력, 그 뒤로 프랑스 등지의 유럽으로 옮겨지게 된다. 이태리어로 '빠르다'라는 뜻을 가진 커피의 심장, 에스프레소(Espresso)는 1901년 이태리 밀라노의 베제라(Bezzera)와 파보니(Pavoni)에 의해 현재 에스프레소 머신의 기본방식을 확립하게 되었는데 특히 파보니의 기술적인 노력으로 물과 추출압력 간의 원리 연구를 통해 진일보하게 되었고 1938년 크레모네시(Cremonesi)에 의해 피스톤 펌프압력으로 커피를 추출하는 방법을 개발하게 되었다. 그 후로 에스프레소 머신은 더욱 발전되는 계기가 되었으며, 1946년 가지아(Gaggia)는 보다 안정적인 압력으로 추출할 수 있도록 피스톤 머신을 개발하게 되었는데 크레마(Crema)라 불리는 거품이 형성된 커피를 만들게 되었고, 1950년대에는 심발리(La Cimbali)의 수압방식으로 피스톤 작동, 1961년에는 페마(Faema)라는 전동식 머신이 등장하여 열교환기 장착을 통해 안정적인 열수공급으로 일정한 맛의 커피를 만들 수 있게 되었다. 이후로도 꾸준한 에스프레소 머신의 개발로 오늘날의 에스프레소 시장을 형성하고 있다.

2. 커피의 영혼, 에스프레소

에스프레소는 드립식 커피보다 3배 정도 곱게 간 원두를 전용 머신을 이용해 강한 압력으로 짧은 시간 동안 추출하므로 카페인 양이 적고, 커피의 순수한 원액을 느낄 수 있다. 그래서 모든 커피의 기본, 커피의 심장이라고도 한다.

에스프레소를 제대로 즐기려면 자체의 진한 향과 맛을 먼저 느끼는 것이 우선이다. 원액 커피이기에 처음에는 다소 진한 느낌과 쓴맛이 함께 느껴지겠지만 천천히 음미하면서 커피의 향미를 느껴 나간다면 원두의 제대로 된 맛을 경험할 수 있을 것이다. 내리는 방법에 따라 여러 가지 맛과 향이 발현되겠지만 무엇보다도 추출원리를 이해하는 것이 중요하다. 이러한 요소를 거쳤을 때 비로소 한 잔의 최상의 에스프레소 맛을 느낄 수 있게 된다.

3. 에스프레소의 정의

1) 에스프레소의 특성

에스프레소(Espresso)는 최상의 맛을 빨리 느끼기 위해 '빠르게 마시다'를 의미하는 이탈리아식 커피 원액을 말하는데 거품층과 아래 복합적인 액체로 구성되어 있으며 다크 브라운 색깔의 거품층을 크레마(Crema)라고 한다.

(1) 크레마(Crema)

크레마는 주로 이산화탄소와 휘발성 향미물질을 품고 있는 액상막이 작은 거품방

울로 모여 있는데 이들 거품을 이루는 액상막은 수용성 계면활성 성분으로 만들어진다. 당지질(glycolipid)이나 당단백질(glycoprotein) 같은 복합물질들이 이런 특성을 가진다. 에스프레소에서 추출된 크레마의 색, 점도, 복원력, 두께 등은 커피를 평가할 수 있는 요소가 되며, 커피의 온도와 향기성분들을 유지하는 데 도움을 준다.

(2) 액체(Liquid)

고형성분으로 커피의 전체적인 농도(Concentration)와 수율(Yield)을 느끼게 해주는데 이는 물리적인 요소(커피의 양, 추출방식, 로스팅 정도 및 물의 온도)에 따라 다소 차이가 있을 수 있다. 고형성분을 화학적으로 접근해 보면 구조가 훨씬 복잡한데 산, 설탕, 카페인 등 물과 잘 결합하는 친수성 물질로 오일방울로 구성된 에멀전(Emulsion), 고체입자(Suspension), 크레마(Crema)와 함께 존재한다.

(3) 외형 특징

국내, 국제 바리스타대회에서 평가할 수 있는 기준으로 크레마의 색상과 질감으로 완벽하게 에스프레소가 추출되었는가를 나타내준다. 액상막에 둘러싸인 작은 거품 위에 미세한 파편이 보이는데 이는 곧 적정추출의 유무를 판단하는 기준으로 작용할 수 있다.

2) 에스프레소 추출을 위한 '5 Point'

(1) 입자

정확한 에스프레소 추출을 위한 입자 즉, 분쇄입자는 맛을 형성하는 데 있어 가장 중요한 요소이다. 분쇄도의 환경에 따라 과소추출과 과다추출이 진행될 수 있다. 분쇄된 커피에는 흡습성이 있는데 상대습도에 따라   주변 대기에서 물 분자를 흡수하거나 방출한다는 의미이다. 즉, 습도가 높아지면 커피는 수분을 흡수하기 때문에 조밀하게 다져지는데 이는 곧 그 사이를 뚫고 지나가

려는 가압수에 대한 저항이 커지기 때문으로 다소 굵게 갈아준다. 자유로운 물 분자의 활동은 커피를 가는 동안 급속히 일어나고, 도저에 미리 갈아놓은 커피에도 영향을 줄 수 있다. 이러한 이유로 완벽한 추출속도를 유지하기 위해서는 입자에 대한 이해가 아주 중요한데 주변의 날씨 상황에 따라 바리스타는 커피의 양과 다지는 힘에 변화를 주는 것이 아니라 분쇄입도 조절에 주의를 기울여야 한다.

(2) 추출수의 온도

맛있는 에스프레소 한 잔을 만들기 위해 지나쳐서는 안 되는 부분으로 물의 온도는 커피의 휘발성 향미 화합물을 유지하는 데 절대적이기 때문이다. 추출온도가 적당한지 확인하려면 물의 온도 측정보다는 크레마 상태를 체크하는 것이 중요한데 우선 크레마 색상도 중요하지만 로스팅 정도에 따라 좋은 맛을 내는 추출온도가 상대적으로 달라지므로 미각세포의 안내를 따르는 것도 좋은 기준이 될 수 있다.

추출수가 높을 때는 자극적인 맛과 탄맛이 느껴지면서 크레마는 짙고 진한 줄무늬가 생긴다.

반대로 추출수가 낮을 때는 커피에서 풋내가 나고 밋밋한 느낌의 뉘앙스로 에스프레소 특유의 섬세한 느낌을 경험하기는 어렵다. 무엇보다도 추출온도가 안정적이라면 추출되는 내내 커피의 캐러멜화된 당분이 유지되면서 추출될 것이다.

(3) 수평밀도

수평밀도는 추출 동작에서 커피를 받고 난 후 양을 맞추는 과정에서 진행되고, 다시 커피를 다지는 과정(Tamping)에서 진행된다. 추출수의 물은 게으른 물질이다. 조밀하게 다지지 않으면 커피층에 구덩이를 내며 뚫고 지나가는데 커피 향미는 닫혀

버릴 수 있다. 즉 골고루 펴기와 패킹, 그리고 부드러운 마무리가 완벽한 삼박자를 갖춰야 가압 온수가 고른 저항을 받게 된다. 그리고 수평밀도를 맞추기 위해 너무 과다한 압력과 불필요한 동작은 오히려 크랙이 생기게 하는 요인이 될 수 있는데 그렇다고 힘을 과도하게 줄여서도 안 된다. 약 12~13kg의 균형 잡힌 압력으로 평평하게 다져서 접촉하는 것이 좋다.

(4) 커피의 양과 추출속도

커피 추출속도에 따라 스타일이 다른 커피가 만들어질 수 있다. 커피의 양은 에스프레소 한 잔을 추출하는 데 필요한 전체 추출시간에 영향을 줄 수 있다. 22~25초 간격으로 추출한다고 가정해 보자!! 케이크의 표면에서 커피의 양이 1mm 높아질수록 추출속도가 몇 초씩 느려진다. 매번 일정하게 담는 양을 유지하는 것이 중요한데 담는 양이나 다지는 방법에 차이가 있어서는 안 된다. 보다 정확한 추출시간과 커피의 양이야말로 커피 향미를 제대로 보존하면서 즐길 수 있게 할 것이다.

(5) 커피의 신선도

신선도는 커피의 질을 결정하는 주요한 요인이다. 원두의 신선도 여부는 에스프레소가 추출될 때 눈으로 확인할 수 있다. 원두가 신선하지 않으면 가늘고 묽은 크레마가 추출되고 너무 신선하면 지나치게 두꺼운 양의 크레마가 추출된다. 커피를 볶으면 이산화탄소가 배출된다. 이것을 마이야르 반응이라고 하는데 갈변화가 진행되면서 이산화탄소가 생성된다. 원두는 밀폐용기에 담아 서늘한 곳에 직사광선을 피해서 보관하는 것이 좋다. 그리고 몇몇 소비자들은 커피원두를 구입할 때 그라인더가 없다는 이유로 미리 갈아서 보관하는데 그러면 그 즉시 산화작용이 시작되어 귀중한 향미를 잃게 된다.

4. 에스프레소 머신

1) 에스프레소 추출 머신의 역사

에스프레소 머신은 1901년 이태리 밀라노의 루이지 베제라(Luigi Bezzera)가 증기압을 이용한 기계의 특허를 취득하였고, 1903년 이 특허의 사용권을 얻은 데지데리오 파보니(Desiderio Pavoni)가 커피 애호가들에게 많은 인기를 끌었다. 1947년 아킬레 가지아(Achille Gaggia)가 피스톤식 머신을 개발하여 에스프레소의 크레마를 탄생시키고, 현재의 매뉴얼식 에스프레소 머신의 원형이 되고 있다. 1960년 엔지니어인 카를로 에르네스토 발렌테(Carlo Ernesto Valente)가 개발하여 그 다음해인 1961년에 선보인 페마(Faema E61)는 전동펌프를 이용하여 항상 일정한 압력으로 추출할 수 있는 머신으로 주목받았다.

2) 에스프레소 머신의 종류 및 특징

에스프레소 머신은 크게 수동머신, 반자동머신, 자동머신으로 나눌 수 있다. 자동머신은 바리스타가 없는 레스토랑 겸 카페나 직원교육이 안 된 곳에서 효율적으로 활용하는데, 구조를 보면 프로그래밍이 가능한 키패드가 있는데 이는 프로그램이 자동으로 펌프 가동을 중단시키는 원리이다. 기계가 알아서 커피를 갈고, 다지고, 스티밍을 하는 구조이다. 반자동머신은 별도의 그라인더를 통해 분쇄한 후 탬핑하여 추출하는 방식으로 바리스타가 각 잔의 추출량을 일일이 통제하며 펌프를 끄고 켜는 방식의 머신이다. 수동머신은 사람의 힘에 의해 피스톤을 작동하여 추출하는 방식으로 레버의 지렛대 원리를 응용한 피스톤식으로 큰 힘을 들이지 않고도 적절한 압력에 의한 커피 추출이 가능하다는 점에서 획기적인 발명으로 평가되었다. 시각적이고 퍼포먼스적인 효과를 바탕으로 유럽의 고급 카페에서 각광받고 있는 머신이다. 또 커피가 추출되는 부분을 그룹헤드(Group Head)라고 하는데 그 수에 따라 1그룹에서 4그룹으로 구분하고 있다.

에스프레소 머신의 종류 및 특징

종류	그룹홀더	특징
수동머신	1~4개	피스톤 작동 레버를 이용한 수작업 추출

반자동머신	1~4개	별도의 분쇄, 탬핑 → 내장 메모리칩의 기능으로 추출량 세팅, 포터필터 추출
자동머신	없음	버튼의 원터치로 내장된 그라인딩과 탬핑, 추출로 메뉴커피까지 제조

3) 각 부분의 명칭

온수버튼
온수 추출구
압력게이지
수량계

그룹헤드
스팀밸브/레버
스팀완드
포터필터

5. 에스프레소 머신의 구조

에스프레소 머신의 기원은 1900년 초로 창시자 베제라(Bezzera)는 압력솥에 물을 끓여서 물이 압력을 받도록 하는 머신에 특허를 받았으나 이 설계의 단점은 원하는 압력수준(추출압력 1.5기압 정도)을 얻으려면 물의 온도가 100℃를 넘는 매우 높은 온도가 되어버려 보통 상황에서는 녹지 않는 성분이 추출되며, 이런 성분으로 인해 커피에 좋지 않은 쓴맛이 강해지게 되는 것이다. 즉 게이지가 1Bar를 가리키면 절대 기압으로 2기압을 의미하는데 보일러 물의 온도는 120℃에 달한다는 의미이다. 이 러한 단점은 가열장치(온도 발생)와 가압장치를 분리함으로써 극복할 수 있게 되었 으며 초기의 시행착오와 기술혁신에 따라 현재의 9기압 머신이 탄생하게 되었다.

◗ 에스프레소 머신의 각 부분 명칭

부품	기능
보일러 (Boiler)	에스프레소 머신의 핵심 영역으로 내부 열선의 작용으로 추출에 사용될 물을 가열하여 온수와 스팀을 공급하는 역할을 한다.
그룹헤드 (Group Head)	추출을 위한 물이 공급되는 부분으로 포터필터를 장착하는 부위
개스킷 (Gasket)	추출 시의 압력에 물이 새지 않도록 하며 포터필터와 그룹헤드 사이에 위치하며 고무패드이다.
샤워 홀더 (Shower Holder)	한 줄기로 나온 물이 홀더를 지나면서 필터 전체로 골고루 압이 걸리도록 해준다.
샤워 스크린 (Shower Screen)	샤워 홀더를 통과한 물을 골고루 분사해 주는 역할을 한다.

포터필터 (Porter Filter)	그룹헤드에 장착시키는 기구로 portable 필터라고도 한다.
펌프모터	수돗물의 압력을 높여 추출될 수 있도록 압력을 끌어올리는 역할을 한다.
솔레노이드 밸브 (Solenoid Valve)	보일러에 유입되는 찬물과 보일러에서 데워진 온수의 추출을 조절하는 역할을 한다.
플로우 미터 (Flowmeter)	커피 추출수의 양을 감지하여 조절하는 역할을 한다.

6. 에스프레소 커피 그라인더

한 잔의 커피 추출을 위해서 분쇄는 아주 중요하다. 분쇄는 왜 그렇게 중요한 것일까? 가압온수가 커피와 접촉하는 시간이 중요한데 25~28초 정도가 이상적이라고 할 수 있다. 추출 시 분리되는 커피 오일에서 느낄 수 있는 향미성분은 아주 순간적으로 드러나기 때문이다. 그래서 분쇄는 에스프레소 맛을 결정하는 아주 중요한 인자로서 입자와 투입량을 결정하는 장비이다.

드립식 커피 추출방식과 달리 에스프레소는 분쇄입도가 가늘어야 하는데 일반적으로 0.2~0.3mm 정도를 많이 사용한다.

1) 에스프레소 그라인더의 부분별 명칭

호퍼

입자 표시

입자조절기

원두개폐기

도저(디스펜서)

추출레버

포터필터 받침

받침대

2) 그라인더의 종류

(1) 분쇄 원리에 따른 분류

① 충격식 분쇄(Impact Grinding)

고속으로 회전하는 충격체를 이용하여 원두에 충격을 가해 분쇄하는 방법으로 가격이 저렴하여 가정용 그라인더로 많이 사용하지만, 분쇄조절장치가 없어 육안으로 조절하므로 균일도가 떨어진다. 충격식 그라인더로는 칼날형이 있는데 고르게 분쇄하기 어려운 단점이 있다.

② 간격식 분쇄(Gap Grinding)

일정한 간격을 두고 돌아가는 원리로 금속판 같은 톱니 사이에 원두를 통과시켜 분쇄하는 방법으로 충격식에 비해 조금 비싸다. 열 발생의 여지가 있지만 분쇄입자가 균일하다는 장점이 있다.

그라인더 날에 따라 두 가지로 나눌 수 있는데 평면형과 원추형이 있다. 원추형이 조금 인기가 많은데 커팅날이 조금 더 길어 모터속도가 약간 느리므로 열기를 줄여 피해를 줄일 수 있다. 그리고 좀 더 걸쭉하고 풍부한 향미의 추출이 용이하다.

(2) 날의 형태에 따른 분류

① 롤러형(Roller)

실린더 형태의 칼날이 돌아가면서 분쇄. 주로 대량 분쇄 시에 사용하며 내구성이 뛰어나고 용도에 따른 조정이 가능하다.

② 원뿔형(Conical)

고정되어 있는 암날 안으로 수날이 회전하여 들어감으로써 분쇄되는 원리로 분쇄입자가 다소 균일하지 못하다. 분당 회전수(RPM)는 400~600회이고 열 발생이 상대적으로 적다.

③ 수평형 또는 평면형(Flat)

한 쌍의 디스크 중에서 아랫부분 디스크가 회전하고, 회전하는 원심력으로 인하여 배출되는 원리로 단위 처리량이 좋으며 입자는 다소 균일하나 열 발생이 상대적으로 많은 단점이 있다. 분당 회전수(RPM)는 1,400~1,500회이다.

7. 에스프레소 추출

포터필터 분리/바스켓 건조	그룹에 장착된 포터필터 분리. 마른 리넨으로 바스켓 건조

↓

분쇄/커피 받기(도징)	그라인더로 분쇄된 커피(dose)를 바스켓에 골고루 담기

↓

커피 고르기(레벨링)	바스켓에 담긴 커피를 정량에 맞게 고르고, 수평깎기

↓

패킹(Packing) • 1차 탬핑 • 태핑 • 2차 탬핑 • 가장자리 털어주기	포터필터에 담긴 분쇄커피를 추출하기 좋은 상태로 만듦 탬핑–탬퍼기구로 일정 압력을 가해 입자 사이의 밀도를 균일하게 함 태핑–1차 탬핑 후, 가장자리(tap)에 묻은 가루를 몰아줌 가장자리 털기–2차 탬핑 후 필터홀더 주변 커피가루 청소

↓

추출 진 열수 흘리기(Purging)	그룹헤드 내부의 스크린 찌끼기 및 저온 추출수 제거

↓

포터필터 결합	7~8시 방향 삽입 후 정면방향으로 결합. 충격에 주의

↓

추 출 • 추출버튼 작동 • 에스프레소 받기	추출버튼을 작동, 워머의 예열된 잔을 내려놓고 에스프레소 측면받기 – Aroma 손실을 막기 위해 떨어지는 액의 충격을 잔 중앙에서 비스듬히 받아 최소화함

↓

포터필터 청소, 장착 • 커피케이크 제거, 물청소 • 그룹헤드 장착	추출 후 필터 바스켓에 있는 커피케이크를 넉 박스통에 버리고 추출버튼을 눌러 물로 바스켓 내부 청소. 그룹헤드에 포터필터 장착

1) 잔 데우기

에스프레소는 온도를 중요시여긴다. 추출 전 잔 데우기를 하여 온도를 유지시켜 주고 맛과 향이 날아가는 것을 방지한다. 잔 데우기를 하는 이유는 잔의 온도를 올리기 위한 목적도 있지만 온수로 잔의 청결을 유지하기 위한 목적도 있다.

2) 커피 분쇄

커피 분쇄는 항상 추출 직전에 한다. 커피는 분쇄되면서 급속도로 산패가 진행된다. 분쇄되어 있는 시간만큼 향과 맛, 신선도는 떨어진다. 신선한 에스프레소를 위해서는 항상 추출 직전에 커피 분쇄를 하여야 한다. 보통 그라인더 디스펜서에 분쇄된 상태로 보관하면 커피의 신선도가 지켜지는 시간을 20분 안쪽으로 본다.

3) 포터필터 건조

포터필터 건조는 청결한 리넨으로 2~3초 안에 신속히 끝낸다. 포터필터 건조를 하는 이유는 추출 후 물기가 포터필터에 분쇄된 커피와 접촉하면 그 시점부터 추출이 이루어져 과다추출현상(over extraction)을 가져올 수 있기 때문이다.

커피 분쇄부터 포터필터 장착, 추출까지의 시간을 가능한 짧게 유지시켜야 신선하고 맛있는 커피를 추출할 수 있다. 그 이유는 포터필터의 온도가 정상적인 에스프레소 추출온도를 만들기 위해 뜨거운 상태로 보관되어 있기 때문이다. 오랜 시간 포터필터에 담겨 있는 커피는 그 신선도를 잃게 된다.

4) 도징(커피 받기)

균일한 도징이 일정한 에스프레소의 추출을 가능케 한다. 이 기술은 꾸준한 훈련을 통해 숙련되는 동작이며 바리스타 감각으로 정확한 커피의 양을 조절해야 한다. 사용하는 커피의 특징을 잘 파악하여 어느 정도 양으로 추출하면 가장 맛있는 에스프레소가 추출되는지 알아야

한다. 그리고 커피를 받을 때에는 필터바스켓 전체에 커피가 골고루 퍼지도록 빈 공간을 채우며 도징한다.

5) 패킹(Packing; 태핑)

정량 고르기와 내가 원하는 커피의 양으로 추출할 수 있으며 커피의 밀도 형성도 고르게 할 수 있다. 하지만 패킹동작을 하는 횟수와 세기가 정확하지 않으면 정확한 양으로 추출하기 어렵다. 포터필터에 충격을 가할 때마다 커피의 상부 높이가 변화하여 커피 내부에 균열을

주어 추출물 유속의 흐름이 올바르지 못하고, 과다추출현상을 줄 수 있기 때문에 생략하거나 살짝 충격을 준다.

6) 탬핑(다지기)

탬핑은 기술적인 면에서 바리스타가 하는 마지막 추출 기술이다. 정확한 수평밀도를 맞추지 못하면 올바른 에스프레소를 추출하기 어렵다. 정확한 탬핑을 하기 위해서는 체중의 힘을 오로지 밑으로만 전달해야 하며 탬퍼 손잡이의 상부면은 항상 손바닥의 힘으로 눌러야 한다.

7) 열수 흘리기

추출 전 열수 흘리기는 그룹 헤드부분이 공기와 접촉하여 온도가 떨어져 있으므로 산포망(스크린)을 데워주는 역할을 하고, 산포망에 낀 커피 찌꺼기를 청소해 주는 역할도 한다. 또 처음에 너무 높은 온도로 커피가 추출되는 것을 막을 수 있다. 대기시간이 길어지면 추출 전 열수 흘리기의 시간을 늘려 90~95℃의 알맞은 온도로 추출한다.

8) 필터바스켓 상부 청소

필터바스켓 상부와 개스킷(고무파킹)의 접촉은 물이 새는 것을 막고 동시에 바스켓을 밀폐시켜서 압력 형성에 도움을 준다. 개스킷 마모는 정확한 압력과 누수에 영향을 끼친다. 그래서 추출 직전에 항상 개스킷의 마모를 줄이기 위해 필터바스켓 상부 청소를 한다(개스킷 사용기한 6개월~1년 내 교체).

9) 완벽한 에스프레소 한 잔을 위한 Tips!

① 적절한 커피 추출을 위해서는 커피를 어느 정도 여유있게 포터필터에 담는 것이 중요하다.

② 커피 입도에 대한 이해를 가지고 적정한 추출을 위한 분쇄가 진행되어야 한다.

③ 에스프레소 추출 시 가압수 압력에 잘 견디기 위한 탬핑이 보디 평평한 상디기 되도록 유의헤서 팩키를 돌려 들어낸다.

④ 적정한 힘(약 13kg)으로 유연하게 물이 통과될 수 있도록 만들어준다.

⑤ 과다와 과소 추출이 되지 않도록 분쇄도, 탬핑강도, 커피양, 물의 온도 등 여러 요소들을 꼼꼼히 분석해서 추출이 적정범위 안에서 이루어지도록 한다.

과다추출과 과소추출의 비교

	과소추출 (Under Extraction)	과다추출 (Over Extraction)
입자의 크기	굵다	가늘다
탬핑강도	기준보다 약함	기준보다 강함
커피 사용량	기준량보다 적음	기준량보다 많음
물의 온도	상대적으로 낮음	상대적으로 높음
추출압력	기준보다 높음	기준보다 낮음
추출시간	보다 짧은 추출시간	보다 긴 추출시간

8. 머신 및 그라인더 관리요령

1) 반자동 에스프레소 머신 관리요령

(1) 필요한 청소도구

청소용 솔, 청소용 약품, 청소용 필터바스켓, 넉 박스

(2) 물, 청소약품 역류세척(일주일에 1~2번)

① 청소용 필터바스켓 안에 청소용 약품을 한 스
   푼 넣음
② 포터필터를 그룹에 장착
③ 연속추출 20초씩 10회, 30초씩 5회를 반복
④ 포터필터를 그룹에서 분리, 세척

(3) 스크린 세척(일주일에 1~2번)

① 그룹 안에 있는 스크린을 분리
② 청소용 솔을 이용하여 스크린 고정나사와 스
   크린을 청소
③ 약품으로 커피 찌꺼기를 세정 및 물 추출, 확인
④ 스크린을 그룹에 넣고 고정나사를 이용해 조립
⑤ 조립이 완료되면 버튼을 눌러 물 추출, 확인

(4) 포터필터, 필터바스켓 세척(일일점검사항)

① 드라이버를 사용하여 포터필터와 필터바스켓
   을 분리
② 포터필터에 있는 스프링 분리(철심)
③ 포터필터 내부와 필터바스켓을 청소용 솔, 약

품으로 세척

④ 포터필터에 스프링 장착. 필터바스켓 소리가 나도록 제대로 장착

(5) 스팀노즐 청소(매일)

① 피처에 뜨거운 물을 받아 스팀노즐을 약 10분
간 담가놓는다.

② 스팀노즐을 깨끗한 헝겊으로 닦아준다.

③ 노즐 내부의 수증기를 빼준다.

2) 그라인더 관리요령

(1) 일일청소(매일)

① 호퍼와 그라인더 본체에 있는 원두를 완전히 제거한다.

② 디스펜서 안의 분쇄된 커피입자를 완전히 제거한다.

③ 호퍼와 그라인더 받침대를 물로 깨끗이 청소 후 완전히 건조시킨다.

　(주의 : 세제 사용 금지)

(2) 주간청소(일주일에 1~2회)

① 호퍼와 그라인더 본체에 있는 원두를 완전히 제거한다.

② 디스펜서 안의 분쇄된 커피입자를 완전히 제거한다.

③ 그라인더 약품을 소량 분쇄시킨 후 같은 방법으로 원두를 분쇄시켜 약품을 완
전히 제거한다.

④ 호퍼와 그라인더 받침대를 물로 깨끗이 세척한 후 완전히 건조시킨다.

　(주의 : 세제 사용 금지)

(3) 월간청소(한 달에 1~2회)

① 일일청소의 ①, ②, ③과 같이 한다.

② 조정접관을 시계방향으로 돌려 그라인더 날을 분리시킨다.

③ 그라인더 본체 안의 날은 청소기를 이용하여 청소하고, 분리된 날과 조정접관
　은 물 세척 후 완전히 건조시키는데 특히 날카로운 부분을 주의한다.

④ 디스펜서 안의 도저를 고정시키고 분리 후 조정접관, 도저, 스프링을 세척한다.

⑤ 도저, 스프링은 역순으로 조립한다.

 커피의 심장이라고 하는 에스프레소가 무엇이기에?

에스프레소는 8.5~9.5bar의 압력에 90℃ 정도 되는 물을
25~30초 사이에 가는 분쇄입도 0.2~0.3mm 정도로 곱게
갈아서 내린 30㎖ 커피원액이라고 정의할 수 있다.

에스프레소는 유럽문화에서 온 커피메뉴라고 할 수 있는데
카페를 자주 이용하는 사람이라면 몰라도 우리나라에서는
아직 생소하다.

실제 경험담을 잠깐 소개하면 자주 가는 카페에서 모처럼
여유를 부리고 있는데 어떤 잘 차려입으신 어르신 한 분이
오셨다. 그런데 에스프레소를 주문하시는 것이었다. 매장
직원들이 보통 에스프레소에 대해 간단히 설명을 드렸는데도

불구하고 막 나온 커피원액 에스프레소를 보고 상당히
당황해 하시는 모습이었다. 그러면서 교환을 요청하셨던 기억이 난다. 에스프레소는 모든 커피를
만드는 기본이라는 사실!! 예를 들어 카페라떼, 카푸치노, 카페모카, 아메리카노 등이 있다.

오스트리아의 전쟁이야기

음료를 아주 잘 개발했고 카페문화가 상당히 발전해서 카페의 성채라고 하는 도시가 있는데 그곳은 바로 오스트리아의 수도 '빈'입니다.

이곳은 오스만 제국에 두 차례(1529년, 1683년) 공격을 당했으나 모두 저지하는 데 성공한 곳으로 커피가 전해지는 과정은 아주 전설적인 이야기로부터 시작됩니다.

1683년에 오스만 튀르크가 빈을 함락하기 위해 완전히 포위하고 있었습니다. 그때 통역사로 일하던 '오시처키'라는 사람이 "내가 지원군을 끌어오는 데 나서보겠다."라고 말한 후 포위망을 뚫고 국경을 뛰어넘어 독일과 폴란드로부터 지원군을 데려오게 되었습니다. 그 후 오스만 튀르크군을 격퇴시켰는데, 그들이 물러간 뒤 그곳에 커피 자루가 상당히 있었습니다.

그 당시 '빈' 사람들은 커피의 정체를 알지 못하였고, 오직 오시처키만이 이 물건이 범상치 않음을 느꼈습니다. 사실 이 커피는 당시 빈에서 매우 비싸게 거래되던 것으로 오시처키는 바로 "제가 공을 세웠으니 저에게 이것을 주지 않겠습니까?"라고 요청하였습니다. 그래서 국가로부터 커피를 받게 되었는데 그 양은 정말 엄청났습니다.

오시처키는 이 커피를 팔기 위해 사람들에게 터키 방식으로 마시게 해보았습니다. 하지만 사람들은 커피 알갱이가 목에 걸려 싫다는 반응을 보였습니다. 그래서 그는 이것을 팔기 위해서는 방법을 달리해야겠다는 생각을 하고, 헝겊을 받쳐 커피를 걸렀습니다.

이렇게 하여 알갱이가 없어지고 오늘날 우리가 마시는 것처럼 물만 내리게 되었는데 이로 인해 커피를 걸러서 마시는 방법을 개발하게 되었습니다. 그리고 나중에는 꿀, 우유, 생크림도 첨가하여 팔기 시작하였습니다.

더 나중에는 같이 먹을 수 있는 것도 필요하다 생각하여 이웃집 제빵사와 동업을 하였고, 이왕 만들 때 터키 국기의 모양인 초승달 모양으로 만들어 그것이 바로 지금의 '크루아상'이 되었습니다.

이렇게 만든 것을 함께 판매하자 오스트리아의 빈 사람들은 초승달을 상징하는 이슬람군을 물리쳤다는 생각을 하고 그 커피와 빵을 먹으면서 승리의 여운을 만끽할 수 있었다고 합니다. 이것을 계기로 현재까지 오스트리아에 커피가 자리를 잡게 되었습니다.

6. 커피 위의 예술,
아트의 세계

6. 커피 위의 예술, 아트의 세계

1. 라떼아트(Latte Art)란 무엇인가?

라떼는 우유, 아트는 예술을 뜻한다. 간단히 말해 커피의 심장인 에스프레소에 부드럽고 크리미한 우유와의 만남을 예술로 표현한 작품이라고 할 수 있다.

바리스타 추출동작의 기술적인 면과 함께 라떼아트로 시각적인 즐거움을 고객들에게 제공하는 것이며 바리스타만의 예술적·최종적인 우유스킬을 동시에 보여줄 수 있는 것이기도 하다.

2. 라떼아트의 역사

라떼아트는 바리스타들이 커피에 우유를 혼합하던 과정에서 우연히 생겼으며 이탈리아에서 로제타 아트라 불리며 발전해 온 것이라 한다. 커피의 미각적·후각적 매력 외에 시각적인 것이 더해져 눈과 입을 즐겁게 하고 있다. 처음 유럽과 미국에서 로제타, 하트, 사과 모양 등이 고안되고 일본에서 고양이, 강아지 등과 같은 캐릭터 아트로 발전되면서 우리나라에 보급되기 시작하였고 급속히 발전하면서 지금에 이르게 되었다.

3. 라떼아트의 3요소

1) 크레마

머신의 높은 압력에 의해 순간적으로 커피를 뜸들이고 압력으로 밀어내며 생기는 황금색 거품을 크레마라고 하는데 라떼아트를 할 때 가장 중요시하는 것이다. 종이에 그림을 그리듯이 크레마 상태에 따라 원하는 그림을 얻을 수 있다. 크레마가 좋지 않으면 우유가 크레마를 유지시켜 주지 못하고 섞여버리기 때문에 간혹 크레마에 코코아, 시나몬 가루를 뿌려 선을 선명하고 또렷하게 얻을 수 있다. 항상 크레마의 상태에 신경을 써야 한다.

2) 벨벳밀크

우유 거품은 간단히 그림을 그리는 중요한 도구이다. 선명한 그림을 그리기 위해선 벨벳 거품도 빠질 수 없는 한 가지인데 시럽을 첨가하지 않아도 고소함과 부드러움을 느끼기 위해 적당한 온도와 부드러운 거품을 내는 것도 바리스타로서 잊지 말아야 할 부분이다.

3) 바리스타의 스킬

바리스타는 고객이 시각적으로 먼저 즐거움을 느낄 수 있게 정확한 원리와 방법 그리고 반복학습으로 자신만의 아트적인 영역의 스킬향상을 위해 끊임없이 노력해야 한다. 하나라도 소홀함이 없이 마음을 다해야 한다.

4. 라떼아트의 종류

1) 바로 붓기

바리스타가 피처의 각도와 잔의 각도 및 타이밍 그리고 손기술로 피처의 흔들림

(움직임)을 이용하여 스팀밀크를 잔에 직접 바로 붓기를 하면서 원하는 모양을 만들어낸다. 대표적으로 하트나 로제타 등이 그 예이다.

2) 에칭

에칭이란 도구를 이용해 선을 표현하는 동판화에서 많이 쓰는 기법인데 라떼아트에서 에칭은 크레마 위에 우유 거품이나 초코소스 등을 이용해 그린 후 에칭도구로 선을 그려 완성하는 작업이며 바로 붓기보다 시간이 걸린다는 점을 감안한다면 쉽게 할 수 있는 기법이다.

3) 캐릭터 아트

캐릭터 아트는 말 그대로 곰이나 토끼 등의 동물 캐릭터 혹은 사람이나 꽃 등을 그리는 방법이다. 바로 붓기와 에칭을 동시에 사용하는 방법이기도 하다. 섬세한 손기술을 요하는 기법이다.

4) 파우더 아트

데커레이션 도구를 거품 위에 대고 파우더를 이용해 완성하는 작품으로 매장 로고나 이름 등을 올리기도 하는 방법이다. 쉽고 빠르게 할 수 있으며 개성을 표현할 수도 있는 기법이다. 파우더로는 코코아나 녹차가루 등을 이용하기도 한다.

5. 우유 거품내기

우유는 에스프레소 베리에이션 음료에 있어 양적으로 볼 때 주된 첨가물이다. 그래서 마치 우유를 선정할 때조차도 커피원두를 선택할 때처럼 여러 가지 물질기준에 맞추어 선택하는 게 좋다. 에스프레소 베리에이션 메뉴에 있어서 좋은 결과를 내려면 스티밍(Steaming)을 잘해야 하는데 스팀밀크의 밀도와 에스프레소의 밀도를 가장 비슷하게 만들어주는 것이 중요하다. 우유 스티밍을 할 때 피처 안에 있는 우유를 한쪽 방향으로 회전시켜 원심력을 이용해서 스티밍하는 것을 롤링(Rolling)이라고 한다. 이 롤링을 이용하여 공기주입으로 생긴 거품들을 미세하게 쪼개줌으로써 부드러운 마우스필(Mouthfeel)을 느낄 수 있는 마이크로폼을 만들 수 있다.

1) 우유 스티밍의 이해

우유 거품이 생성되는 원리를 보면 머신의 보일러에서 만들어진 수증기가 스팀노즐을 통해 분출되면서 주변의 공기가 유입되고 그 공기가 열로 인해 지방과 결합하게 되는 것이다. 스팀노즐 팁을 너무 깊게 담그고 있으면 외부의 공기를 끌고 들어가지 못해 거품이 생성되지 않고 우유의 온도만 상승시키는 결과를 가져오며 반대로 노즐 팁이 표면에 높게 노출되면 우유 표면에 한꺼번에 많은 공기가 들어가기 때문에 거친 거품이 생기므로 부드러운 밀크를 만드는 데 어려움이 있다.

✔ 거품내기의 세 가지 요소

거품을 내는 전 과정에서 파악해야 할 세 가지 요소는 시각, 소리, 온도이다.

① 시각 : 스팀노즐의 위치

우유 표면 기준 1cm 이상 깊게 들어가지 않도록 스팀노즐은 우유에 담근 상태에서 시작되며 공기주입은 피처의 좌/우측 외각 쪽에서 우유의 표면에 위치한다. 혼합/안정화 과정은 같은 위치에서 1cm 정도 다시 담가 공기주입을 조절하고 급격한 회전으로 우유가 넘치는 현상을 막는다.

② 소리 : 공기주입

우유 거품내기에서 공기주입의 시간과 양에 따라 거품의 두께는 변화하게 되는데 공기주입을 많이 할수록 거품은 두꺼워진다.

우유에 공기가 많이 들어갈수록 우유는 돌릴 때보다 점성이 있게 되거나 끈끈해 보이기도 한다. 또 공기주입을 하는 스팀노즐의 위치가 거품의 크기를 변화시킨다. 공기주입은 스팀노즐을 1cm 정도 우유에 담고 시작하여 스팀노즐과 우유의 표면이 거의 맞닿게 하여 거품이 생성되는 과정을 눈으로 확인하고 소리로 판단해야 한다.

스팀노즐과 우유 표면이 멀어질수록 큰 거품이 형성되고 가까울수록 고운 거품이 형성된다. 따라서 밀크피처의 유동이 많으면 불안정한 거품이 형성되므로 주의해야 한다.

③ 온도 : 혼합과 안정화

혼합과 안정화 과정은 데워지는 우유와 거품을 혼합시키며 불안정한 거품을 안정화시킨다. 이 과정에서 곱고 균일한 우유 거품이 된다.

또한 우유의 회전을 이용하여 진행되면서 크고 불안정한 거품들이 스팀피처의 벽면을 회전하며 깨지고 우유 중앙의 소용돌이를 형성하고 피처를 돌려주면서 우유가 분리되는 것도 지연시킬 수 있다. 효과적으로 돌리려면 우유 표면이 반들반들할 정도로 빠르게 그러나 새로이 거품이 만들어지거나 우유가 튀지는 않을 만큼만 빠르게 돌려준다. 또한 안정화에서 손으로 피처 바깥벽면에 붙었다 뗐다를 반복하다가 3초 이상 만질 수 없을 만큼 뜨거움을 느낄 때가 대략 70℃ 정도라고 한다. 사람마다 느껴지는 정도가 달라 대략 70~75℃로 기준을 둔다. 시각, 소리, 온도의 3요소가 동시에 이루어질수록 벨벳거품에 가까워진다고 보면 된다.

2) 잘못된 동작의 결과

🫘 **잘못된 동작의 결과**

동작		결과
노즐이 밀크피처의 벽면에 가까울 때		얇고 힘이 없는 거품, 뜬 거품
노즐이 우유 깊숙이 담겨 있을 때		공기주입이 없어 얇은 거품층
노즐이 우유 표면과 많이 떨어져 있을 경우		불안정하고 큰 거품 형성
피처의 지나친 유동		불안정한 거품 형성
우유의 회전이 없는 경우		불안정한 거품 형성

3) 거품의 크기와 온도에 따른 맛의 변화

우유 거품이 크고 불안정한 거품은 마셨을 때 비린 맛과 동시에 목 넘김이 가볍고 거품과 우유가 분리된 듯한 느낌을 주는 반면, 곱고 균일한 거품은 생크림을 머금은 듯한 느낌의 촉감, 풍부한 질감의 부드러움을 느낀다. 그  리고 우유의 온도가 적당할 경우 우유에서 고소함과 단 맛을 느끼게 되지만 뜨거워질수록 밋밋한 맛을 주게 되는데 이것은 온도 자체의 영향도 있겠지만 우유 거품내기를 하는 시간이 길어짐에 따라 우유에 투입되는 수분도 늘어나 더 밋밋한 맛을 주는 것이라고 할 수 있다.

4) 우유 거품의 원리와 성분

단백질, 지질, 당질, 미네랄, 기타 비타민과 효소 등으로 이루어져 있다. 우유 거품을 만드는 데 중요한 요소가 바로 단백질과 지질이다. 우유의 단백질은 카세인으로 구성되어 있는데 이런 성분들이 공기와 만나 결합되면서 거품이 생성되는 것이다.

스티밍과정에서 우유의 온도가 높아짐으로 해서 단백질이 분해되는데 지방과 공기를 감싸게 된다. 이 과정에서 우유에 공기를 불어넣으면서 거품의 두께를 조절할 수 있다. 공기주입을 하면 할수록 거품 두께는 두꺼워진다고 볼 수 있다. 메뉴에 맞는 거품의 두께를 결정할 때 40℃ 이상의 열에 성질이 변하게 되는 단백질의 특성을 고려해 공기를 넣을 때는 35℃를 넘지 않도록 주의해야 한다. 공기주입하는 과정이 어느 정도 끝나면 바로 혼합과 안정화 단계로 넘어가 피처 아랫부분의 우유와 윗부분의 가벼운 거품을 골고루 혼합하는 작업을 해주는 것이 효과적이다.

 에스프레소와 아메리카노, 카푸치노와 라떼의 차이가 궁금해요.

요즘 커피음료가 대중화되면서 커피전문점을 찾는 마니아가 많아졌어요. 그래서 이런 커피의 기본을 알고 계시면 많은 도움이 되겠죠.

아메리카노는 에스프레소 30㎖에 물 120㎖를 섞은 따뜻한 커피를 말한다. 카푸치노는 에스프레소와 더불어 이태리의 대표적인 커피라고 할 수 있는데 에스프레소에 거품을 낸 스팀 우유를 첨가한 커피로 부드러운 감촉과 고소한 커피 맛이 일품이다. 커피와 우유, 거품의 비율이 중요한데 1 : 1 : 1의 비율로 한다. 라떼는 이태리어로 우유를 의미한다. 우유커피라는 뜻이다. 에스프레소에 따뜻한 우유를 첨가한 커피이다. 비율로는 커피 30㎖에 우유 150㎖가 좋다.

6. 한 잔의 라떼아트

잘 만든 우유 거품과 완벽한 에스프레소에서 볼 수 있는 풍부하고 진한 크레마를 그때그때 잔의 기울기에 맞춰 혼합해서 그려야 제대로 된 아트를 할 수 있다. 어느 한 가지라도 소홀히 해선 안 될 것이다.

1) 크레마의 안정화

우유 거품을 만들 때 공기주입 후 만들어진 거품과 우유를 혼합하기 위해 안정화를 시켰다면 크레마의 안정화는 크레마를 안정적으로 살리면서 그림을 그리는 것에 중점을 둔다. 처음 우유를 따르기 시작할 때 만들고자 하는 모양 혹은 거품의 상태에 따라 따르는 포인트를 조절해 시작한다. 잔에 본격적인 그림을 그리기 전까지는 크레마를 살려주어야 하기 때문에 거품이 가라앉지 않고 크레마 위쪽에 떨어지는 경우 즉시 피처를 높게 들어 7~10cm 정도 높게 피처를 유지한 뒤 우유(중력에 의해 피처에 낙차를 주면 거품보다 무거운 우유가 떨어지게 된다)를 이용해 가벼운 거품을 따라다니면서 크레마 안으로 넣어준다.

이때 우유 줄기가 너무 굵거나 컵의 벽 근처로 닿았을 경우 크레마가 뒤집히지 않도록 유의해야 한다. 잔의 50%까지 채워준 뒤 피처의 손놀림을 이용해 모양을 그려주면 된다. 이때 모양에 따라(로제타 퓨어링 등) 채우는 양을 조절하는 것이 좋다. 알맞게 조절하면서 넘치는 것을 주의해야 한다.

2) 잔의 기울기와 피처 각도

잔은 처음에는 약 45° 정도의 기울기를 유지하여 우유가 전체의 50%가 채워질 때쯤 수평을 만들어 마무리하는 것이 그리는 데 쉽고 정확하다. 물론 사람에 따라 다르기 때문에 수평인 상태에서 시작해도 무관하지만 이때 우유 줄기를 더 세심하게 조절해야 하는 번거로움이 있으므로 초보자들은 기울기를 주고 시작하는 것이 좋다. 50% 혹은 40%쯤 우유가 채워질 때 피처의 낙차를 주지 말고 컵 가까이 다가가면서 피처 엉덩이 부분을 들어주어 피처 바닥에 있는 거품들을 내려오도록 한다. 이때 따르는 우유 줄기가 너무 굵지 않게 유의해야 한다. 거품보다 무거운 우유가 먼저 나오기 때문에 모양보다 양이 먼저 채워지는 경우가 있다.

7. 여러 가지 라떼아트

바로 붓기는 앞서 말한 것과 같이 손기술을 이용해 붓기를 하면서 만드는 기법이다. 바리스타 손동작 하나하나에 의해 하나의 예술이 탄생되는 것이다.

1) 삼단하트

- 가장 기본적인 모양이면서도 라떼아트의 기초가 되는 중요한 모양이다.
- 잔의 50%까지 스티밍 우유를 채운다(크레마 살리기).
- 크레마 기준 가운데 지점에 피처를 낮춰 원을 그려준다(우유에 흔들림을 주면 결하트가 된다).
- 이때 잔은 점점 수평을 만들어준다.
- 잔의 90%가 찼을 때 피처에 낙차를 주어 수직으로 들어올린 뒤 피처를 앞쪽으로 이동하여 꼬리부분을 완성한다.
- 스팀밀크 시 공기주입을 적게 해 적당한 거품이 없는 경우 우유가 크레마를 잡아주지 못해 밀리는 점에 주의한다.

2) 나뭇잎(Rosetta)

라떼아트의 모양 중 가장 기술적인 나뭇잎 모양은 로제타라 불리며 많은 노력이 들어가는 기술이다.

- 잔의 40%까지 스티밍 우유를 채운다(크레마 살리기).
- 최대한 잔에 가깝게 크레마의 가운데 지점에서 S자형으로 흔들면서 자리를 잡아준다(이때 피저가 아닌 스팀밀크의 흔들림이 있어야 한다).
- 모양이 형성되면 왼쪽에 잔과 함께 피처를 각각 뒤로 빼면서 흔들기를 계속한다(이때 좌우 흔들림의 간격은 일정해야 하며 잔에서의 높이변화도 없어야 한다).
- 컵의 끝부분에서 피처를 수직으로 들어준 뒤 앞으로 직진한 후 완성한다.
- 전체적인 모양을 보면 역삼각형의 틀이 나온다.

3) 캐릭터 아트

① 하트 인 하트(튤립) : 하트 응용 바로 붓기 기법

- 잔의 40%까지 채운다(크레마 살리기).
- 크레마 기준 가운데 지점에 하트를 그린다(이때 꼬리 그리기 전 단계서 마무리).
- 피처를 떼었다가 기울인 잔을 수평 만들기와 동시에 컵의 3/2지점에 두 번째 하트 만들기
- 잔의 90%가 채워졌을 때 피처를 들어 앞으로 가면서 꼬리를 완성한다(이때 두 번째 하트를 잔 오른쪽 끝에서 만들면 튤립이 완성된다).

② 곰돌이

- 하트 인 하트를 완성한다.
- 반대방향으로 뒤집어놓은 다음 에칭도구를 이용해 눈, 코, 입, 귀를 만들어준다.

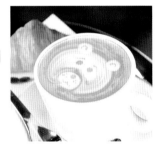

③ 토끼

- 잔의 40% 정도 채운다(크레마 살리기).
- 잔의 뒤쪽 부분에 가깝게 하트를 그려준다.
- 들어서 앞으로 이동할 때 하트의 꼬리부분에서 정지하며 원을 그려준다.
- 에칭도구를 이용해 눈, 코, 입 모양을 그려준다.

④ 에칭(Etching)기법 : 에칭도구 즉 초코소스 등과 함께 송곳이나 나무의 뾰족한 부위를 이용하여 그리는 기법

⑤ 풍차

- 크레마를 살려 잔에 따른다.
- 스푼을 이용해 가운데 지점에 거품을 올려준다.
- 에칭도구로 가운데 올린 거품을 이용해 잔을 돌려가면서 밖에서 원 안으로 회전시켜 그려준다.
- 마지막 크레마를 찍어 가운데 점을 콕!!! 찍어주면 완성

⑥ 눈꽃

- 크레마를 살려 잔에 채운다.
- 스푼으로 우유 거품을 잔 벽에서부터 띠를 만들어준다.

- 가운데 우유 거품을 떠서 원을 만들어준다.
- 안에서 밖으로 다시 밖에서 안으로 간격을 맞춰 에칭작업
- 중앙 표면이 볼록하게 올라오도록 스팀밀크를 부어준다.
- 원두 한 개를 가운데 올려준 뒤 완성

⑦ 국화꽃

- 크레마를 살려 스팀밀크를 채워준다.
- 표면에 초코나 시럽을 이용해 달팽이 모양과 같이 원을 그리며 그려준다.
- 밖에서 안으로 그어주기로 에칭한다.

⑧ 데칼코마니

- 크레마를 살려 스팀밀크를 채운다.
- 스푼을 이용해 정확하게 반쪽 부분을 거품으로 채워준다.
- 에칭도구를 이용해 가운데 경계부분을 위에서 아래로 S모양으로 그려준다.
- 중앙으로 가볍게 선을 그어준다.
- 마지막으로 점을 찍는다.

어떤 책을 읽다 보니 '에칭을 이용한다'는 표현을 하는데 에칭이 무엇인가요?

에칭이란 라떼아트를 만들 때 사용하는 도구로서 선을 그릴 때 사용한다. 보통 라떼를 만들 때는 붓기 후 작업을·하는데 에칭도구를 이용하면 보다 섬세하고 예술적·시각적으로 음료를 예쁘게 만들어서 서비스할 수 있다.

커피이야기

커피, 태양의 나라 라틴을 가다

우리가 지금 만날 수 있는 커피는 18세기의 두 영웅 덕분입니다. 그 첫 번째 영웅은 프랑스 장교 '크류', 두 번째 영웅은 '파리에타' 소령입니다. 원래 커피는 유명 하지 않아 아는 사람이 별로 없었는데, '먹으면 잠이 오지 않는다', '집중이 잘 된다', '향기가 좋다'라는 등 으로 좋은 효과들이 점차 알려지면서 서민들에게도 좋은 음료로 자리 잡게 되었습니다.

인기가 점차 높아짐으로 인해 공급량이 부족하여, 결국 한 지역인 아라비아 반도 예멘에서 만 생산되었던 것이 열대지역을 중심으로 재배되게 되었습니다. 부족했던 현실 때문에 국가에서는 외부로의 유출을 엄격히 규제하였는데, 그 당시 앞서 언급되었던 목숨을 건 두 영웅 덕분에 도둑질(?)의 성공을 이루어냈습니다.

먼저 첫 번째 영웅인 크류의 이야기를 보면 이 사람은 카리브해 마르티니크섬에 커피를 전한 사람으로서, 유출이 금지된 이 식물을 입수하여 배를 타고 두 달 동안 항해를 하였습니다. 가는 도중 폭풍과 폭우를 만나 고생도 하며, 긴 여정이 된 나머지 물도 부족하였지만 자신이 먹을 물을 아껴가며 이 식물인 묘목에 정성껏 따라주었습니다.

두 번째 영웅인 파리에타의 이야기는 프랑스령 기아나에서 브라질로 옮기는 과정에서 생겨난 이야기입니다. 파리에타는 브라질로 커피 묘목을 전달하고 기아나의 분쟁을 조정하려는 사명을 가지고 기아나를 찾았는데, 우연히도 그곳에서 총독 부인과 사랑에 빠지게 됩니다. 시간이 흘러 파리에타의 귀국날짜가 얼마 남지 않자 총독부에선 환송연회를 열어주었고, 그 연회에서 파리에타에게 주었던 꽃다발 속에 총독 부인이 커피 묘목을 숨겨주게 되었습니다. 파리에타는 자연스럽게 이 꽃다발을 들고 브라질로 이동하게 되었고, 결국 커피 묘목은 브라질에 안전하게 안주할 수 있게 되었습니다.

이처럼 크류와 파리에타 덕분에 커피의 전파가 이루어져 지금은 전 세계에서 으뜸가는 재배 지역인 중남미의 탄생을 이루어낼 수 있었습니다.

커피의 모든 것

7. 아름다운 미각,

카페메뉴

7. 아름다운 미각, 카페메뉴

1. HOT(뜨거운 메뉴)

종류	사진	구성요소	분량	방법과 역사
Ristretto (리스트레토)		커피빈	22.2㎖ (3/4oz)	이탈리아어로 농축한다는 뜻으로 짧게 추출
Espresso (에스프레소)		커피빈	30㎖	에스프레소 1shot
Lungo (룽 고)		커피빈	88.8㎖ (3oz)	이탈리아어로 'long' 길다의 의미
Dopio (도피오)		커피빈	60㎖ (2oz)	2배(double)라는 의미 데미타세잔에 60~80㎖의 에스프레소용 잔

종 류	사 진	구성요소	분량	방법과 역사
Americano (아메리카노)		에스프레소 뜨거운 물	30㎖ 170㎖	아메리칸 스타일의 연한 커피를 즐겨 먹던 미국인들이 이태리에서 진한 커피에 물을 첨가
Caffe Latte (카페라떼)		에스프레소 데운 우유 거품	30㎖ 160㎖ 약간	이태리어 caffe(커피), latte(우유)로 본 스타일은 거품이 적고 크리미함 1 : 1.5 : 0.5 비율
Cappuccino (wet) (카푸치노)		에스프레소 데운 우유 거품	30㎖ 50㎖ 50㎖	이슬람교 종파의 하나인 카푸친 교도들이 머리에 흰 머리수건을 두른 모습과 비슷하다 하여 카푸치노라 불림. 거품 위에 시나몬 or 초코가루 데코 1 : 1 : 1 비율
Cappuccino (dry) (카푸치노)		공기주입이 더욱 많은 풍성한 거품		

2. ICE(차가운 메뉴)

종 류	사 진	구성요소	분량	방법과 역사
Freddo (프레도)		에스프레소 얼음 설탕시럽	2shot 2~3개 조금	이태리어로 '차갑다'는 의미
Iced Americano (아이스 아메리카노)		에스프레소 물 얼음	2shot 200㎖ 6~7개	아이스커피 설탕시럽은 기호에 맞게 조절 가능

Iced Caffe Latte (아이스카페 라떼)		에스프레소 찬 우유 얼음	2shot 150㎖ 6~7개	얼음과 우유에 에스프레소의 확산현상
Iced Cappuccino (아이스 카푸치노)		에스프레소 차가운 우유 우유 거품 얼음	2shot 150㎖ 조금 6~7개	프렌치프레스를 이용하여 거품을 떠올리거나 에스프레소와 우유를 같이 셰이킹
Iced Mochaccino (아이스 모카치노)		에스프레소 모카소스 차가운 우유 우유 거품 얼음	2shot 30㎖ 150㎖ 조금 6~7개	셰이킹 가능/잔 안쪽에 모카소스 장식
Iced Caramel Macchiato (아이스 캐러멜 마끼아또)		에스프레소 바닐라아이스크림 캐러멜시럽 찬 우유 얼음	2shot 1scoop 7㎖ 150㎖ 6~7개	얼음을 뺀 나머지 재료를 블렌더에 셰이킹. 장식은 휘핑크림
Iced Caramel Mocha (아이스 캐러멜 모카)		에스프레소 모카/캐러멜소스 캐러멜시럽 찬 우유 얼음	2shot 30㎖ 7㎖ 150㎖ 6~7개	셰이킹 + 휘핑장식
Iced White Latte (아이스 화이트 라떼)		에스프레소 화이트소스 찬 우유 얼음	2shot 30㎖ 150㎖ 6~7개	셰이킹 + 휘핑장식

3. Variation(장식과 변화된 메뉴)

종 류	사 진	구성요소	분량	방법과 역사
Mochaccino (모카치노)		에스프레소 데운 우유 풍성한 거품 초콜릿소스	1shot 160㎖ 적당량 10㎖	소스를 에스프레소와 섞은 후 우유와 풍성한 거품 및 소스로 마무리
Cafe Mocha (카페 모카)		에스프레소 데운 우유 초코소스 생크림	1shot 160㎖ 10㎖ 장식	모카치노와는 다르게 풍성한 거품 대신 생크림으로 데코
Caramel Macchiato (캐러멜 마끼아또)		에스프레소 데운 우유 바닐라시럽 캐러멜소스	1shot 160㎖ 10㎖ 약간	바닐라시럽을 넣어준다. 데운 우유를 넣어준 뒤 마지막 에스프레소를 넣고 캐러멜소스로 장식(마끼아또: 점을 찍다, 번지 다라는 이태리어)
Espresso Con Panna (에스프레소 콘판나)		에스프레소 휘핑크림	1shot 약간	데미타세잔에 에스프레소를 넣고 휘핑크림으로 데코
Espresso Macchiato (에스프레소 마끼아또)		에스프레소 거품 우유	1shot 약간	데미타세잔에 에스프레소를 바로 받은 후 거품 우유로 살짝 데코
Cafe Vienna (카페 비엔나)		에스프레소 뜨거운 물 휘핑크림 (아이스크림)	1shot 80㎖ 약간	물을 아메리카노의 절반만 넣 은 뒤 휘핑크림이나 아이스크 림으로 데코
White Latte (화이트 라떼)		에스프레소 데운 우유 화이트소스	1shot 160㎖ 7㎖	화이트소스의 부드러움을 즐 기는 커피메뉴

종 류	사 진	구성요소	분량	방법과 역사
Caramel Mocha (캐러멜 모카)		에스프레소 데운 우유 캐러멜/모카	1shot 160㎖ 10㎖(5/5)	모카와 캐러멜을 동시에 느낄 수 있는 커피메뉴

4. Iceberg(빙수를 이용한 메뉴)

종 류	사 진	구성요소	분량	방법과 역사
Green tea Iceberg (녹차 아이스버그)		녹차파우더 우유 얼음	16g 80㎖ 12개	다 같이 넣고 블렌딩
Mocha Iceberg (모카 아이스버그)		에스프레소 모카소스 모카믹스 우유 얼음	2shot 15㎖ 12g 60㎖ 8개	상농
Caramel Iceberg (캐러멜 아이스버그)		에스프레소 캐러멜소스 모카믹스 우유 얼음	2shot 15㎖ 12g 60㎖ 8개	상동
Strawberry Iceberg (딸기 아이스버그)		스무디원액 (딸기) 우유 얼음	75㎖ 80㎖ 12개	상동

종 류	사 진	구성요소	분량	방법과 역사
Kiwi Iceberg (키위 아이스버그)		스무디원액 (키위) 우유 얼음	75㎖ 80㎖ 12개	보다 신선하게 즐기기 위해서 스무디원액을 줄이고 프레시한 과일을 대신 넣기도 함
Strawberry Yogurt Smoothie (딸기 요거트 스무디)		딸기스무디원액 요거트파우더 우유 얼음	75㎖ 8g 80g 12개	스무디원액과 얼음을 반으로 줄이고 냉동딸기(딸기)를 대신 넣기도 함
Yogurt Smoothie (요거트 스무디)		요거트파우더 레몬주스 우유 얼음	16g 10㎖ 60㎖ 12개	블렌딩
Blueberry Smoothie (블루베리 스무디)		생블루베리 블루베리잼 요거트파우더 우유 얼음	10개 15g 30g 100㎖ 12개	잘 블렌딩해서 마지막에 블루베리잼 + 민트잎 이용 장식 마무리

5. Juice & Drink(주스와 그 외 음료)

종 류	사 진	구성요소	분량	방법과 역사
Choco Con Panna (초코 콘판나)		초콜릿소스 스팀밀크	15㎖ 160㎖ 장식	초코소스에 스팀우유를 조금 넣어 완전히 풀고 나머지 우유를 넣은 후 생크림으로 마무리

종 류	사 진	구성요소	분량	방법과 역사
Green tea Latte (그린티 라떼)		녹차파우더 스팀밀크	8g 200㎖	파우더가 덩어리지지 않게 믹싱
Lemonade (레모네이드)		레몬 레몬주스 사이다 시럽 얼음	1/2ea 20㎖ 80㎖ 조금 6~7개	레몬즙을 짠 뒤 주스, 사이다, 시럽을 기호에 맞게 첨가한 뒤 얼음과 함께 셰이커에 담아 셰이킹
Kiwi Juice (키위주스)		키위 탄산수 키위시럽 얼음	1개 30㎖ 30㎖ 6~7개	블렌더 사용 시 키위 씨가 너무 갈리면 쓴맛이 남
Orange Juice (오렌지주스)		오렌지 오렌지주스 얼음	1개 60㎖ 6~7개	스퀴저
Tomato Juice (토마토주스)		방울토마토 시럽 얼음	12개 조금 6~7개	블렌더 사용
Banana Juice (바나나주스)		바나나 우유 시럽 얼음	1개 80㎖ 30㎖ 6~7개	블렌더 사용
Avocado (아보카도)		바닐라아이스크림 에스프레소 토핑물	one scoop 1shot	아이스크림을 담고 에스프레소를 위에 뿌림. 마지막에 토핑하여 데코

6. 시럽과 소스

설탕시럽	설탕 : 물 = 4 : 3 유기농 설탕 : 물 = 5 : 3	점도와 당도 차
소스(맛이 강조)	점성이 있으므로 반드시 섞어줌	한 펌프 : 15㎖ 반 펌프 : 7㎖ (개인차 있음)
시럽(향이 강조)	점성이 없어 섞지 않아도 잘 혼합됨	–

커피이야기

유럽의 커피문화 ②
차를 일컫는 이름에는 어떤 것이 있을까?

"티(Tea)"라는 명칭이 영어로 받아들여지기 전까지 잎을 차(tcha, cha), 테이(tay), 테(tee)라고 불렀다. 영어로 불리는 차는 중국의 표준어인 만다린어 차(cha)에서 따온 것이 아니고 중국의 아모이 방언에서 테(te: 발음은 테이)라고 하는 데서 따왔다. 이것은 무역 초창기에 푸젠성 지역의 아모이 항구에서 네덜란드 무역업자와 무지했던 중국인과의 교류에서 생겨난 언어이다. 차를 유럽에 전하면서 번역이 필요했기 때문에 그 이름을 네덜란드어로 치(thee)로 불렸고, 이탈리아와 스페인, 덴마크, 노르웨이, 스웨덴, 헝가리, 말레이에서는 테(te)로 불렸고, 영어로는 티(tea)라고 했다. 그리고 프랑스에서는 테(the), 필란드에서는 티(tee), 라트비아에서는 테자(teja), 한국에서는 차(茶), 타밀어로는 테이(tey), 신할라어로는 타이(thay), 과학자들은 테아(thea)로 부르게 되었다.

커피의 모든 것

8. 오감으로 느끼는

커피의 세계, 커핑

8. 오감으로 느끼는 커피의 세계, 커핑

유럽의 커피문화 ③
커피 마시는 의식?

중세시대 영국에는 술 마시는 습관이 있었습니다. 집 내자가 술을 들고 옆으로 오면 받는 사람은 잔 뚜껑과 잔을 두 손에 잡고 있는 습관이지요. 이런 습관은 그 시대에 서로의 공격을 막기 위해서 생긴 것입니다. 당시에 서로의 공격이 잦았던 야만의 시대라서 그런 것인데요, 그렇게 주고받던 잔을 아이러니하게도 '친목의 잔, 사랑의 잔'이라고 불렀습니다. 하지만 커피를 마실 때는 위의 이야기와는 달리 잔 뚜껑이 필요 없는 것입니다.

커피를 함께 마신다는 것은 서로가 사적으로 친하다는 뜻이고, 친한 사람끼리 상대방 모르게 공격할 일은 없었기 때문입니다. 잔 뚜껑이 없으니 커피의 색상도 볼 수 있고, 커피의 아로마가 서서히 올라와 기분 좋게 즐기면서 커피를 마실 수 있었던 것입니다. 이렇게 친한 사람들끼리 커피를 마시기 때문에 커피 마시는 절차 따위는 필요 없는 것입니다. 따라서 잔 뚜껑도 필요 없고 대화하면서 천천히 자연스럽게 마시면 되는 것입니다. 화학자들의 연구에 따르면 커피를 잔에 내린 후 18분 안에 마셔야 가장 좋다고 하는데 자연스럽게 즐기는 커피를 이렇게 신경 쓰면서 마신다면 오히려 더 불편해지지 않을까요?

한국의 인스턴트 커피시장은 놀라울 정도로 빠르게 변해왔다. 그 변화를 주도해왔던 것은 바로 간편성과 보편적인 맛이라는 강력한 무기를 장착한 커피믹스이다. 커피믹스는 출시 당시에는 소비자들의 관심을 받지 못하다가 한국 커피시장을 주도적으로 지배하게 되었다. 그런데 요즘 우리나라 커피시장의 분위기가 많이 바뀌고 있는데 소비자들도 보다 세계화된 품질 좋은 커피에 눈을 뜨게 되었다는 것이다. 그러면서 새로운 직종이 생겨났는

데 바로 커피 맛을 구분하고 분석하는 커퍼(Cupper)이다. 커피 맛을 감별하는 과정이 커핑인데 한 번 알아보도록 하자.

1. 커핑의 개념과 이해

커핑이란 커피의 향기와 맛의 특성을 체계적으로 평가하는 과정을 말하는데 이 방법은 규정된 추출방법과 여러 감각기관을 동원하여 관능적으로 실시하는 훈련인 셈이다. 커피 향미에 기여하는 물질은 대략 1,000가지가 넘으나 대부분의 성분은 불안정하여 상온에서 쉽게 방출되어 버린다. 감각 자극 수용에 관한 이해는 정확히 밝혀지지는 않았으며 또한 언어 체계는 이러한 감각 자극을 명쾌하게 설명할 수가 없어 훈련을 통한 체계적인 커핑 방법이 필요하게 되었다. 커피의 향과 맛은 커피나무의 성장 중에 만들어지고 로스팅 된 커피를 분쇄했을 때 가스 및 증기 상태로 방출된다. 향(Aroma)은 기체상태로 코의 점막에 있는 후각세포에 의해 기억되는데 향을 인식하는 과정을 후각작용(Olfaction)이라 한다. 커피의 맛(Taste)은 추출을 통해 나온 무기, 유기 성분이 혀의 미각세포를 자극하여 나타나는데 이런 맛을 느끼는 과정을 미각작용(Gustation)이라 한다. 아울러 커피의 지질과 섬유질을 이루는 입자들은 기체가 되지도 않고 용해되지도 않으므로 입안의 촉각을 통해 느끼는데 이를 바디감(Body)이라고 한다.

미각(Gustation)	맛의 감각을 말하고 혀 표면의 돌기(Taste Bud)가 기본 맛인 단맛, 짠맛, 신맛, 쓴맛을 감지한다.
후각(Olfaction)	코의 점막에 위치하고 있는 감각기관이며 휘발성 화합물의 자극을 통해 향기를 감지한다.
촉각(Mouthfeel)	입속의 신경 말단이 커피에 떠다니는 비수용성 물질(음료의 점성, 기름기, 커피콩의 섬유질)에 반응하여 느끼는 촉각을 말한다.

2. 커피 향미의 평가

1) 후각(Olfaction)

기체와 증기를 통한 후각체계의 향미평가는 휘발성 유기물질을 관능적으로 평가하는 것인데 코로 숨을 들이쉬면서 혹은 삼킬 때 증기가 된 것을 내쉬면서 기체상태의 물질이 후각 수용체와 접촉함으로써 느낀다.

커피의 향기화합물은 두 가지 방법으로 분류되는데 근원이 되는 여러 가지 복합물질로부터 분리해 내는 방법과 분자의 구조가 비슷한 복합물질들을 분자량에 의해 분류해 내는 방법이 있다. 그 결과 9가지 그룹의 커피 향기 특성을 표현하는 카테고리로 구분하게 되었다.

Enzymatic Group	Flowery	Floral	Coffee Blossom, Lavender, Jasmin
			Tea Rose
		Fragrant	Cinnamon
			Spearmint
			Coriander Seeds
	Fruity	Citrus – like	Lemon, Orange
			Apples, Grapes
		Berry – type	Cherry, Apricot
			Blackberry
	Herby	Alliaceous	Onion, Garlic
		Leguminous	Garden Peas

Sugar Browning Group	Nutty	Nutty	Almond – like
			Peanut – like
		Malty	Basmati rice
			Roasted coffee
			Toast
	Caramelly	Candy – like	Hazelnut – like
			Licorice – like
		Syrup – like	Honey – like
			Maple syrup
	Chocolaty	Chocolate – Type	Dark choco – like
		Vanilla – Type	butter – like
Dry Distillation Group	Turpeny	Resinous	Turpentine
			Pine sap
		Medicinal	Rosemary
			Oregano
			Eucalyptus
	Spicy	Warming	Pepper – like
			Nutmeg – like
		Pungent	Clove – like
			Thyme – like
	Carbony	Smoky	Pipe tobacco
		Ashy	Burnt – like

출처 : 『Coffee flavor chemistry』, Flament, I(2002)

2) 미각(Gustation)

미각은 혀의 표면에 있는 미뢰라는 기관에서 화합물의 자극을 인식하여 맛을 느끼는 것을 말하며 용해되어 나온 성분을 관능적으로 평가하는 과정이다. 커피 수용성 물질을 맛 감각에 따라 분류하면 다음과 같다.

🫘 기본 정미물질의 농도

맛	정미물질	역가(g/100ml)	성분
쓴맛	퀴닌	0.00038mg	에스테르 페놀류
신맛	염산	0.0056mg	비휘발성 산
짠맛	소금	0.1229mg	산화무기질
단맛	설탕	0.4108mg	탄수화물 단백질

출처 : 『식품공전』(2016)

커피의 맛은 모두 이 네 가지 기본 맛의 결합에 의한다. 이 중 단맛, 짠맛, 신맛은 전체의 맛을 지배하는 성향이 있는데, 이유는 이러한 맛을 내는 성분이 가장 많은 양을 차지하고 있기 때문이다. 쓴맛은 품질이 좋지 않은 커피의 맛을 기술할 때 사용하지만, 커피의 쓴맛은 커피의 독특한 맛으로서, 기타 음료에는 긍정적인 맛에 사용되는데 와인의 타닌이나, 맥주의 쓴맛을 내는 호프, 차의 카테킨 등과 비슷한 효과를 지닌다.

3) 촉각(Mouthfeel)

촉각은 음식물을 섭취 후 입안에서 물리적으로 느끼는 촉감을 말하는데 커피오일로 인하여 혀가 느끼는 점도(Viscosity)와 미끈함(Oilness)을 종합해서 바디(Body)라고 한다. 커피를 추출하는 방법이나 종류에 따라 차이가 있을 수 있다. 지방함량과 고형성분의 함량에 따라 분류된다.

🫘 커피 촉감에 따른 분류

	지방함량에 따른 분류		고형성분의 함량에 따른 분류
Watery	지방함량이 낮은 수준의 함량	Thin	고형성분을 미세하게 느낄 수 있는 수준의 함량
Smooth	지방함량이 다소 낮은 수준의 함량	Light	고형성분이 다소 낮은 수준의 함량
Creamy	지방성분이 다소 높은 수준의 함량	Heavy	고형성분의 양이 어느 정도 무거운 수준의 함량
Buttery	지방성분이 비교적 높은 수준의 함량	Thick	비교적 진한 느낌의 고형성분의 함량

3. 커핑 실전

1) 사전 준비사항

다양한 맛과 향을 체계적으로 평가하기 위해서는 커핑 시 절차와 기법을 엄격히 준수해야 한다. 커핑이 이루어지는 환경을 우선적으로 고려하고 온도와 습도 능 커퍼들이 심리적으로 영향을 받지 않도록 외부 환경요소를 최소화하는 것이 중요하다.

① 로스팅 기준

커핑에 적용되는 원두는 최소 8시간에서 24시간 이내에 로스팅되어야 하며 볶음도 단계는 미디엄 단계의 Agtron No. 55~58 사이, 볶음시간은 8분 초과~12분 미만 정도로 그을린 부분이 없도록 물리적 변수를 최대한 고려해서

진행한다. 샘플링한 커피를 사용하기 전까지는 실온상태(20℃ 정도)로 보관하며 직사광선의 노출을 피한다.

② 분쇄도

분쇄된 향기는 빠르게 소실되고 산패(Staling)화가 진행되기 때문에 사용하기 직전(15분을 넘지 않도록 함)에 분쇄가 진행되어야 하고 분쇄입자는 미국 표준체 20메시에서 70~75%가 통과되는 정도로 정한다.

③ 사용량

커피와 물의 비율은 물 150ml에 커피 8.25g의 비율로 한다.

커피 사용량 = 컵용량×0.055(예시 11.55g = 210×0.055)

④ 물

커핑에 사용되는 물은 증류하거나 연수화 장치를 거치지 않은 깨끗한 물이 좋다. 이상적인 TDS(Total Dissolved Solids, 총고형분량)는 125~150ppm 사이가 적당하며 사용되는 물의 온도는 90~92℃ 정도로 4분간의 침지를 통해 Wet Aroma를 체크 후 커핑을 진행하면 된다.

⑤ 커핑용 잔과 스푼

커핑 시 사용되는 재질은 유리 혹은 도기(세라믹) 잔을 추천하며 사용량은 5~6온스(150~180ml) 정도가 적당하다. 상황에 따라 용량을 더 늘리고자 한다면 잔의 크기에 따라 계산하면 된다. 스푼은 SCA(스페셜티커피협회) 공식 재질이 따로 있는 것은 아니지만 은재질의 스푼으로 5ml 정도 담을 수 있는 오목한 스푼이면 양호하다.

4. 커피의 관능평가 절차

커핑 시 샘플이 향과 맛의 특성을 체계적으로 평가하기 위해서는 샘플 간의 서로 다른 관능 차이를 판별하고 샘플의 향미를 기술하는 것이 중요하다. 하지만 한 번의 테스트로는 효과적으로 알아낼 수 없으며, 평가자가 테스트의 목적과 사용 용도를 알고 진행하는 것이 중요하다. 특정한 향미 품질을 평가하고 커퍼의 사전 경험을 통한 느낌을 최대한 이끌어내어 샘플을 보다 객관적으로 수치화하여 서로 다른 샘플 간의 통일성(Uniformity)과 유사성(Likeness)을 분석한다.

Step 1_Fragrance/Dry aroma

분쇄된 고체향기를 말하며 탄산가스와 함께 나는 분쇄입자의 향을 코로 들이마시면서 평가한다. 샘플은 분쇄한 지 15분 내에 진행되도록 하며 분쇄된 커피의 향기는 빠른 시간 내에 휘발되기 때문에 향기 속성과 강도를 지속적으로 체크한다.

Step 2_Pouring/Wet aroma

92℃ 정도의 물을 잘 적셔지도록 골고루 부은 뒤 4분 동안 향을 부드럽게 맡는다. Dry(가루상태)와 Wet(물을 부은 상태)를 골고루 평가한다.

Step 3_Coffee Breaking

4분이 지나면 커피 입자는 부풀어 올라 층을 만드는데 이를 스푼으로 여러 차례 윗부분만 부드럽게 밀면서 향의 변화를 체크한다. Dry/Wet 상태에서 느끼지 못한 향기의 특성을 폭넓게 평가할 수 있다.

Step 4_Skimming/Rincing

커피 테이스팅을 하기 위해 윗부분을 깨끗이 분리해 내는 과정으로 표면의 거품을 스푼 두 개를 이용해서 가볍게 제거한다.

Step 5_Slurping/Aftertaste

상층부의 거품을 걷어내고 약 70℃ 정도가 되면 커핑 스푼으로 약 5ml 정도 떠서 강하게 소리내어 맛을 보는데 이를 슬러핑(Slurping)이라 한다. 혀와 입천장에 가능한 많이 분포될 수 있도록 빠르게 빨아들인다. 목 뒤로 올라와 코로 향하는 증기상태에서 가장 강도가 높게 느껴진다. 온도가 내려가기 전에 여러 차례 반복해서 테이스팅하는 것이 중요하다. 이 단계에서 신맛(Acidity), 강도(Body), 균형감(Balance)을 평가한다.

Step 6_Uniformity/Cleanliness/Overall

30℃ 정도 되는 실온에서 부드러운 단맛과 균일성 및 총체적인 평가를 할 수 있다.
Overall 점수는 맛을 보는 Cupper의 느낌을 보다 주관적인 뉘앙스를 객관적으로 수치화하는 단계인데 점수 합산에 Cupper Point로써 가산된다.

Step 7_Scoring

커핑폼은 각 항목당 6점(Good), 7점(Very Good), 8점(Excellent), 9점(Out-standing)으로 나뉘며, 점수의 폭은 0.25이다. 평가항목은 프래그런스/아로마, 플레이버, 애프터 테이스트, 산미, 바디, 밸런스, 균일성, 클린컵, 단맛, 오버롤로 10가지. 단 주관적인 평가에 해당하는 오버롤을 제외한 9가지 항목은 객관적인 평가기준이 명확하다. 균일성, 클린컵, 단맛은 디펙트가 없는 경우 10점으로, 나머지 7개 항목은 7.25점을 기준으로 채점한다. 제공된 커피 샘플이 스페셜티 커피라는 전제하에 평가하기 때문에 7개 항목의 과반수인 4개 항목을 7.25점으로, 3개 항목은 7점으로, 나머지 3개 항목을 10점씩 30점으로 계산하면 총점수는 80점이 된다. 총점이 80점 이하면 커머셜 커피, 그 이상이면 스페셜티 커피로 등급이 매겨진다. 만약 총점이 79.75점이나 80.25점이라면 등급을 나누기에는 오차범위가 너무 좁기 때문에 시간을 두고 다시 커핑해 보기를 권장한다.

Step 8_Calibration

산지나 가공방식을 구분하지 않고 커핑을 하기에는 커피의 종류와 수가 너무 많기 때문에 커핑을 하기 전에 먼저 섹션을 나눠 칼리브레이션하기를 추천한다. 예를 들어 에티오피아 커피와 과테말라 커피를 블라인드로 커핑할 경우 아프리카 커피를 기준으로 할 것인지, 중미 커피를 기준으로 할 것인가에 대한 혼선이 생긴다. 마찬가지로 워시드와 허니 혹은 내추럴 커피를 한자리에 놓고 주로 커핑을 하지 않는다.

 커핑을 많이 하는데 이유가 무엇인가요?

커피의 방향과 맛을 관능적인 절차를 통해서 찾아내는 수단이라고 말할 수 있다.

다시 말하면 음료를 마실 때 표현하는 법은 두 가지가 있다. 즉, Drinking과 Tasting이 있는데 드링킹은 마시는 의미이지만 테이스팅은 맛을 감각기관을 통해 평가하는 절차라고 볼 수 있다. 커피로 말하자면 바로 커핑이 와인의 테이스팅에 해당된다고 볼 수 있다.

산지에서 생산된 그린빈의 품질을 평가하여 그에 합당한 가격을 책정하기 위한 목적이 있다.

먼저 고체향기를 맡고, 촉촉한 아로마 그리고 찌꺼기를 걸러낸 후 맛을 본다.

5. 커피 향미의 실체를 알면 나도 커핑 전문가

커피 향미에 관련된 모든 화합물들은 자연에 존재하고 있다. 이 화합물들은 커피나무가 광합성작용을 통해 물과 탄산가스로부터 당을 만들면서 생성된다. 토양에서 얻은 무기질성분들의 도움으로 당분의 생장을 위해 사용하거나 싹을 생성하기 위해 씨에 저장한다.

인간은 이러한 자연의 과정을 중단시켜 씨를 수확하고 건조하고 볶고 갈아서 물로 화합물질을 추출한다. 이렇게 만들어진 커피는 자연에 있는 유기·무기물질의 복합체로부터 향기, 맛, 중후함, 그리고 색깔을 만들어낸다.

커피 향미는 향기와 맛이 코의 후각세포와 입안의 미각세포에서 동시에 느끼는 감각이다. 커피 향기는 볶은 커피의 기체상태의 천연적 화학성분으로 볶은 커피를 분쇄하면 기체로 날아가며 분쇄한 커피를 추출한 후에는 증기상태로 소실된다. 커피의 맛은 볶은 커피를 추출할 때 물에 녹은 무기 및 유기 성분에 의해 구성된다.

커피를 마시면 코의 점막에 있는 후각세포를 통해서 향기를 느낀다. 이렇게 냄새를 느끼는 인식과정을 후각체계(Olfaction)라고 하며, 수천 가지의 기체를 동시에 인식할 수 있다.

이 코의 점막조직은 냄새의 종류뿐 아니라 강도까지도 판별하는 능력을 가지고 있다. 일정한 모델의 향기감각은 개별적 냄새로 기억한다.

커피를 마실 때 혀에 있는 미각세포는 맛의 자극을 느낀다. 맛을 느끼는 과정을 미각체계(Gustation)라고 하는데 네 가지 기본맛으로는 단맛, 짠맛, 신맛, 쓴맛을 동시에 느낀다. 기본 맛은 서로 강약을 조절하는 조정과정을 거치면서 더욱 많은 맛을 경험하게 한다. 커피를 마실 때 증발하거나 녹지 않은 성분은 남아서 중후함(Body)을 느끼게 한다. 이 중후함은 물과 비교하여 느끼는 입안의 촉감이다.

1) 로스팅과 아로마 키트에 의한 향 구분

커피의 향기를 구별하는 방법 중 로스팅에 따라 구분하는 방법이 있다.

일반적으로 라이트 로스팅에서는 꽃향기나 과실향기, 허브향기가 난다. 미디엄 로스팅에서는 당 분자를 녹이고 다시 재조합되는 과정을 통해 고소한 향이나 일반적으로 많이 이야기히는 캐러멜향, 초콜릿향 등이 나타날 수 있다. 이러한 향들은 커피 원두의 독특한 향미 성향들을 잘 나타내므로 커피품종을 구분하는 기본적인 로스팅 방법이라고 할 수 있다. 즉 커피를 감별하기 위한 샘플 로스팅에 적당한 원두의 상태이다.

다크 로스팅은 2차 크랙 이후의 로스팅 정도로 색깔이나 향에서도 어둡고 무거운 느낌의 송진향이나 고무내, 탄내가 주로 나타난다.

커피의 향을 전문적으로 훈련해야 하거나 공부하기 원하는 사람들을 위해 SCAA(Specialty Coffee Association of America)에서 르네즈(Le Nez 프랑스 와인향미연구소)에 의뢰하여 만든 아로마 키트가 있다. 아로마 키트는 커피에서 나는 향을 36가지로 축약하여 만들어졌다. 커핑 자격을 공부하는 사람들은 이 키트를 이용하여 36가지 향을 다시 9개씩 4가지로 분류하는 연습을 한다. 이 4가지는 로스팅 정도에 따른 차이를 근간으로 한다.

우선 라이트 로스팅에서 느낄 수 있는 효소의 작용에서 생성되는 향기가 있다. 여기에는 꽃향기와 레몬, 사과향 같은 과일계 향기와 감자, 오이, 완두 같은 야채계의 향기 등이 표현되는 엔자이매틱(Enzymatic : 효소의 향)이 있다. 또 미디엄 로스팅에서 보이는 갈변화로 인한 향기인 바닐라, 버터, 구운 빵, 캐러멜, 다크초콜릿, 구운 아몬드, 땅콩, 호두 등의 슈가브라우닝(Sugar Browning), 다크 로스팅에서 주로 나타나는 정향, 삼나무, 후추, 담배 등의 드라이 디스틸레이션(Dry Distillation : 건류, 공기를 차단하여 고체유기물 분해)이 구성되어 있다. 마지막으로 결점두에서 느껴지는 불쾌한 흙냄새와 가죽냄새, 볏짚냄새, 소독냄새, 연기냄새 등으로 이루어진 아로마 테인트(Aroma Taints : 향을 오염시킴)가 있다. 커피의 향기를 구별하는 방법 중 로스팅에 따라 구분하는 방법이 있다.

2) 과일 및 기타 아이템을 이용한 향 구분

향미를 구분하는 작업은 상당히 어려운 일이다. 이와 같은 어려움을 조금이나마 해결할 수 있는 방법이 있는데 보통의 식음료 매장에서 쓰는 향신료나 다양한 음식을 아로마 키트를 대신해 연습할 수 있다.

엔자이매틱(Enzymatic)에서 나타나는 과일향과 꽃향, 허브향은 사과나 레몬을 간 주스, 그리고 여러 가지 말린 베리류, 장미를 말린 차, 음식에 쓰는 허브 등의 향신료나 감자, 오이 등으로 가벼운 향을 맡으며 기억할 수 있다.

슈가브라우닝(Sugar Browning)은 버터, 캐러멜소스, 바닐라아이스크림, 구운 아몬드와 땅콩, 초콜릿 등으로 향을 맡으며 연습할 수 있고, 드라이 디스틸레이션(Dry Distillation)은 정향의 향신료나 후추, 고수, 담배 냄새로 기억한다.

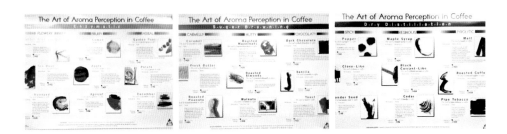

　마지막으로 결점두 향기는 흙, 가죽제품, 고무제품, 볏짚, 훈제요리 등을 적용할 수 있다. 이 모든 것을 한곳에 모아두고 한꺼번에 연습하기는 어렵다. 각각의 특성을 알았다가 음식을 먹거나 어떠한 곳에서 향기를 맡으면 주의 깊게 냄새를 분류하고 기억하는 습관을 가지도록 노력한다. 그리고 어떠한 커피를 마시게 되었을 때 연상시켜 보려 한다면 조금씩 이전에 기억해 둔 향과 매칭되면서 커피를 마시는 또 다른 재미를 줄 것이다.

　같은 종류의 과일이라도 각 나라마다 조금씩 맛과 향의 차이가 있는 것처럼, 같은 나라, 같은 지역의 커피도 다양한 차이가 있어서 모든 커피에 적용되지는 않지만 일반적으로 지역적 특징과 유사한 재배환경의 영향으로 산지마다 공통적인 느낌을 갖게 하는 커피들이 있다. 향기에 대해서도 산지별로 분류해서 주의 깊게 본다면 커피의 향을 구별하는 데 도움을 줄 수 있을 것이다.

🫘 아프리카 커피

　무엇보다 특히 향이 강하여 고급커피로 인정받는 지역과 농장이 많다. 꽃향과 과일향이 주로 많이 나타나며 플로랄(Floral), 시트러스(Citrus), 베리(Berry)향 등으로 커핑할 때 많이 표현한다.

🫘 중남미 커피

이 지역 역시 좋은 커피의 특징인 꽃향, 과일향이 아프리카 커피만큼 자극적이지 않게 적절한 균형감을 가지고 있으며 허비(Herby)한 향이 나타나기도 한다. 또한 많은 사람들이 즐겨 마시는 인도네시아 커피는 자극적인 향기가 덜한 대신, 약간은 무거운 느낌의 향 성분이 나타나는데 이는 견과류와 곡물류의 향기로 구수한 느낌을 주는 커피들이 많기 때문이다.

3) 바디감 연습하기

바디감을 알기 위해서는 먼저 입안에서 촉감과 무게감을 민감하게 느껴보는 훈련이 필요하다. 사실 와인에서 아주 쉽게 접할 수 있는 표현이 바디감이다. 와인에서의 바디감과 커피에서의 바디감이 조금 다르다고 할 수 있겠다. 와인에서는 타닌과 알코올에서 오는 무게감이라고 표현할 수 있지만 커피에서는 질감의 농도라고 할 수 있는데 우선 일반 정수물과 일반 우유를 같은 양으로 한 컵씩 받아 놓고 커핑하는 방식으로 떠 마신다. 이런 방식으로 일반 물과 우유의 무게감 차이를 느끼는 연습을 할 수 있다. 물에 있는 성분과 우유 안에 있는 밀도가 성분의 차이로 입안에서 다르게 느껴지는 것이다. 입에 있는 물이나 우유를 물고 혓바닥으로 입천장까지 올려가면서 무게감을 연습하고, 저지방 우유를 추가해서 일반 우유와의 차이를 느끼는 연습으로 단계를 높일 수 있다.

일반적으로 그린빈의 처리방식에 따라서도 바디감이 달라지는데 자연건조방식이 수세식 방식보다 바디감이 좋은 것으로 알려져 있다. 아프리카 커피보다는 인도네시아나 브라질 커피가 바디감이 좋은 것으로 알려져 있으며, 이는 처리방식이나 재배 환경의 영향을 받은 것이다. 에스프레소 커피에서 중요한 요소는 바디감과 밸런스이다. 따라서 에스프레소 블렌딩을 할 때 이와 같은 특징을 나타내는 자연건조방식의 브라질 커피를 선호하는 것이다. 커피 품질을 나타내는 하나의 요소인 바디감을 모든 좋은 커피에서 나타나는 필수적인 특성이라 할 수는 없다. 하지만 입안에서 느껴지는 부드럽고 감미로운, 좋은 촉감은 우리가 커피를 마시면서 행복을 느낄 수 있는 또 다른 요소임에 틀림없다.

4) 커핑으로 느낄 수 있는 커피 맛과 향의 다양성

어떤 평가가 필요할 때 우리가 가지고 있는 심리상태가 함께 작용하는 것은 최첨단시대를 살아가는 현대인이라고 예외는 아니다. 커피성분의 비율이나 측정할 수 있는 수치로 나타낼 수는 있겠지만 맛의 퀄리티(Quality) 자체를 정확히 숫자로 표시할 수 있을까? 바리스타대회의 센서리 심사나 커핑을 하여 원두를 평가하는 커핑 테스트의 획득 포인트가 절대적일 수는 없을 것이다.

그러나 커피전문점이나 가정에서 커피를 마시면서 본인이 구매한 제품에 대하여 어느 정도의 평가가 필요하다는 것을 느낄 때가 많을 것이다. 마시는 사람의 당시 감정상태가 이입될 가능성은 배제할 수 없지만 맛을 판단하기 위해서 커피의 맛을 평가하는 보편적이고 체계화된 기준이 필요하다. 우리가 커피를 마실 때 커피의 품질을 평가하는 중요한 항목으로 커피의 향과 맛, 바디감(중후함)을 꼽을 수 있다.

방금 만들어진 커피가 우리 앞에 나오게 되면 왠지 모를 기대로 커피를 들고 향을 맡는 모습이 일반적인 우리들이 습관처럼 행하는 태도이다. 커피잔을 들고 향을 맡으면 자연스럽게 지금부터 마실 커피의 맛을 머릿속에 그리거나 품평한다. 커피를 마시는 것은 싫어해도 향기는 좋아하는 사람들이 있다. 향은 분자로 존재하며 저온에서는 액체나 고체 상태로 로스팅 된 원두 속의 지질에 함유되어 있다. 이 지질이 배어나와 일부는 분쇄·추출에 의해 공기 중에 기체상태인 분자로 떠다니다가 우리들의 콧속 점막에 흡착되면 향으로 느껴지게 된다.

커피의 향을 만들어내는 성분은 그린빈에 함유되어 있는 단백질, 자당, 트리고넬린, 클로로제닉산 등이다. 그리고 이들 성분이 열분해, 결합이라고 하는 공정을 거쳐 향기물질로 변화한다. 향의 다양한 스펙트럼은 여러 산지에 따라서도 차별화될 수 있겠다. 와인도 그러하듯 커피 또한 같은 품종을 사용한다 하더라도 산지의 테루아르(Terrior) 환경이 다르면 맛이 다양하게 만들어진다.

🫘 아프리카

주로 과실향이 강하며 가벼운 듯한 꽃향이 특징(인산과 사과산 함유량이 많아 보다 밝고 스위트함이 특징)

🔵 중남미

아프리카에 비해 적절한 밸런스
가 특징이며 가벼운 신향도 남(아프
리카산보다 구연산이 많아 사워하며
무거운 단맛이 특징)

🔵 아시아

약간 무거운 느낌의 방향이 특징
인데 곡물류의 향기가 남

커피 맛의 차이는 또한 그린빈 생산지와 로스팅으로 인한 맛의 변화에도 있을 것
이다. 산의 종류와 양에 따른 맛의 차이와 커피성분에 의한 차이로 커피는 다른 맛을
낼 수 있다.

커피 원두 속 주요 성분은 단백질, 카페인, 당질, 자당, 헤미셀룰로오스나 셀룰로
오스 등의 섬유질, 클로로제닉산 등이다. 그린빈과 로스팅 된 원두에서는 이들 성분
량의 변화로 커피 특유의 맛, 색, 향기가 생성되는 것으로 보인다. 로스팅 후 단백
질, 자당, 클로로제닉산이 감소하는 변화에 의해 커피의 성분이 생겨나는 것으로도
보인다. 항암효과를 포함하여 많은 효용이 있는 클로로제닉산은 로스팅이 강해질수

록 함유량이 감소한다. 또한 자당은 로스팅을 통해 커피의 달콤한 향기성분이 푸란 화합물, 멘톨, 유기산, 알코올, 카르보닐 화합물 등으로 바뀐다. 그리고 유기산은 아세트산, 포름산, 말롬산, 옥살산, 숙신산 등으로 변화되어 커피의 신맛을 만들어 내게 된다.

로스팅 시의 온도도 커피의 성분에 큰 영향을 끼친다. 아로마성분에 있어서 원두가 적정온도에 도달하지 않으면 아로마가 발달하지 않아서 떫고 풋내가 나게 된다. 반대로 너무 높은 온도에 도달하면 아로마가 빠져나가서 탄내가 나는 맛이 생긴다. 또한 커피에는 많은 산이 있다.

커피의 맛에 본질적으로 근접할 수 있는 여러 방법들이 있지만 커핑은 향기와 맛의 특성을 체계적으로 평가하는 과정이므로 맛과 향의 결점(faulty)적인 요인들조차 쉽게 잡아낼 수 있는 평가방법이라고 볼 수 있다. 맛의 품질을 정확히 숫자로 평가해 낼 수는 없겠지만 여러 맛과 향의 스펙트럼의 변화를 잘 기록해 두면 앞으로 좋은 품평을 할 수 있을 것이다.

 커피도 와인처럼 드라이하다, 바디감이 좋다 등의 표현을 자주 쓰는데 어떻게 다른가요?

와인에서 느낄 수 있는 표현을 커피에도 사용하는 경우가 많다. 참고로, 와인 전문 소믈리에가 훈련용으로 사용하는 향기 키트가 있는데 커피에서 사용하는 아이템과 거의 흡사하다. 필자 역시 와인 전문가이자 커피 향미 전문가로 활동하면서 느낀 부분이다. '드라이하다'는 표현은 입안에서 느낄 수 있는 텁텁한 상태를 말하는데 커피에서는 '자극적이다', '거칠다', '타이트하다' 등으로 표현할 수 있다. 그리고 바디감은 와인이든 커피이든 입안에서 느껴지는 전체적인 질감을 말한다. 예로써 우유와 물의 질감을 입안에서 비교해 보면 쉽게 이해할 수 있겠다.

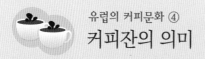

유럽의 커피문화 ④
커피잔의 의미

프랑스에서는 여러 가지 커피잔을 한참 유행시킨 적이 있었습니다.

테타테트라는 커피잔 세트가 있었는데 이것은 '둘이서 마주본다'라는 뜻이었습니다. 카페에서 이런 잔을 연인들에게 제공하면서 아주 폭발적인 인기를 끌었습니다. 이렇게 커피잔에 의미를 부여하면서 독일에서는 불타는 심장이라는 커피잔 뚜껑에 하트 모양을 만들고 그 안을 조금 비어 있게 하여 조그마한 연애편지를 넣을 수 있게 만들었습니다. 이런 커피잔으로 꽁꽁 감추고 있던 여성들의 감정을 표현했던 것입니다.

이처럼 커피잔도 어떻게 말하면 도자기문화의 산물입니다. 도자기문화를 발전시킨 주역인 여성에게 남성들은 커피로 여성을 차별하고 이용하려 했지만 여성들로 인해서 커피문화가 발전하고 카페 인테리어의 수준을 높였던 것입니다. 이렇게 유럽의 커피문화 발전은 여성의 기여로 만들어진 것이고, 여성들이 없었다면 지금처럼 발전하지 못했을 수도 있습니다.

6. SCAA 커핑 스코어표

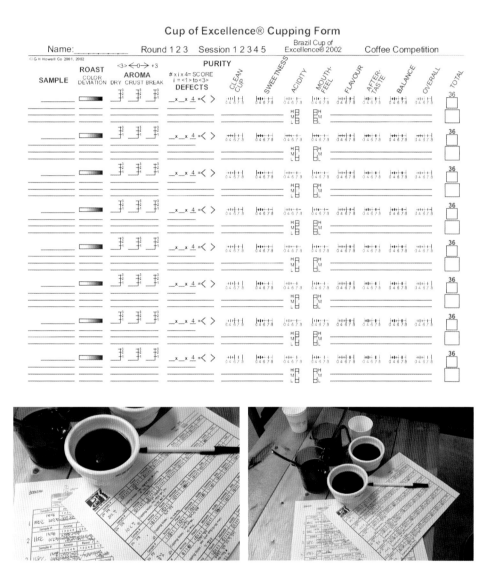

🫘 항목별 기준

Fragrance/Aroma (Dry/Wet)	커피입자가 가루상태일 때의 향기와 물을 부었을 때의 향기를 표현할 때 사용한다.
Flavor	커피의 주된 속성으로 미각과 후각에서 경험한 향기의 총체적인 표현이다.
Aftertaste	커피를 맛보고 난 후 전체적인 향미의 품질을 나타내는 표현이다.
Acidity	커피에서 아주 중요한 맛의 기준으로 좋을 때(Brightness)와 좋지 않을 때(Sour)를 반드시 구분할 수 있어야 한다.
Body	커피성분의 양과 강도를 측정할 때 사용하는 표현으로 입과 입천장에서 느낄 수 있다.
Balance	커피의 전체적인 균형감을 나타내는 표현으로 맛의 상호작용을 알 수 있다.
Sweetness	커피 맛에 있어서 좋은 향미를 전달하는 데 중요한 요인으로 신맛과 반대되는 의미이다.
Clean Cup	처음부터 후미까지 일관된 맛이 나야 하며, 부정적인 느낌의 향이 있으면 감점 요인이 된다.
Uniformity	샘플마다 Flavor의 균일한 정도를 나타낼 때 사용하는 표현이다.
Overall	Cupper의 개인적인 소견으로 점수에 반영된다.
Defects	커피의 품질에 부정적인 영향을 주는 결점 향미에서 주로 평가되며 향의 결점(Taint)/맛의 결점(Fault)이 있다.

🫘 항목별 점수

점수	내용	점수	내용
10.00	Exceptional	4.00	Fair
9.00	Outstanding	3.00	Poor
8.00	Excellent	2.00	Very Poor
7.00	Very Good	1.00	Unacceptable
6.00	Good	0.00	Not Present
5.00	Average		

자료 : Magic-Art-Science. Germany : Probat-werke

요즘 책을 보면 SCAA라는 영어를 많이 접하는데 어떤 의미인가요?

미국 스페셜티커피협회의 약어이다(Specialty Coffee Association of America). 이 협회는 다양한 커피와 관련 전시행사를 통해 커피문화를 선도하고 있다. 필자도 올해 2011 미국 텍사스 휴스턴에서 열린 행사에 참관하여 다양한 커피용품과 전 세계 커피 재배자들과의 만남을 가졌는데 해마다 미국 도시를 돌며 열린다. 한국에도 여러 단체가 있으며, 단체에서 주관하는 행사들도 있다. 특히 (주)아이비라인 월간커피에서 주관하는 카페쇼(Cafe Show : 매해 코엑스에서 10월 말 개최)는 이제 세계적인 행사로의 기지개를 펴고 있다.

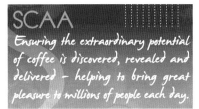

출처 : http://www.scaa.org

커피이야기

 유럽의 커피문화 ⑤
죽었다 크게 살아난 커피, 스웨덴

스웨덴은 아라비카종을 제일 많이 마시는 나라인데 이 나라에는 재미있는 사건이 있습니다. 그것은 커피금지령이 자주 일어났다는 사실입니다.

스웨덴에서 커피를 처음 만든 사람은 귀족들이었는데 정권이 교체되면서 청교도적인 자유주의자들이 정권을 잡게 되었습니다. 이때 사람들은 귀족들만 커피를 마시는 모습을 보고 금지령을 선포하라는 청원을 올려 커피의 금지명령이 내려
졌습니다. 귀족 중심의 커피문화에 대한 반발로 커피
금지령은 선포되었고, 1794년에 네 번째로 금지령이
내려졌습니다. 이때는 전국에 흩어져 있는 귀족들이
모여 상복을 입고 조복을 했다고 합니다. 그리고 일부
귀족들은 스톡홀름에 모여 커피 장례식을 치렀습니다. 이것은 커피주전자를 찌그려뜨려 땅속에
묻는 것으로 일명 '커피 장례식'이라 불리고 있습니다.

커피는 사실 술을 마시지 않도록 하는 작용이 있습니다. 이렇게 되면서 1855년, 이번에는 커
피에 유리한 작용을 하는 법령이 공포됩니다. 바로 금주령입니다. 술을 담그지 못하는 명령이 떨
어지자 커피가 새로운 주자로 나서게 됩니다. 이후부터 사람들은 커피를 마시게 되었고, 전쟁기
간과 경제불황 때는 다소 소비력이 주춤했지만 1960년이 채 되기 전부터 스웨덴에서 커피 소비
량은 굉장히 늘어나게 됩니다.

스웨덴은 보편적 복지가 매우 잘된 나라 중의 하나로 커피 역시 부유한 사람과 빈곤한 사람 사
이에 차이가 거의 없습니다. 대부분의 나라는 커피를 많이 소비하는 지역과 적게 소비하는 지역
의 차이가 큽니다. 하지만 스웨덴의 경우 1973년 통계를 보면 커피를 가장 많이 마실 수 있는
부자 지역과 적게 마실 수밖에 없는 가난한 지역을 비교해 보니 각각 평균의 120%와 70%를
마셨습니다. 이것을 보면 스웨덴은 커피 복지도 매우 잘 되어 있습니다.

7. 아로마 키트

향을 공부하거나 훈련하려면 그 향이 나는 무언가를 먹어보는 것이 가장 좋지만, 실제로 그렇게 경험하기에는 어려움이 있다. 특히 우리나라에서 경험하기 어려운 과일이 있기도 하고 또 있다 하더라도 매번 구하는 것이 쉽지 않기에 커피의 향을 따로 모아 만든 키트를 활용하면 좋은데 이를 아로마 키트라고 부른다.

프랑스의 와인전문가 장 르누아르(Jean Lenoir)가 개발한 '르네 뒤 카페(Le Nez du Cafe)라는 키트를 통해 훈련을 해보자. 기본적으로 키트의 뚜껑을 열고 뚜껑의 향을 맡거나 본체의 향을 맡으면 된다. 이러한 키트들의 향은 화학적인 향이므로 우리가 느끼기에는 알코올 같은 향이 강하게 느껴지기도 하는데, 그 안에서 제품이 의도하는 향을 찾는 것이 1차적 목표이다. 예를 들어 커피에서 과일의 포도향이 난다고 가정해 보자. 실제로 포도가 들어 있는 것도 아닌데 어떻게 커피에서 포도향이 나는 걸까? 우리는 그저 포도에서 느껴질 것 같은, 포도향이 있기에 포도향이 나는 커피라고 말해 왔던 것이다.

결론적으로 커피에는 포도향이 없다. 포도가 아니니까요. 좀 더 과학적으로 접근해 보면 지구상에는 약 3,000만 종 이상의 화합물질이 존재하고 이것의 대부분은 식물이 만든 것이다. 인간도 매년 뭔가 새로운 화학물질을 합성하지만 그만큼 안 쓰는 것도 생긴다. 인간은 경제성 있는 품목만 다량 생산하고 나머지 대부분의 화학물질은 식물이 합성한 것이다. 식물이 만든 냄새물질도 수만 가지 이상이다. 냄새물질은 우연히 또는 저절로 생기는 것이 아니고, 산화와 환원, 가수분해 등 복잡한 과정을 통해 만들어지는데 이때 필요한 것이 효소이다. 발효의 과정을 통해 향을 만드는 미생물도 실제 그 일을 하는 것은 효소이다. 향을 알려면 먼저 효소를 알아야 한다. 그러면 식물은 왜 향을 만들까? 식물이 인간의 후각을 즐겁게 해주기 위해서 향을 만들었을 리는 없다. 식물이 필요해서 만든 신호물질이거나 우연한 부산물일 가능성이 높다. 냄새가 없던 풀이 잘리면 냄새가 나고 냄새가 없던 양파를 자르면 냄새가 난다. 순식간에 효소에 의해 지방산이나 전구물질이 분해된 것이다. 풀이나 양파를 자르자마자 냄새가 나는 것을 보면 냄새라는 것이 얼마나 적은 양으로 역할을 하는지와 효소라는 것이 반응 속도를 얼마나 높여주는지 알 수 있다. 과일이나 채소에서 향기가 만들어지는 경로를 보면 과일은 숙성의 짧은 기간 동안에 강하게 이루어지고 채소는 향이 약하다가 세포가 파괴될 때 많이 드러난다는 정도이다. 과일은 에스테르가 향기의 주성분이고 채소는 황 함유물질이 특징을 좌우한다는 차이일 것이다. 식물에서 가장 많은 것은 탄수화물이다. 광합성을 통해 먼저 포도당이 만들어지고 이것을 전분으로 비축하거나 셀룰로오스 같은 구조체를 만든다. 이 탄수화물에서 주로 맛 성분이 만들어지고 특징적인 향기성분은 주로 지방과 단백질에서 만들어진다. 식물의 향이 바로 이런 복잡한 과정에서 형성된 자연의 산물이라고 볼 수 있다.

원점으로 돌아오면 커피에서 포도향이 난다고 하면 과학적인 이해가 수반되기 전에는 말이 안 되는 미미한 상황이겠지만 전문가들 사이에서 그런 향을 이구동성으로

'포도 같은 커피'라고 하는 것은 커피를 놓고 캘리브레이션(Calibration)이 되었기 때문이다. 서로 간에 언어로 약속된 것이라고 이해하면 되겠다.

그래서 아로마 키트에 진짜 포도향은 없을지도 모르지만 키트를 이용해서 실제 포도에서 느껴질 법한 향을 통한 후각 훈련은 충분하다고 볼 수 있다. 향을 계속 느끼며 정형화된 훈련을 지속적으로 이행하다 보면 커피에서 살짝 스쳐지나가는 향에 대한 역치값이 점점 낮아진다는 것을 알 수 있을 것이다.

1) 커피음용의 기본적인 용어

- Complex(콤플렉스): 커피에서 느껴지는 복합적인 뉘앙스의 표현으로 긍정적인 맛이 다양하게 느껴질 때
- Delicate(델리컷): 강렬한 느낌보다 격이 있는 우아함과 세련됨을 강조할 때
- Fine(파인): 맛의 캐릭터가 두드러지지 않고 그냥 무난하고 마시기 편할 때
- Well balanced(웰밸런스드): 균형감이 있다는 의미로 신맛과 단맛과 바디감 등이 골고루 다 드러날 때

2) 마시고 난 후의 느낌을 담을 때

- Long/Short Aftertaste(롱/쇼트 애프터테이스트): 맛과 향의 느낌과 표현은 모두 상대적인 경험치를 가지고 결정하는데 커피 테이스트를 할 때 마시고 난 후에 느껴지는 여운의 깊이를 표현하고자 할 때
- Persistent(퍼시스턴트): 마시고 난 후의 여운이 상당히 영속적이면서 화려할 때
- Lingering(링거링): 처음에 느껴지는 복합적인 맛이 뒤에서도 연속적으로 주렁

주렁 길게 느껴질 때

3) 캐릭터에 관한 표현

- Bright(브라잇): 커핑 시에 단편적으로 사용하는 용어로 긍정적이며 전반적으로 밝고 화사한 느낌을 가질 때
- Vivid(비비드): 생동감이 떨어지며 브라이트와 반대로 느껴지는 표현으로 밋밋하다는 느낌이 강할 때
- Lively(라이블리): 주로 신맛의 캐릭터가 많이 들어간 용어로 보다 활기차고 생동감이 느껴지는 맛이 지속될 때
- Vibrant(바이브런트): 보다 파워풀하고 역동적이며 화려함이 오래 지속될 때

4) 바디감에 관한 표현

- Rounded(라운디드): 모난 것 없는 조약돌같이 입안에서 느껴지는 기분 좋은 질감을 표현할 때
- Rich(리치): 향이 풍부하고 진하게 느껴질 때
- Sharp(샤프): 맛이 날카롭고 모난 느낌의 뉘앙스로 산이 다소 부정적인 느낌으로 다가올 때
- Creamy(크리미): 크림처럼 다소 끈적이는 느낌이 강할 때
- Buttery(버터리): 오일리한 느낌의 촉감이 강할 때
- Juicy(주시): 마시고 난 후 입안에서 느껴지는 무게감이 가벼울 때
- Harsh(하쉬): 입안이 거친 느낌으로 톡 쏘는 수렴성이 강하거나 후미가 부정적일 때

- Spicy(스파이시): 추출액의 뒷맛에서 발견되는 향기로운 느낌의 하나로 휘발성이 약한 탄화수소 화합물에 의해 생성될 때

5) 산미에 관한 표현

- Good Acidity(굿애시디티): 기분 좋고 긍정적인 신맛을 표현할 때
- Refined(리파인드): 산미가 다소 부드럽고 촘촘한 느낌으로 여운이 긍정적일 때
- Acetic(아세틱): 산을 표현할 때 주로 등장하는 표현으로 식초맛이 다소 강하게 느껴질 때

6) 부정적인 표현

- Astringent(아스트린젠트): 입안에서 침이 마를 정도로 조여지는 느낌을 받을 때
- Acrid(애크리드): 샤프보다 더 부정적으로 신맛의 대장 격으로 느껴질 때
- Metalic(메탈릭): 가공과정에서 느껴지는 부정적인 뉘앙스로 로스터기 교반기에서 장기간 머물렀을 때
- Alkaline(알칼리): 톡 쏘는 듯한 느낌으로 강배전 커피에서 느껴지는 전형적인 맛이다. 알칼리와 페놀화합물이 원인임
- Flat(플랫): 맛의 개성을 전혀 못 느낄 때
- Bland(블랜드): 짠맛과 단맛의 중간 지점으로 무미건조한 느낌의 맛으로 주로 혀의 앞 가장자리에서 느껴짐
- Over fermented(오버 퍼멘티드): 과발효로 인해 나타나는 이취로 발효향이 부정적으로 강하게 나타날 때

🫘 훈련용 커피 향기 세트 : SCAA Le Nez du Cafe(36 aromas in coffee)

Aroma Group	번호	향기(Aromas)	향기를 내는 대표적 커피콩의 품종/지역
Earthy(흙냄새)	1	Earth(흙냄새)	베트남, EK1, 에티오피아 하라, 시다모
	2	Potato(감자)	코스타리카, 콜롬비아(Tolimas), 온두라스
Green(야채향)	3	Peas(완두)	브라질 로부스타, 우간다 로부스타, 과테말라
	4	Cucumber(오이)	브라질, 콜롬비아, 케냐, 에티오피아(Limu)
Vegetal(야채향)	5	Straw(밀짚)	브라질, 아이보리 코스트, 케냐(Kitale)
Woody(나무향)	6	Ceder(삼나무)	우간다(Bugisu), 에티오피아(Limu), 과테말라
	7	Clove(정향)	멕시코, 과테말라, 에티오피아 하라
Spicy(향신료)	8	Pepper(후추)	브라질, 짐바브웨
	9	Coriander seed(고수)	에티오피아 시다모, 엘살바도르
	10	Vanilla(바닐라)	특급 브라질, 파푸아뉴기니(시그리)
Floral(꽃향)	11	Tea rose(차 장미)	엘살바도르(Pacamara), 특급 과테말라
	12	Coffee flower(커피 꽃)	콜롬비아, 과테말라, 에티오피아 하라, 자바
Fruity(과실향)	13	Coffee pulp(과육)	발효된 와인 냄새/특급 콜롬비아, 케냐 AA
	14	Blackcurrant(블랙커런트)	코나, 코스타리카, 케냐(키탈레), 블루마운틴
	15	Lemon(레몬)	케냐, 콜롬비아, 과테말라, 파푸아뉴기니
Fruity(과실향)	16	Apricot(살구)	에티오피아 시다모
	17	Apple(사과)	중남미 아라비카와 콜롬비아
	18	Butter(버터)	코스타리카, 콜롬비아, 케냐/아라비카
Animal(동물)	19	Honey(꿀)	파푸아뉴기니, 멕시코/아라비카
	20	Leather(가죽)	에티오피아(하라)
Toasty(고소한 향)	21	Rice(찐쌀)	엘살바도르, 오스트레일리아, 아이보리 코스트
	22	Toast(구운 빵)	콜롬비아(Huila), 브라질, 우간다(Druga)
	23	Malt(물엿)	에티오피아 짐마, 콜롬비아(San Augustin)
	24	Maple syrup(단풍시럽)	코나, 코스타리카, 콜롬비아(Tolimas), 케냐
	25	Caramel(캐러멜)	콜롬비아 엑셀소(Antioquia)/아라비카 커피의 특징
	26	Dark chocolate	코나, 에티오피아, 짐바브웨, 케냐
	27	Roasted almonds	브라질, 콜롬비아(Boyacas), 에티오피아 리무

Aroma Group	번호	향기(Aromas)	향기를 내는 대표적 커피콩의 품종/지역
	28	Roasted peanut	케냐(Kitale), 짐바브웨
	29	Roasted hazelnut	콜롬비아(Santa Marta, Tachira)
	30	Walnut(호두향)	콜롬비아, 과테말라, 파푸아뉴기니(Sigri)
	31	Cooked beef(쇠고기)	코스타리카, 과테말라, 콜롬비아(E), 케냐
	32	Smoke(연기)	콜롬비아, 온두라스, 엘살바도르, 과테말라
	33	Pipe tobacco	브라질, 케냐, 코나/로스팅 단계에서 생성
	34	Roasted coffee	엘살바도르, 브라질/갓 볶은 커피 향기
	35	Medicinal(소독내)	브라질 Rio콩, 로부스타, 로스팅 과다 시
Chemical(약품)	36	Rubber(고무내)	로부스타에 많고 아라비카에 적음

자료 : Le Nez du Café by Jean Lenoir

스페셜티 커피란?

　'스페셜티란' SCAA 부설품질연구소 CQI(Coffee Quality Institute)에서 발표한 커피 품질 평가방법인 '커핑' 결과, 80점 이상의 점수를 얻은 커피를 특정하는 등급제도였다. 스페셜티 커피는 전 세계 커피시장에 굉장한 파급력을 미쳤고, 2021년 현재는 스페셜티 커피를 취급하지 않는다는 업체가 없을 만큼 일반화되었다. CQI의 커핑 프로토콜에 의하면 커피 평가는 다소 약하게 로스팅 된(아그트론 #55) 원두를 분쇄한 뒤 물을 붓고, 커핑스푼을 이용해 테이스팅하는 방식으로 이뤄졌다. 평가요소는 다음과 같다.

1그룹	2그룹
Fragrance(분쇄된 커피향)	
Wet Aroma(물과 접촉한 커피향)	Uniformity(균일성)
Flavor(향미)	Clean Cup(컵의 순수성)
Aftertaste(후미)	Sweetness(단맛)
Acidity(산미)	Overall(커퍼의 주관적인 의견기록)
Body(무게감/질감)	
Balance(균형감)	

　총 100점 만점의 평가에서 1그룹은 7.25점을 기준으로 긍정/부정 요소를 찾아 ±0.25점을 가하는 방식, 2그룹은 5개의 컵 중 문제가 있는 컵이 있다면 −2점으로 평가하는 방식, 마지막으로 오버롤은 1그룹과 같은 평가법으로 점수를 부여하는 식이다.

COE란?

COE는 매해 최고의 커피를 찾기 위한 대회로 말 그대로 커피인의 대회이다.

산지의 농부와 소비자 사이에 중간 네고시앙(중간업자)을 거치지 않고 바로 연결하여 커피농부의 권익과 공정한 무역 그리고 커피의 품질을 향상시키기 위한 목적이 있다.

상당히 의미있는 대회라고 할 수 있는데 국내에서도 이미 국제심판으로 위촉되어 능력을 발휘하는 전문가도 있다. 심사기준은 산지의 전문가들이 출품한 커피를 3일 동안 평가하여 매긴 점수등급에 따라 84점 이상을 받은 커피만을 국제심판관의 커핑에 의해 결정한다.

8. 그린커피(Flavor Map)

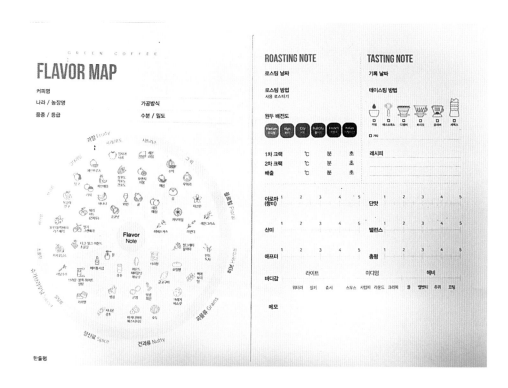

그린커피 산지별 아로마 알아보기

• 중남미 America

품명	등급	가공방식	품종	1KG	20KG	60KG	커핑노트
볼리비아 Bolivia							
SHB 카라나비 에스페샬	프리미엄	워시드	Caranavi, Yungas	11,100	10,200	9,600	땅콩, 캐슈넛, 곡물차, 카카오닙스
브라질 Brazil							
NY2 FC 17/18 모지아나	컨벤셔널	내추럴	Catuai, Acaia, Mundo Novo	8,200	7,400	6,900	볶은 땅콩, 맥아, 바게트, 오트밀
NY2 FC 17/18 세하도	컨벤셔널	내추럴	Cerrado, Minas Gerais	8,200	7,200	6,600	볶은 땅콩, 마카다미아, 옥수수, 시트러스 뉘앙스
NY2 FC 17/18 엠와이 타입	컨벤셔널	내추럴	Cerrado, Minas Gerais	7,700	6,700	6,300	땅콩, 시리얼, 곡물, 미디엄바디
NY2 FC 16UP 옐로우 버번 파젠다 산타 알리나	프리미엄	펄프드 내추럴	Yellow Bourbon	10,000	9,000	8,400	비스킷, 볶은 땅콩, 맥아, 시트러스 뉘앙스
NY2 FC SC16UP 파젠다 카르모 에스테이트 내추럴 BSCA CERTIFIED	프리미엄	내추럴	Catuai	10,400	9,200	8,800	땅콩크래커, 시트러스 뉘앙스, 비스킷, 호밀빵
NY2 FC 17/18 세하도 램프	프리미엄	내추럴	Catuai, Acaia, Mundo Novo	9,200	8,300	7,800	볶은 땅콩, 맥아, 바게트, 오트밀
NY2 FC 17/18 세하도 파젠다 바우 선드라이드	프리미엄	내추럴	Mundo Novo, Others	11,000	9,800	8,900	곡물차, 맥아, 볶은 땅콩, 토스트, 카카오닙스차
NY2 FC 17/18 펄프드 내추럴 세하도	프리미엄	펄프드 내추럴	Catuai, Mundo Novo, Others	8,900	8,000	7,400	맥아, 볶은 땅콩, 곡물차, 시리얼, 다크초콜릿
NY2 FC 레드 버번	프리미엄	내추럴	Red bourbon	10,900	10,600	9,900	호두, 다크초콜릿, 카카오닙스, 스윗애프터
NY2 FC 옐로우 버번	프리미엄	내추럴	Yellow Bourbon	9,800	8,800	8,200	캐슈넛, 시트러스 뉘앙스, 비스킷, 볶은 땅콩
NY2 FC 16UP 세라 네그라 내추럴	마이크로랏	펄프드 내추럴	Catuai, Mundo Novo	15,900	15,500	14,900	피칸, 다크초콜릿, 귤, 맥아, 밤
NY2 FC SC16UP 시티오 프라타 내추럴	마이크로랏	내추럴	Yellow Catuai	10,800	9,900	9,700	피칸, 아몬드 크래커, 귤, 맥아, 밤
콜롬비아 Colombia							
수프레모 메델린	컨벤셔널	워시드	Caturra, Colombia & Castillo	9,000	8,000	7,400	오렌지, 볶은 아몬드, 초콜릿, 시럽
수프레모 후일라	컨벤셔널	워시드	Caturra	9,100	8,100	7,500	청사과, 볶은 견과류, 다크초콜릿, 흑설탕
수프레모 톨리마	프리미엄	워시드	Caturra, Colombia & Castillo	9,900	9,100	8,700	적포도, 레몬, 볶은 아몬드, 다크초콜릿, 허브

수프레모 후일라 피탈리토	프리미엄	워시드	Caturra, Typica	10,600	9,300	8,800	청사과, 만다린, 볶은 땅콩
수프레모 발레나토 열대우림동맹인증	프리미엄	워시드	Caturra, Castillo, Typica	10,900	9,400	9,000	오렌지, 헤이즐넛, 아몬드초콜릿
수프레모 나리뇨	프리미엄	워시드	Caturra, Colombia & Castillo	11,600	10,400	9,800	자몽, 볶은 견과류, 건포도
수프레모 톨리마 릴리오 데 마요	프리미엄	워시드	Caturra, Colombia & Castillo	11,800	11,500	11,200	청사과, 피칸, 볶은 밤, 대추차
톨리마 플라나다스 풀리 워시드	프리미엄	풀리 워시드	Caturra, Colombia	12,800	12,400	11,900	청사과, 아몬드, 피칸, 다크초콜릿
안티오키아 핀카 라 콜롬비아 내추럴	마이크로랏	내추럴	Caturra, Colombia	23,500	23,000	22,500	블루베리, 건자두, 오렌지, 피칸, 아몬드초콜릿
핀카 라 레오나 카스티요 아나에어로빅 내추럴 (만다린)	마이크로랏	더블 아나에어로빅 내추럴(만다린)	Castillo	45,000	43,000	42,000	귤껍질, 레몬그라스, 유자마멀레이드, 아몬드
핀카 라 레오나 카스티요 아나에어로빅 내추럴 럼 에이지드	마이크로랏	아나에어로빅 내추럴 럼 에이지드	Castillo	47,000	45,000	44,000	럼, 주류, 다크초콜릿, 카카오닙스
핀카 마라카이 카투라 더블 아나에어로빅 내추럴	마이크로랏	더블 아나에어로빅 내추럴	Caturra	32,000	29,000	29,000	포도, 블랙베리, 피칸파이, 다크초콜릿, 와인계열
핀카 비야 베툴리아 핑크 버번 아나에어로빅 워시드	마이크로랏	아나에어로빅 워시드	Pink Bourbon	34,000	32,000	31,000	오렌지, 곶감, 캐슈넛, 피칸, 다크초콜릿
핀카 부에노스 아이레스 카스티요 더블 아나에어로빅 내추럴	마이크로랏	더블 아나에어로빅 내추럴	Castillo	33,000	30,000	30,000	포도, 건포도, 뽕나무, 호두, 사탕수수, 설탕
코스타리카 Costa Rica							
SHB EP 타라주	프리미엄	워시드	Caturra, Catuai, Others	10,500	9,500	9,000	만다린, 비스킷, 시리얼, 볶은 아몬드, 허비
SHB EP 라 로사 워시드	프리미엄	워시드	Obata	13,800	13,400	13,000	텐저린, 몰드, 볶은 땅콩, 비스킷
SHB EP 라 루이사 내추럴 열대우림동맹인증	마이크로랏	내추럴	La Luisa	16,500	16,200	15,900	블랙베리, 건포도, 럼, 스파이시, 참깨, 카카오
SHB EP 로스 로블레스 아나에어로빅	마이크로랏	아나에어로빅	Villa Sarchi, Sarchimor	29,800	29,400	29,000	귤, 피스타치오, 그래놀라, 갈색설탕, 메이플시럽
SHB EP 로스 세드로스 레드 허니	마이크로랏	레드 허니	Los Cedros	21,500	21,000	20,500	오렌지, 군밤, 땅콩크래커, 갈색설탕
SHB EP 사르세로 써미컬 내추럴	마이크로랏	써미컬 내추럴	Zarcero	40,000	40,000	38,500	블랙베리, 레드와인, 럼, 건자두, 카카오

SHB EP 알룸브레 아나에어로빅 허니	마이크로랏	아나에어로빅 허니	Alumbre	39,000	39,000	37,000	수정과, 건포도, 갈색설탕, 다크초콜릿
SHB EP 엘 탄케 옐로우 허니	마이크로랏	옐로우 허니	Caturra 25%, Catuai Rojo 75%	15,500	15,300	15,200	텐저린, 아몬드, 피칸, 브라운슈가, 호두
SHB EP 코랄리오 써미컬	마이크로랏	써미컬	Corralillo	40,000	40,000	37,000	귤, 건포도, 피칸, 대추, 시나몬 뉘앙스, 다크초콜릿
SHB EP 코팔치 아나에어로빅 허니	마이크로랏	아나에어로빅 허니	Copalchi	39,000	39,000	37,000	수정과, 건포도, 시럽, 다크초콜릿
SHB EP 핀토 오바타 허니 열대우림동맹인증	마이크로랏	허니	Pinto	16,900	16,600	16,200	귤, 참깨크래커, 시리얼, 메이플시럽
SHB EP FCJ 볼칸 아술 내추럴	마이크로랏	내추럴	FCJ Volcan Azul	29,000	28,500	28,000	건포도, 크랜베리, 아몬드초콜릿, 메이플시럽

도미니카 Dominica

A 바라호나	프리미엄	워시드	Caturra, Typica, Pacas	15,300	14,400	13,300	볶은 땅콩, 다크초콜릿, 청사과

엘살바도르 El Salvador

SHG EP	컨벤셔널	워시드	Blend Bourbon Pacas	9,800	8,900	8,500	호두, 피칸파이, 호밀빵, 볶은 밤
SHG EP 핀카 엘 오팔로 워시드	프리미엄	워시드	Bourbon, Pacas	10,500	9,800	9,200	피칸, 시리얼, 비스킷, 시트러스 뉘앙스, 맥아
SHG EP 파카마라 라스 팔마스 레드 허니	스페셜티	레드 허니	Pacamara	28,000	27,500	27,000	사과, 아몬드, 호두파이, 아몬드크래커, 갈색설탕
SHG EP 파카마라 로스 피리네오스 워시드	마이크로랏	워시드	Pacamara	19,000	18,500	18,000	살구, 아몬드, 땅콩크래커, 비스킷, 메이플시럽
SHG EP 파카마라 핀카 로스 피리네오스 내추럴	마이크로랏	내추럴	Pacamara	24,500	24,000	23,500	블랙베리, 자몽, 피칸파이, 비스킷, 메이플시럽
SHG EP 파카마라 핀카 산 페르난도 워시드	마이크로랏	워시드	Pacamara	12,400	11,900	11,400	피칸, 견과류, 청귤, 카카오닙스
SHG EP 핀카 엘 바바로 파카마라 옐로우 허니	마이크로랏	옐로우 허니	Pacamara	19,800	19,500	19,300	청사과, 라임, 볶은 밤, 호밀빵, 비스킷

과테말라 Guatemala

SHB 후에후에테낭고	컨벤셔널	워시드	Bourbon (Caturra, Catuai)	9,800	8,800	8,000	호두, 다크초콜릿, 시리얼, 땅콩, 오트밀
SHB 안티구아	프리미엄	워시드	Bourbon (Caturra, Catuai)	10,800	9,800	9,200	귤, 볶은 아몬드, 비스킷, 피칸, 초콜릿, 호두, 맥아
SHB EP 산타이레네 게이샤 내추럴	스페셜티	내추럴	Gesha	69,000	69,000	67,000	재스민, 청사과, 복숭아, 건살구, 피스타치오

이름	등급	가공방식	품종				노트
[COE 2019] #7 라 레포르마 & 아네소스 게샤 워시드	스페셜티	워시드	Gesha	114,000	112,000	110,000	플로럴, 복숭아, 체리, 멜론, 리치, 꿀, 바닐라
[산타 펠리사 옥션 2020] 스타라이트 게샤 2722 와일드 이스트 퍼먼테이션 내추럴	스페셜티	와일드 이스트퍼먼테이션 내추럴	Gesha 2722	120,000	120,000	115,000	재스민, 블루베리, 라즈베리, 와인, 사과파이
SHB EP 제뉴인 안티구아 라스 누베스 워시드(APCA Certified)	마이크로랏	워시드	Bourbon	19,900	19,400	18,900	귤, 아몬드, 피스타치오, 그래놀라
SHB EP 피베리 제뉴인 안티구아 카페티요 워시드 (APCA Certified)	마이크로랏	워시드	Caturra, Bourbon, Pache	20,300	19,800	19,500	라임, 그래놀라, 녹차, 피칸
[산타 펠리사] SHB EP 레드 카투아이 더블 소크 랙틱 퍼먼테이션	마이크로랏	더블 소크/랙틱 퍼먼테이션	Red Catuai	21,500	21,000	20,500	귤, 아몬드, 단호박, 갈색설탕
[산타 펠리사] SHB EP 레드 카투아이 더블 소크 케냐 타입	마이크로랏	더블 소크 케냐 타입	Red Catuai	23,000	22,500	22,000	오렌지, 아몬드, 단호박, 갈색설탕
[산타 펠리사] SHB EP 레드 티피카 내추럴	마이크로랏	내추럴	Red Typica	23,500	23,500	23,000	귤, 마카다미아, 갈색설탕, 아몬드크래커
[산타 펠리사] SHB EP 레드 파체 힙 퍼먼테이션 내추럴	마이크로랏	내추럴/힙 퍼먼테이션	Red Pache	14,000	13,500	13,200	오렌지, 피스타치오, 아몬드, 곡물시럽, 호두
[산타 펠리사] SHB EP 블루 다이아몬드 풀리 워시드	마이크로랏	풀리 워시드	Caturra, Catuai, Bourbon	22,500	22,000	21,500	붉은 땅콩, 비스킷, 시리얼, 피칸, 스윗애프터
[산타 펠리사] SHB EP 옐로우 카투아이 내추럴	마이크로랏	내추럴	Yellow Catuai	58,000	57,000	56,000	귤, 땅콩크래커, 비스킷, 메이플시럽
SHB EP 라 에르모사 게이샤 아나에어로빅 풀리 워시드	마이크로랏	아나에어로빅 풀리 워시드	Geisha	26,800	26,500	26,000	재스민, 살구, 리치, 베르가못, 마카다미아, 시럽
SHB EP 라 에르모사 옐로우 버번 내추럴	마이크로랏	내추럴	Yellow Bourbon	28,900	28,500	28,000	크래베리, 건포도, 아몬드크래커, 캐슈넛
SHB EP 라 에르모사 핑크 버번 화이트 허니	마이크로랏	화이트 허니	Pink Bourbon	26,900	26,400	26,000	귤, 살구, 마카다미아, 물엿, 초콜릿
SHB EP 산타 이레네 파카마라 워시드	마이크로랏	워시드	Pacamara	26,900	26,400	26,000	청사과, 건포도, 피칸, 땅콩크래커
하와이 Hawaii							
엑스트라 팬시 코나 코나힐즈 팜	프리미엄	워시드	Kona Typica	139,500	132,500	132,000	청귤, 붉은 땅콩, 맥아, 시리얼, 메이플시럽
온두라스 Honduras							
SHG EP 코판 워시드 열대우림동맹인증	프리미엄	워시드	Bourbon, Caturra, Catuai	10,400	9,900	9,400	붉은 땅콩, 피칸, 시트러스, 비스킷, 맥아
SHG EP 로스 산토스 워시드	마이크로랏	워시드	Catuai, Bourbon	17,500	16,500	15,500	청사과, 호두, 단감, 비스킷, 메이플시럽

SHG EP 핀카 라 핀코나 파라이네마 허니	마이크로랏	허니	Parainema	16,400	15,400	14,900	청사과, 호두, 다크초콜릿, 비스킷, 시럽
SHG EP 핀카 로스 산토스 바냐데로스 워시드	마이크로랏	워시드	Catuai, Bourbon	17,500	16,500	16,000	귤, 호두, 단감, 아몬드크래커
자메이카 Jamaica							
블루 마운틴 NO.1	프리미엄	워시드	100% Blue Mountain	149,800	–	147,200	청포도, 오렌지, 비스킷, 마카다미아, 초콜릿
멕시코 Mexico							
SHG 알투라 핀카 몬테그란데	프리미엄	워시드	Typica, Bourbon	10,400	9,500	9,000	피스타치오, 해바라기씨, 맥아, 카카오
나카라과 Nicaragua							
SHG EP	컨벤셔널	워시드/ 선드라이드	Caturra, Typica	9,900	9,500	8,900	바게트, 군밤, 볶은 땅콩, 시리얼, 비스킷
파나마 Panama							
SHB 산타 클라라	프리미엄	워시드	50% Caturra/50% Catuai	13,500	12,400	11,600	허브차, 레몬그라스, 볶은 호두, 호밀빵, 시리얼
[코토와] SHB EP 핀카 던칸 에티오피안 와이들 에어룸 슬로우 드라이드	스페셜티	내추럴/슬로우 드라이드	Wild African Ethiopian Heilrooms	95,000	95,000	92,000	크랜베리, 사과주스, 아몬드초콜릿, 마카다미아
[라 에스메랄다 옥션 2019] 라 에스메랄다 스페셜 슈퍼 마리오 산 호세 워시드	스페셜티	워시드	Geisha	365,000	355,000	355,000	재스민, 히비스커스차, 딸기, 리치, 건살구
SHB EP 핀카 파밀리아 알티에리 엠파이어 게이샤 워시드	스페셜티	워시드	Geisha	125,000	125,000	120,000	재스민, 살구, 라즈베리, 베르가못, 피스타치오
[코토와] SHB EP 핀카 만다리나 카투라 내추럴	마이크로랏	내추럴	Caturra	34,000	33,000	32,000	블랙베리, 건포도, 와인, 참깨크래커, 다크초콜릿
SHB 돈안토니오 에스테이트 카투아이(Grain Pro)	마이크로랏	풀리 워시드	Catuai	22,800	21,600	20,700	귤, 오트밀, 사탕수수 설탕, 호수, 바닐라
코토와 던칸 카투라 허니	마이크로랏	허니	Caturra	35,000	34,000	34,000	피칸파이, 비스킷, 시트러스 뉘앙스, 땅콩크래커
라 에스메랄다 다이아몬틴 마운틴 내추럴	마이크로랏	내추럴	Catuai	40,000	39,000	39,000	블루베리, 건자두, 사과, 피칸파이, 초콜릿
라 에스메랄다 다이아몬티 마운티 워시드	마이크로랏	워시드	Catuai	37,500	36,500	36,500	귤, 아몬드크래커, 마카다미아, 시럽
페루 Peru							
SHB EP 찬차마요	프리미엄	워시드	Bourbon, Mibrizi, Jackson and SL	11,400	10,500	9,900	다크초콜릿, 호밀빵, 시리얼, 볶은 검은콩

• 아프리카 Africa

부룬디 Burundi

은고지 무부가 A 풀리 워시드	프리미엄	풀리 워시드	Bourbon	11,400	11,000	10,800	청귤, 호두, 맥아, 칡뿌리, 카카오닙스

에티오피아 Ethiopia

G2 시다모 워시드	컨벤셔널	워시드	Heirloom	10,200	9,500	9,100	과일류, 오렌지, 맥아, 아몬드, 볶은 땅콩, 시럽
G2 예가체프 워시드	컨벤셔널	워시드	Heirloom	11,000	10,200	9,800	과일류, 오렌지, 맥아, 아몬드 볶은 땅콩, 시럽
G4 시다모 내추럴	컨벤셔널	내추럴	Heirloom	8,300	7,100	6,600	플로럴, 베리류, 커피펄프, 카카오닙스, 파프리카
G1 예가체프 내추럴	프리미엄	내추럴	Heirloom	15,100	13,800	12,600	달콤한 향미, 베리류, 단맛, 신맛
G1 예가체프 워시드	프리미엄	워시드	Heirloom	14,900	13,600	13,400	오렌지껍질, 청사과, 볶은 땅콩, 호밀빵
G1 예가체프 코체레 내추럴	프리미엄	내추럴	Heirloom	18,700	16,700	15,800	귤껍질, 피칸, 땅콩, 우디애프터
G1 예가체프 코체레 워시드	프리미엄	워시드/ 선드라이드	Heirloom	16,000	15,700	15,300	귤, 메이플시럽, 복숭아, 맥아, 청사과
G1 케파 내추럴	프리미엄	내추럴	Heirloom	16,700	14,700	14,400	딸기, 달콤한 향미, 단맛, 신맛
G2 구지 케르차 내추럴	프리미엄	내추럴	Heirloom	14,900	14,500	13,900	블랙베리, 건포도, 피칸, 볶은 땅콩
G2 시다모 구지 워시드	프리미엄	워시드	Heirloom	15,700	14,400	13,200	히비스커스, 스위트오렌지, 캐슈넛, 사탕수수
G2 예가체프 두메르소 워시드 (Grain Pro)	프리미엄	워시드	Heirloom	15,400	14,200	13,300	레몬사탕, 아몬드, 로즈힙, 시럽
G2 예가체프 아리차 내추럴	프리미엄	내추럴	Heirloom	16,300	15,900	14,900	베리뉘앙스, 건포도, 피칸, 볶은 땅콩, 시리얼
G2 예가체프 첼바 워시드	프리미엄	워시드	Heirloom	13,500	12,300	12,100	레몬그라스, 볶은 땅콩, 맥아, 시리얼
G2 예가체프 코체레 워시드	프리미엄	워시드	Heirloom	11,800	11,500	11,200	귤, 캐슈넛, 비스킷, 맥아, 시럽

출처 : 지에스씨인터내셔널(주)

9. 소자본 커피 창업을 위한 플래닝

9. 소자본 커피 창업을 위한 플래닝

1. 소자본 창업의 이해

　자기개발의 가장 역동적인 수단은 바로 창업이다. 창업은 두려움을 극복하는 사람만이 성공할 수 있는데, 그것을 한마디로 표현한다면 인생을 능동적으로 개척해 나가는 용기 있는 출발이 되어야 한다. 두려움은 모든 사람들이 가지고 있는 본질이다. 그렇기 때문에 이 두려움을 어떻게 극복해 나갈 것인가에 대한 플래닝이 절실히 요구되는데 대부분의 사람들은 이러한 준비도 없이 창업에 성공하고자 한다. 자신만의 독특한 테마와 철학을 잘 살린다면, 여러 가지 시행착오로 인한 불필요한 시간낭비를 하지 않게 된다.

　요즘 현대인들에게 만남의 장소, 또는 업무를 위해 사용되는 대표적인 장소, 즉 카페를 찾는 사람들이 늘었다. 이러한 이유 말고도 그저 커피 한 잔을 즐기기 위해 카페를 찾는 이들도 날로 늘고 있다. 이렇게 사람들이 카페를 찾는 이유는 여러 가지가 있는데 그곳만의 차별화된 경영시스템, 종업원의 서비스 마인드, 실내 인테리어와 구성요소 등으로 볼 수 있다. 그래서 이번에는 소자본으로 할 수 있는 창업에 대한 준비와 개념을 잡기 위해 여러 요소들을 설명하고자 한다.

유럽의 커피문화 ⑥

모든 혁명의 진원지, 카페

계몽주의가 한창일 때 레장스라는 카페에 하루도 빠짐없이 드나들던 사람이 있었습니다. 그 사람은 우리가 잘 아는 장 자크 루소인데요. 카페에서 이 사람은 많은 것을 이루었습니다. 그리고 프로코프라는 카페가 있었는데, 이곳에서는 노예제 폐지를 위한 모임이 있었습니다.

프랑스혁명이 시작된 곳이라고 해도 과언이 아닌 카페드포아라는 카페에는 프랑스혁명을 지향하는 부르주아들과 그 부르주아들을 지지하는 사람들이 많이 모였었습니다. 프랑스혁명이 일어난 후에도 카페드포아에는 자코뱅파들이 자주 모이기도 하였습니다.

이곳들 이외에도 프랑스에 있던 카페에서는 각종 모임들이 굉장히 많았고 프랑스혁명이 끝난 후에도 계속해서 자신들의 이익을 위해 '혁명을 해야 한다'라는 주장을 펼쳤었습니다. 이렇게 카페에서 갖는 모임들로 인하여 볼프강 쉬밸부시라는 사람은 카페를 '부르주아의 생산력'이라고 불렀습니다.

2. 소자본 창업의 개념

1) 개념

소자본 창업은 일반적 창업이나 중소기업 창업지원법과 달리 기계, 원료, 자금, 인간 등을 결합하여 개인이나 집단이 책임지고 사업을 시작하는 것을 말한다. 보통 소자본 창업은 정보에 많은 영향을 받고 가족중심의 SOHO(Small Office Home Office)형 창업을 말하는데 대부분 건설 · 제조업인 경우 종업원이 10인 이하, 유통 · 서비스업인 경우 5인 이하를 말한다. (중소기업창업지원법 시행령 제2조의 규정에 의하면 타인으로부터 사업을 승계하여 승계 전의 사업과 동종의 사업을 계속하는 경우, 개인 사업자가 법인으로 전환하거나 법인의 조직변경 등 기업형태를 변경하여 변경 전의 사업과 동종의 사업을 계속하는 경우 및 폐업 후 사업을 다시 개시하여 폐업 전의 사업과 동종의 사업을 계속하는 경우는 창업으로 인정하지 않는다. 그러나 개인적 입장에서 소자본을 이용한 창업에서는 기존의 사업체를 인수하거나, 상속이나 증여에 의해 사업을 시작하거나 또한 기존에 있던 사업체를 임차하여 사업을 시작하더라도 창업이라 할 수 있다.) 즉 자금의 규모와 상관이 없고, 창업자가 누구인가와 상관없으며, 점포의 유무, 취급상품, 서비스 유형 등과 상관없이 새롭게 사업을 시작하는 것을 모두 창업이라 부르며, 그중에 투자자본 규모가 작은 창업을 소자본 창업이라 할 수 있다.

2) 통계 및 사례

일반적으로 소자본 창업이라 함은 투자자금 5천만 원 이내의 자금규모가 가장 많은 편이며, 분류하자면 1억 원 미만에 해당되는 것이 전체의 90%를 차지한다. 소자본 창업의 경우 고수익이나 안정성을 달성하는 것이 극히 일부분을 제외하면 매우 어렵다.

창업은 2년 내지 3년에 한 번씩 나타나는 소점포 사업의 변화주기를 주시하고 있어야 한다. 그리고 창업은 오케스트라와 같다고 볼 수 있는데, 오케스트라의 모든 악기들이 정해진 시간에 정해진 소리를 내야 아름다운 하모니가 이루어지듯 창업도 모든 조건들이 딱 맞아떨어져야 성공할 수 있는 것이다. 1990년대 미국의 벤처기업 창업이 IT붐을 이끈 사실을 보고 최근 일본이 이에 대해 벤치마킹을 하고 있다. 내용을 보면 주식회사 최저 자본금 규정을 한시적으로 면제한 후 1엔 창업이 급격히 늘고 있다는 점이다. 업종으로는 컨설팅, 컴퓨터 소프트웨어 개발, 인터넷 통신판매 등이 있으며 1엔 창업을 하는 대부분의 사람은 주부, 학생, 샐러리맨 정도이다.

3. 소자본 창업의 기본 요소

1) 창업자(Entrepreneur)

소자본 창업에서는 기본적으로 누구보다 열심히 해야 하고, 창업자의 판단능력, 경험 및 사업환경에의 적응력 등은 성공여부에 있어서 매우 중요한 부분이다. 그러나 무엇보다 중요한 것은 자신이 꼭 해야 한다는 사명감이다.

창업을 준비하는 기간에 어떤 사업을 하려는지를 정하여 자신에게 적합한 항목을 찾아 분석하고, 사업의 타당성 검토와 상권조사, 자금조달, 사업계획서 작성 등 세세한 모든 부분을 자신이 직접 계획하여 어떻게 경영할지를 결정해야 한다. 그리고 가장 중요한 것은 창업하려는 이유를 정확히 알고 있어야 한다는 것이다.

또한 창업할 때에는 유행업종을 좇지 말고 자신의 경력과 적성을 살리는 것이 훨씬 안정적이다.

2) 아이템(Items)

창업자는 누구든지 성공의 가능성이 보이는 유망한 아이템을 선정하여 사업하려는 욕구가 있다. 이때 유행 가능성이 농후한 아이템은 충분히 조사하여 정확한 정보를 가지고 선정하고, 신중하면서도 적절한 타이밍에 선택해야 한다. 이 타이밍이란 매우 중요한데 아무리 좋은 아이디어라도 당시 기준으로 자신과 동일한 생각을 가지

고 움직이는 사람이 있다면 쉽게 말해 유일성과 독창성, 독점적인 자기만의 힘이 줄어들기 때문이다.

아이템을 선정할 때에는 창업자 자신의 적성에 맞는지와 하고자 하는 지역과 환경에 잘 통할 수 있는지를 확

인하고 정확한 평가를 해야 하는데 그러기 위해서는 관심 있는 업종을 몇 가지 선정하여 각각의 업종에 대한 정보를 수집하고 사업성을 검토해야 한다.

이러한 정리 및 분류는 매우 중요하다. 각각의 개별적인 정보들을 종합해 보지 않으면 전체적인 맥락에서의 이해가 어려운 편이기에 창업자 스스로 항상 전체적인 관점에서 틀을 잡아보는 습관을 길러야 한다.

3) 자금(Funds)

대부분의 경우 실제 창업을 하다 보면 계획보다 많은 자금이 필요하게 되므로 자신의 자금능력의 70% 정도의 규모로 시작하는 것이 바람직하며, 특히 창업 초기에는 여유자금이 있어야 한다. 창업 후 6개월 이내에는 영업을 위한 운전자금을 계속적으로 쏟아부어야 하는 점을 충분히 고려해야 한다.

사업을 개시한 지 2~3개월이 지나도록 영업성과가 보이지 않는 경우가 허다한데, 이는 모든 사업의 초기에 발생하는 현상으로써 자신이 지금까지 노력한 씨앗들이 이제 막 새싹을 피워 나무로 자라려는 단계이기 때문이다. 즉 이 나무는 최소한 6개월은 자라야 눈에 보이는 경우가 대부분이다.

4. 성공 카페 계획서

1) 카페의 이해

1555년 이스탄불에서 세계 최초의 카페가 문을 열었는데 카페에서 위대한 작품들이 탄생하기도 하였고, 음악과 춤이 동화되며 혁명을 모의하는 장소로도 쓰였으며 각종 지식인과 예술가, 작가, 댄서, 혁명가, 시정잡배들이 한데 모여 어울리는 아지트가 되었다.

카페는 단지 커피를 마시는 장소 이상의 의미를 가지고 있는데, 한때 일부 상류층만을 위해 자리 잡고 있던 카페는 오늘날 누구나 드나들 수 있는 개인적이면서 공공적인 장소가 되었다. 이러한 시대적 변화로 '카페를 위해 카페를 간다'라는 말이 있을 정도다.

자기의 카페를 하나 오픈하는 것은 많은 사람들의 꿈이기도 하지만 요즘은 "커피숍이나 하나 차릴까?" 하는 말은 정말 옛날 이야기를 하는 것이다. 우리나라엔 골목마다 카페가 없는 곳을 찾기 어려울 정도로 많은 카페들이 생겨나고 또 그만큼 문을 닫기도 한다.

카페는 창업자 자신이 꿈꾸던 공간이 되어야 하고 제대로 된 커피를 제공할 수 있어야 하며, 그에 따른 보상인 수입도 딸려와야 하는 것이다. 위의 모든 조건을 충족시켜 줄 성공적인 카페 창업에 관한 것들에 대해서 알아보겠다.

2) 카페 인테리어의 중요성

성공적인 카페 창업을 위한 첫걸음은 인테리어이다. 카페는 손님이 오랫동안 앉아 있는 공간이다. 유명 프랜차이즈를 비롯해 많은 카페가 창가에 쿠션이 놓인 편안한 의자와 테이블을 놓는데 일반적으로 손님들은 카페에 오면 자연스럽게 창가 자리에

앉으려고 한다. 이 자리에 앉는 손님의 연령대는 다양하지만 그중에서도 연인들이나 젊은층은 창가 자리가 있다면 그 자리에 우선 앉기 위해 요청한다. 이렇게 연인들이 마주보고 커피를 마시는 모습이나 사람들이 여유롭게 대화하는 모습이 창가에 비치면 지나가는 손님들에게 보기 좋은 풍경이 되기도 한다. 카페는 실내로 들어온 손님뿐만 아니라 카페를 지나가는 잠재고객까지 끌어당겨야 하는데 이러한 잠재고객을 끌어당길 수 있는 비장의 무기가 바로 인테리어이다.

여성분들이 하는 화장도 그렇듯이 카페의 외모를 꾸미는 데에도 적절한 순서가 있는데 먼저 카페 인테리어의 절차에 대해 알아본다면 카페를 꾸미는 일이 훨씬 쉬워질 것이다.

인테리어의 순서를 간단하게 정리하면 가장 먼저 카페 콘셉트를 정한다. 그런 다음 시장조사 및 자료수집, 인테리어 업체 조사까지 필요한 정보를 수집하고 인테리어 업체를 선정하여 계약하고, 시공에 들어간다. 가구와 소품까지 배치하면 인테리어 공사가 완공되고 이제 카페를 오픈할 준비를 하면 된다. 인테리어는 창업에서 가장 많은 비용이 소요되고 카페의 생존과 직결된 요소라 할 정도로 아주 중요하다고 볼 수 있다.

(1) 분석 및 콘셉트

창업 초기엔 상권분석 및 콘셉트 지정과 유사한 과정이 필요한데 인테리어 역시 그렇다. 카페를 오픈하는 주목적은 수익을 창출하기 위해 손님에게 커피를 판매하는 것인데, 여기서 중요한 것은 카페 주위 잠재고객의 성향을 파악하는 것이다. 카페의 인테리어를 할 때 연령대는 물론 성별의 구성 비율, 직업 등 구체적인 사항을 파악해서 인테리어를 해야 한다. 즉 한 명의 고객이라도 더 확보하려면 고객성향에 맞추어

그들의 니즈(needs)를 해결해 주어야 한다. 예를 들면 오피스가의 직장인들이 많은 경우라면 테이크아웃의 비율이 높을 것에 대비하여 실용적인 구조를 갖추고 카페 내에서 업무를 볼 수 있도록 모던한 분위기를 구성하여야 하며, 대학가의 여대생들이 많은 지역일 경우 여대생의 취향에 맞는 편안하고 아기자기한 분위기의 구성이 필요한 것이다. 그 밖에 잠재고객의 성향을 파악하는 것도 매우 중요하다. 커피에 대한

이해도가 높은 고객들이 많다면 간단한 취미 커피교실을 구성하거나 핸드드립 커피를 구성하는 것도 좋고, 커피에 대한 이해도가 낮은 경우라면 대중적인 메뉴를 중심적으로 메뉴를 구성하는 것이 좋은 마케팅 방법이 될 것이다.

위에서처럼 자신이 하고 싶은 위치에서 하고 싶은 스타일의 카페를 운영하는 것도 중요하겠지만 상황이 따라주지 않는다면 마케팅방법을 도입하여 고객을 유치하는 것이 우선이다. 카페를 운영하는 것은 커피에 대한 관심에서 시작하겠지만, 결국 수익 창출이 목적이므로 먼저 카페에서 메뉴를 구매해 줄 고객들의 눈높이에 맞추는 것이 절대적으로 필요할 것이다. 그리고 그 메뉴와 관련해서도 고객들의 심리를 이용하여 자신의 수익 창출이 제일 높은 아이템을 가장 눈에 띄는 위치에 놓아두는 등의 방법을 사용하는 것이 좋다. 보통 사람들은 메뉴를 볼 때 양면 중 오른쪽 하단에서 약간 윗부분부터 보는 경향이 있으니 이를 이용하는 것이 좋다.

(2) 제품 차별화

경쟁 속에서 살아남기 위해서는 차별성이 필요한데 그것의 결정적 요소가 바로 인테리어이다. 거리에서 보이는 카페의 외관과 창문, 그리고 안으로 보이는 카페 내부 풍경이 카페를 어필할 수 있는 1차적 요소이다. 그렇게 해서 고객이 카페 안으로 들어와 한 잔의 커피를 주문하게 되는 것이다. 고객들로부터 첫인상이 결정되는 것은 간판과 입구이다. 즉 이것은 마케팅 중 포지셔닝 마케팅으로서 회사가 고객에게 보여주는 이미지, 즉 브랜드화된 것이다. 간판과 입구의 모습은 소비자가 카페와 가장 먼저 만나게 되는 부분이다. 그리고 카페 안으로 들어온 후 카페의 풍경인 벽, 바닥, 천장, 바 등을 두 번째로 보게 된다. 마지막으로 자리에 앉았을 때 눈에 들어오는 분위기, 조명, 소품 등이 고객의 마음을 움직이는 요소가 될 수 있다.

카페를 아름답게 할 수 있는 요소에도 꽤 다양한 도구가 존재하는데 예를 들면, 전체 분위기를 자아내는 색채와 색채를 돋보이게 하는 조명, 그리고 공간의 구석을 채우는 소품 등으로 모든 요소를 고려하여 아름다운 공간을 만들어야 하고 고객의  취향에 딱 맞을 수 있도록 해야 고객을 단골로 만들 수 있게 되는 것이다.

(3) 실용성

카페가 추구해야 할 것 중 중요하게 고려해야 할 것 중 하나가 바로 아름다움이다.

하지만 아름다움만큼 중요시해야 할 것이 있는데 이는 실용성이다. 고객이 카페의 아름다움에 사로잡혀 그것에 대한 선택으로 주문을 결정하였다면 이제 음료로서 고객과 승부를 걸어야 한다. 그리고 이것을 통해 마음을 한 번 더 훔쳐야 한다. 여기서 바로 이 실용성이 필요하게 되는 것인데 카페에서 메뉴를 제조하는 사람들의 실력이 부족하여 고객의 입맛을 사로잡지 못한다면 아무리 외적인 분야가 뛰어나더라도 고객의 마음을 훔치지는 못할 것이다. 또한 고객들이 제조과정까지 지켜볼 수 있는 공간적 구성이 있다면 효과는 매우 좋을 것이다.

공간적 구성 중 가장 중점을 두어야 할 것은 바(Bar)의 동선이라 볼 수 있다. 바에는 에스프레소 머신, 그라인더, 제빙기, 빙삭기, 정수기, 냉장고 등 메뉴를 만드는 모든 장비들이 위치하게 된다. 이것들의 가격만 따져도 창업비용의 상당부분을 차지한다. 그래서 그 가격에 맞게 장비들의 크기도 커서 보통 이것들을 배치하면 변경하는 것은 쉽지 않다. 그러므로 바(Bar)에서 일하는 사람들의 동선과 작업의 효율성을 고려하여 장비들을 배치하도록 해야 한다. 예를 들어 주문이 동시에 들어올 경우 바에서 일하는 직원들끼리 부딪치는 일 없이 편하게 움직이며 일할 수 있는 넓은 공간이 필요하다.

다음으로 신경써야 할 부분은 직원들의 키(height)에 맞추어 바를 구성하는 것이다. 그 밖에 장비도 제빙기와 빙삭기의 위치는 가깝게 배치하는 등 최소의 움직임으로 최대의 능률을 내게 해야 한다.

카페 창업의 목적은 메뉴를 고객들에게 판매하여 수익을 얻는 일이다. 최고의 메뉴들과 좋은 서비스로 고객들이 '다시 한번 이 카페를 방문하겠다'라는 생각을 갖게 하는 것이 바람직한 카페운영이라 할 수 있다.

3) 콘셉트와 디자인의 중요성

카페의 콘셉트는 메뉴, 바리스타, 인테리어 등 그 모두라 볼 수 있다. 그래서 이 모든 것을 총체적으로 말하는 단어가 있는데 이것이 바로 아이덴티티(Identity)이다. 카페의 모든 것은 아이덴티티에 따라 결정된다. 이 아이덴티  티의 개념을 알기 위해 다음에서 설명하도록 하겠다.

(1) 세분화

첫 번째로 커피를 비롯한 전반적인 음료들, 사이드 및 푸드 메뉴의 결정이다. 그냥 커피만 주로 판매하겠다 해도 내방 위주인지, 테이크아웃을 중심으로 하는지에 따라 커피메뉴도 세분화될 수 있다.

(2) 스토리

그리고 두 번째는 B.I(Brand Identity)로 메뉴, 매장 분위기, 서비스 등이 어떤 스토리를 갖고 고객들에게 각인되는가이다. 고객들에게 어떤 인상을 심어주고 싶은지 콘셉트를 명확히 정하는 과정이라 할 수 있다. 창업주가 생각하는 카페의 콘셉트가 고객에게 정확히 전해지면 성공적인 디자인이라고 말할 수 있다.

(3) 장소성

다음으로는 장소에 대한 이야기로 카페를 오픈하기 위해 적당한 입지를 고르는 일
이 있다. 입지에서 심플하게 보증금은 얼마, 월세는 얼마인지 등의 금액적인 부분으
로만 말하기에는 전반적인 카페 디자인이 끼치는 영향이 크다.

(4) 타깃층

그리고 타깃층이라는 것이 있다. 선정한 입지에 따라 유동인구가 다르고, 이에 맞춰 메뉴와 가격대, 인테리어까지 모두 변동사항이 생긴다.

(5) 엔지니어링

마지막으로 매장의 하루 고객수가 어느 정도인지, 요일별, 시간대별 손님들의 방문성향은 어떠한지, 매장 회전율은 어느 정도인지 파악하여 메뉴의 가격, 1인 소비단가 등을 염두에 둔 매출을 산정하는 것이다. 바로 이러한 과정들을 지나야 카페의 공간은 아름다움과 기능이 적절히 디자인되어 아이덴티티를 가진다고 말할 수 있다.

4) 성공적인 계획을 위하여

(1) 독창성

아이템의 독창성은 디자인에 모티브를 부여한다. 바리스타, 디스플레이, 고객의 동선배치 결정에 있어서 중요한 영향을 미치는 요소가 된다. 창의적이며 독특한 메뉴

아이템은 그 형태, 의미, 맛이 주는 느낌이 역사적, 문화적으로 인식되어 온 관습적 의미를 가지고 있다. 이런 아이템이 갖고 있는 내용의 의미들이 디자인의 기본적인 콘셉트와 독창적인 모티브 또한 B.I의 콘셉트 등을 정하는 데 상당한 영향을 끼친다.

(2) 배치 결정

그리고 효율적인 판매를 위해 평면의 기능적인 동선배치를 결정하는 경우도 있다. 예를 들어 판매 극대화를 위한 주문 대기선(Order waiting line)의 상품 배치, 커피 음료를 제조하는 바리스타의 효율적 동선, 또한 이런 과정을 고객들에게 보여주어 효과를 최대한도로 끌어내는 바의 음료 픽업 동선배치 등의 결정이 기본적 요소가 된다. 그래서 인테리어 디자이너에게 가장 먼저 전달되어야 할 것은 바로 창업주의 커피, 음료의 종류와 사이드 아이템이다. 혹시 디자이너가 카페에 대한 전문지식이 부족한 경우 실제 아이템들을 시음하며 아이템의 맛과 느낌 등을 공유하는 것도 바람직한 디자인 과정의 하나라고 할 수 있다.

아이템 선정에서부터 브랜드 이미지, 서비스마인드와 공간, 스토리를 만드는 부분까지 매장의 일관성을 고객들에게 강하게 어필할 수 있다면 성공적인 카페디자인을 만드는 과정을 거쳤다고 말할 수 있다. 예를 들면 아직 디자인되지 않은 공간에 대한

시나리오가 없다고 가정한다면 창업주가 어떠한 콘셉트로 고객들에게 메뉴를 전달할 것인가에 대한 내용이 없는 것으로 볼 수 있다.

(3) 지역별

또한 지역별 특성에 따라 매장의 디자인 또한 달라져야 하는데 이것을 상권별로 나누어보면 주택가, 유흥지, 대학가, 오피스 밀집지역, 역세권 등의 일차적 분류지역들부터 여러 상권들이 교차되는 지역까지 매우 큰 범위를 가지고 있다.

디자인업체 입장에서 시간대별 매출, 고객들의 성향, 연령층, 성비율 등을 분석해 낸 이 정보들이 상대적으로 중요하게 느껴지지 않을 수 있다. 그러나 디자인적 입장에서 장소에 대한 의미는 사람들이 그 공간을 인식했던 과거의 관념들을 계승·발전·변화시키는 특수성을 갖게 한다. 또한 매장의 매출 극대화를 위한 위치에서의 의미를 디자인적인 부분에서도 찾을 수 있는 것이다. 그러므로 부족한 장소를 계승·보완·발전·변화시킬 수 있는 디자인을 실내 또는 야외 공간에 적용시킬 수 있어야 한다. 따라서 장소적 의미를 잘 알고 단순한 상권으로서의 입지 이상으로 대하는 것이 창업주와 디자이너 모두에게 중요한 요건이다.

(4) 공간적 의미

상당수의 카페들이 '그곳' 또는 '그것'을 소비하기 위해 방문하는 자의 입장이 아닌 창업주의 연령, 취향, 생각에 따라 디자인되는 경우가 많다. '그곳'을 소비한다는 말을 쓴 이유는 고객들이 단순히 메뉴들을 소비하는 것뿐 아니라 공간을 공유할 수 있기 때문이다. 이 공간의 공유가 고객들의 방문이유가 될 수 있다. 디자이너의 역할은 창업주의 의도를 파악하고 적용하는 것이다. 디자인 소비대상을 잘못 짚고 소비대상의 우선순위를 바꾸는 실수를 저질러서는 안 된다. 이를 피하기

위해서는 창업주가 디자인의 방향을 미리 제안하여 상호 간의 커뮤니케이션에 용이하게 하지만, 소비자들을 고려하지 않은 일방적인 의견전달은 손님들이 좋아하고 그로써 장사가 잘되는 디자인을 나올 수 없게 하는 원인이 된다.

(5) 수용력

마지막으로 설계의 한계치, 즉 피크타임 때의 고객수를 시간당, 분당으로 나눠 고려하는 것을 산정하는 것인데 수익성 관점에서 매우 중요하다. 고객 주문대기선, 테이크아웃라인의 동선과 길이, 바리스타의 작업 동선, 작업 인원을 정하고 한계치의 시간당 잔 수를 파는 것이 가능한 바의 설계, 홀 직원의 작업 인원, 퇴식 및 정리 동선 등, 이 모든 것을 염두에 두고 디자인되어야 한다. 이러한 과정을 충분히 거쳤다면 카페의 궁극적 목표인 수익창출을 돕는 기능적인 역할을 하는 디자인을 했다고 볼 수 있다.

5. 감성 전략

1) 인테리어 설계

사람들은 커피 한 잔을 마실 때, 맛도 물론 중요하지만 어디에서, 어디를 보며, 누구와 함께 마시는가를 중요하게 생각한다. 고객들의 미각과 후각을 자극하는 맛있는 커피가 있다면, 시각과 청각, 촉각은 카페의 모든 인테리어 요소들이 담당할 수 있는 부분이다.

숙련된 바리스타에 의해 만들어진 맛있는 커피는 고객의 공감을 얻는 인테리어로 완성된다. 그러므로 성공적인 카페 인테리어 디자인을 위해서 더 심도 있고 체계적인 접근과 분석이 요구된다.

카페공간은 손님들의 욕구와 생활패턴의 변화가 가장 구체적으로 나타나는 곳이므로 손님들에게 직접 상품(커피, 서비스 등)의 이미지를 전달하는 매개적인 공간이며 매장의 차별화를 가져야만 한다. 이로써 전략적인 이미지 계획을 위한 공간디자인의 필요성이 높아지는 것을 알 수 있다. 공간디자인이란 공간을 구성하는 요소들

상호 간의 관계에서부터 구성요소를 이루는 세부사항에 이르기까지 다양한 요소들을 종합하여 하나의 요소로 느끼게 되는 것이라 말할 수 있다. 이렇게 어디부터 어떻게 시작해야 할지 알기 어려운 것이 인테리어이다.

2) 감성 자극

고객들의 감성을 자극할 수 있는 인테리어 계획을 통해 성공적인 카페를 만드는 시간이 펼쳐진다. 지금 카페에 앉아 있는 사람들의 행동, 그들의 눈, 귀, 손이 어디를 향하고 있는지 하나하나를 관찰하고 그들이 원하는 감성에 귀 기울이는 인테리어를 해야 한다.

대부분의 기호식품들은 이렇게 인테리어가 중요하게 작용하는데 이 중 커피는 스스로 감성을 활성화시키고 싶다거나 감성적인 몰입을 원할 때 찾게 되는 음료이다. 반대로 생각해 보면 감성적인 공간에 있게 되면 커피가 떠오를 수 있다는 것이다. 이처럼 커피와 감성적 공간은 뗄 수 없는 관계에 있다. 감성의 시작은 공감을 전제로 한다. 즉 공감을 해야만 연속적인 반응으로 감성이 움직여지는 것이다.

3) 인식 부분

공감은 인간의 본성에서 비롯되는 희로애락의 근본적인 감정을 통해 느껴지는 일반적인 공통인식 부분과 개인의 축적된 지식과 사회인문적인 성향, 세월에 따라 형성된 다양한 경험 등을 통해 이성적으로 반응하는 개별인식 부분으로 나뉜다.

이 부분에서 개별인식 부분에 주목해야 프로젝트의 완성도를 한층 더 높일 수 있다. 눈으로 보기에 수준 높은 인테리어로 새로운 시지각(visual perception) 환경을 만들어내도 카페를 방문하는 고객들의 개별인식 부분을 통한 공감을 얻어내지 못한다면, 그들의 감성을 자극하지 못할 것이고 감성적인 환경으로의 몰입을 원하는 그들이 원하는 것과 상충되는 결과를 내놓을 것이다.

6. 인테리어 전략

1) 공감요소 삽입

① 소구점 시각화

고객들에게 보여주고자 하는 소구점(광고 캠페인에서 소비자들에게 가장 전달하고 싶은 상품이나 서비스의 특징)인 메뉴에 대한 문화적·특성적 분석을 통해 시각화한다.

② 입지분석

잠재고객들의 행동패턴과 라이프스타일을 입지분석을 통해 분석하고 개념화한다.

③ 메시지 전달

고객에게 전달하고자 하는 메시지를 운영의 주체로 담아야 한다. 위의 공감요소가 준비되면 모든 과정을 통해 지속적으로 강화되어야 하는 필수 운영요소인 아이덴티티가 생성되는 것이다.

2) 성공적 디자인의 필수 3요소

① 시각화된 메뉴

매장의 인테리어는 제공하는 메뉴와 부합되어야 한다. 특히 개인이 운영하는 카페나 커피전문점은 유행의 흐름에 민감하게 작용되는데 제공되는 메뉴의 고유한 느낌과 맞지 않아 생기를 잃게 되는 경우가 빈번하게 발견된다. 이는 스스로 제공하는 메뉴를 잘 살리는 인테리어보다는 기업형 카페의 인테리어를 무분별하게 도입하기 때문이다. 이러한 경우 유행이 변하면 대부분의 인테리어를 다시 손봐야 하는 경우가 생기게 되어 상당한 비용이 소요될 수밖에 없다. 그래서 충분한 메뉴개발을 통해 시장의 흐름에 휩쓸리는 일이 없어야 한다.

유동인구가 많은 점포는 빠른 시간 내에 리엔지니어링이 불가피한 경우도 있다. 일반화된 것에 대한 변질의 문제가 있기 때문인데, 인테리어를 통한 차별화를 모색하기 전에 메뉴에서의 차별화를 이루어야 하고 이렇게 이루어진 메뉴는 차별성을 가지고 인테리어 전문가와 협의해 시각화하여야 한다.

② 분석을 통한 고객의 니즈 확보

특정고객 위주의 특별함을 강조하는 것보다는 포괄적인 분위기와 특징적인 포인트를 배치하여 여러 부류의 고객들에게 대응하고, 메뉴선정에 따른 대상고객과 입지를 선정하여 매장 인테리어를 구체화하는 과정이다. 이것으로 일반화된 이미지도 구축할 수 있다.

③ 전략적 체계를 통한 운영기준 확립

영업주로서의 의지를 고객들이 직·간접적으로 느낄 수 있는 부분인데 이것은 매장운영의 비전과 전략적인 지침에 대한 부분으로 영업주가 전하는 무언의 메시지인 것이다.

카페를 이용하는 고객은 특정한 체크리 스트로 매장을 평가하지 않지만 오감으로 느껴지는 직관으로 재방문 여부를 결정 한다. 정확한 영업시간, 깔끔한 유니폼상 태, 위생관리, 매장 정돈 여부, 편의시설

여부, 고객의 입장에서는 기본적인 조건들에 실망하면 부정적인 입장이 되어 미각에 대한 흥미도 반감된다. 이러한 상황에 맞춰 모든 것을 갖춰 놓을 수는 없지만, 부족 한 부분을 미리 파악하여 보완하는 리워드 전략을 갖추어 놓고 있다면 고객의 공감 은 배가될 것이다.

3) 요약 및 결론

위에서 살펴본 세 가지의 기본요소들은 장기적인 성공의 충분조건이 아니고 말 그 대로 기본요소 중에서 필수적인 것들이다. 그것은 요약해서 답을 내기는 어려운 부 분이다. 왜냐하면 여러 가지 복합적인 요소가 결합되어 나타나기 때문이다. 그것은 맛을 포함한 미각적 요소에 대한 부분이며 매장관리에 대한 부분이다.

일본의 경우, 변함없는 그들만의 개성으로 수십 년째 운영하는 카페들과 음식점들 이 많은데 이것은 오랜 세월 쌓아온 고객과 신뢰를 위해 유행에 따라 바꾸지 않고 지 켜왔기 때문이다. 일 년에 1~2번씩 방문하는 작은 카페의 변함없는 바리스타의 손 놀림을 보고 있으면 스스로 이 매장에 공감할 수 있음을 깨닫게 된다.

7. 분위기 전략

카페의 첫인상은 외관에 의해 결정되는데 카페에 앉아 이곳저곳을 살펴보며 자신의 취향과 맞는지 알아보는 것은 외적인 멋에 의해 결정된다. 특히 우리나라 사람들의 성향은 유명 브랜드와 고품격의 이미지를 좋아하기 때문에 일반적으로 프랜차이즈업체를 선택할 가능성이 매우 높다.

1) 색채

색채의 사전적 의미는 반사에 따라 형성되는 스펙트럼의 특징, 빛의 투과라고 설명되어 있다. 이것은 우리가 눈으로 보고 느껴지는 이미지를 하나의 이름으로 명명한 것이라고 할 수 있다. 이러한 색채는 다양한 형태로 우리의 삶과 밀접하게 닿아 있다. 색채의 구성을 적재적소에 보다 효과적으로 배치한다면 사람들로 하여금 구매 의욕을 불러일으키는 심리적 효과를 볼 수 있다.

① 색채의 선정

요즘 카페는 인테리어에 있어서 매우 다양한 테마를 가지고 있다. 메탈이나 시멘트를 그대로 노출하여 자연스러운 분위기를 연출하는 곳도 있고 검은색의 조화로 모던한 분위기를 연출할 수도 있다. 이렇게 색채를 가장 효과적으로 선정하는 데에는 여러 가지 방법이 있다. 그중에서 카페 경영자의 선호도나 지역에 맞는 너무 튀지 않는 색을 선택하는 것이 매우 중요하다. 기본이 되는 베이스 색을 선정했다면, 다른 부가적인 어떠한 색과도 잘 어우러지게 구성하여야 하며 전체 콘셉트와 어울릴 수 있는, 즉 여러 가지 다른 요소들과의 궁합을 생각하는 것이 좋다. 전체적인 테마색으

로 실내를 장식할 경우 다소 애매모호한 경우가 있는데 이때 무채색으로 공간을 채우는 것도 하나의 방법이다. 이러한 색들을 적절히 사용하면 애매모호한 공간을 새롭고 완벽하게 채울 수 있다.

② 색채의 심리

색채는 사람의 심리에도 큰 영향을 미치는데 각 색상은 이미지를 가지고 있어 사람의 감정에도 영향을 미치게 된다. 자신이 추구하는 카페의 콘셉트는 카페 주요 고객층의 취향에 맞아야 하며 그 활용도와 응용력에 따라서 엄청나게 큰 효과를 낼 수 있다.

2) 조명

색채와 함께 카페의 분위기를 움직이
는 요소는 조명이다. 일반적으로 백열
등, 형광등 말고도 종류가 다양하고, 어
떤 조명을 사용하느냐에 따라 전체적인
색상의 느낌이 변하게 된다. 또한 조명
형태에 따라서도 세부적인 분위기 연출
이 달라질 수 있다.

① 조명의 선정

조명은 크게 두 종류가 있는데 간접조명과 직접조명이다. 간접조명은 발광되어 반

사된 빛이 공간에 전달되는 형태라고 볼 수 있다. 그리고 직접조명의 경우 발광량이 90% 이상 직접 작업면에 투사되는 형태를 말한다. 간접조명과 직접조명 모두 장단점이 있는데 현재는 적은 전력으로 사용되는 간접조명의 사용이 증가되고 있다. 카페도 마찬가지로 간접조명의 활용이 더욱 증가되는 추세이다.

조명의 색상 또한 중요한데 전구의 색깔에 따라 전체적인 색채의 느낌이 변화되기 때문이다. 카페의 경우 내부조명은 고객들의 식욕을 자극시킬 수 있는 황색계열이 필요하고, 다른 공간들은 조명을 더욱 살려 조명의 효과가 배가될 수 있도록 선택해야 한다.

② 소품

소품은 분위기 연출에 있어 여러 가지 매력을 발산할 수 있고, 카페의 분위기를 돋보이게 함은 물론 이미지를 각인시킬 수 있는 유용한 물건이다. 요즘 각종 커피 추출 기구를 판매하는 곳이 늘어나면서 이러한 것들을 소품화시켜 고객의 테이블 위에 놔두는 경우가 많은데 이것은 결과적으로 원두 판매를 증대시키는 효과가 있다. 사이폰이나 모카포트의 경우 소품으로써의 역할을 충분히 소화할 수 있고 핸드드립과 관련된 드리퍼, 핸드밀 등이 각 소재별로 다양하게 전시되는 경우가 많다. 이외에도 작은 인형, 액세서리, 옷 등으로 다양한 형태의 소품이 전시되는데 최근 소품을 카페의 메인 테마로 지정한 소품 카페도 생겨나는 것을 보면 중요한 부분으로 볼 수 있다. 때때로 카페의 정체성을 소품에 맞추는 경우가 있는데, 아무리 예쁜 소품일지라도 지나치게 많을 경우 집중력을 떨어뜨려 전체분위기를 산만하게 할 수 있다는 사실을 명심하여 주의를 기울일 필요가 있다. 만약 소품의 테마를 일치시킬 수 있다면 고객의 관심을 끄는 데 효과적인 역할을 할 수 있다.

유럽의 커피문화 ⑦
신문과 잡지의 어머니, 카페

영국에는 로이드 카페라는 곳이 있었습니다. 로이드라는 사람이 최초로 로이드 뉴스라는 신문을 만들었는데, 카페에 오게 되면 자신이 모르는 새로운 소식을 접할 수 있고, 또 자기와 뜻이 같은 정치적 동지를 만나는 등 카페라는 곳이 정치적인 역할도 하게 된 것입니다. 영국에서뿐만 아니라 프랑스에서도 카페는 이렇게 정치적 공간으로서의 초기역할을 하게 되었습니다. 로이드 뉴스는 초기에 보험에 가입하고자 하는 선박 주인들의 이름을 싣는 정도였습니다. 이렇게 언론의 발전은 아주 낮은 단계부터 시작했던 것인데, 이곳 말고도 버튼이라는 커피하우스에서 '습관을 위한 관찰자'라는 부재로 스펙데이터라는 잡지를 만들고, 가디언이라는 잡지도 만들어졌습니다. 이렇게 카페에서 지식과 정보를 공유하면서 언론의 발전을 도모하게 되었고 이런 이유 때문에 19세기, 20세기에도 유럽의 카페들은 신문과 잡지를 카페 내에 많이 비치하여 카페를 방문하는 사람들에게 늘 새로운 소식과 정보를 접할 수 있도록 하였습니다.

커피의 모든 것

10. 인스턴트 커피 &
디카페인 커피의 실체

10. 인스턴트 커피 & 디카페인 커피의 실체

1. 인스턴트 커피와 디카페인 커피의 정의

1) 인스턴트 커피

볶아서 분쇄한 커피로부터 커피액을 추출하고 이것을 건조 · 분말화한 것을 인스턴트 커피라고 한다. 분말을 그대로 뜨거운 물에 녹이면 커피액이 되고 즉시성, 간편성 때문에 현대인들에게 널리 애용되고 있다.

 커피시장의 빛나는 조연 인스턴트 & RTD 커피

원두커피가 있기 전, 인스턴트 커피가 있었다. 커피가 생소하던 시절 주한미군을 통해 알음알음 알려진 인스턴트 커피는 한때 우리나라 커피시장을 장악하고 있었다. 이후 원두커피의 대중화와 스페셜티 커피시장의 성장에 인스턴트 커피의 명성은 예전만 못하게 되었지만, 특유의 맛과 간편함, 저렴한 가격에 꾸준한 수요를 보이고 있다.

RTD 커피 또한 인스턴트 커피 못지않은 편리함으로 지속적인 성장세를 이어가는 중이다. 커피전문점 외에도 많은 커피 소비가 일어나는 편의점을 중심으로 다양한 RTD 제품이 판매되고 있으며, 개인카페의 개성 있는 RTD도 만나볼 수 있어 앞으로가 더 기대되는 시장이다. 원두커피가 주연이라면 인스턴트 커피와 RTD 커피는 조연으로서 시장을 보조하고 있다.

2) 디카페인 커피

지금의 디카페인 커피라고 하는 것은 커피가 함유하고 있는 카페인의 96~99%를 제거하면서도 커피의 향미를 유지하는 것을 말한다. 디카페인 공정은 그린빈 상태에서 하게 되는데 그린빈의 물리적·화학적 구조를 분해한 후에 커피의 풍미를 바꾸는 것이다.

☕ 카페인의 함량

식물의 종류에 따라 카페인의 양이 모두 다른데 아라비카종이 로부스타종보다 평균 3배가량 적다. 원두의 종류, 끓이는 방법, 사용된 커피의 양에 따라서 달라지는 것이다. 150cc의 커피를 추출하면 카페인의 양은 평균 70~155mg이 들어 있게 되는데 이것은 용량으로 환산하면 약 0.075~0.185cc까지 함유되어 있는 것이다. 카페인이 제거된 원두로 끓인 커피는 한 잔에도 약 0.3%의 카페인이 들어 있다. 미국 의학계에서 인정받은 결과로는 하루 600mg = 0.6cc(약 10잔 정도)까지의 카페인 섭취는 성인의 건강에 해가 되지 않는다.

커피에는 카페인이 얼마나 들어 있나요?

　커피라고 하면 제일 먼저 연상되는 게 있다. 바로 카페인이라고 할 수 있다. 과연 그 카페인은 건강의 적일까? 언론에서 여러 가지 말들이 많이 나온다. 당뇨병, 대장암 예방 효과, 여성의 피부미용, 피로감 회복, 소화촉진, 오렌지주스보다 더 많은 수용성 식이섬유질 등 여러 가지 효능이 있다. 하지만 너무 과다 음용하면 좋지 않다. 옛말에 과유불급이라는 말이 있지 않나. 특히 카페인을 과다하게 섭취하여 생기는 부작용은 불면, 속쓰림, 손떨림 등으로 사람마다 다르기에 어떻게, 누구와 함께, 언제 마시느냐에 따라 좋고 나쁨이 결정되기도 한다. 참고로, 추출방법에 따라서도 카페인이 용해되는 함량에 약간의 변화를 보인다.

　드립추출의 경우 약 85mg, 에스프레소 40mg, 더치커피 추출 3mg의 평균치를 나타내고 있는데 성인의 경우 하루 2잔에서 3잔까지는 당뇨병에 대한 위험률을 50%까지 낮춘다고 보고되어 있다. 그러나 사람들의 카페인 특이반응의 경우에 따라 조금씩 달라질 수 있다고 한다.

2. 인스턴트 커피와 디카페인 커피의 역사

1) 인스턴트 커피

　1889년, 미국의 한 커피 수입업자와 한 로스트 업자는 일본인인 가토 가루토리라는 사람이 발명한 물에 녹는 차가 있다는 것을 알게 되었다. 이들은 가토의 발명품인

탈수처리과정을 커피에 적용할 수 있을지에 대하여 연구하기 시작했고 추후 미국인 화학자를 연구에 끌어들여 가토커피회사를 창설하고 연구를 계속하여 2년 후인 1901년, 가토커피회사는 물에 녹는 인스턴트 커피를 시카고에서 개최된 범아메리카 월드페어에 내놓았는데 그것이 인스턴트 커피의 시작이다.

이 제조기술을 받아들여 1907년에는 인스턴트 커피가 군용품으로 제조되었다. 제2차 세계대전 때는 전쟁 시 간편하게 마실 수 있는 편리함 때문에 많이 소비되었고 후에는 일반가정용으로도 폭넓게 소비되기 시작했다.

2) 디카페인 커피

커피에서 카페인을 처음 추출해 내는 데 성공한 사람은 독일의 화학자 룽게이다. 그러나 커피에서 카페인을 제거한다는 생각은 룽게가 한 것이 아니다. 그의 친구였던 괴테는 커피를 마시면 잠을 이루지 못하는 것에 의문을 갖고 화학자인 룽게에게 커피의 구성성분을 분석해 볼 것을 제안했다고 한다. 창조적인 괴테의 사고와 성실한 룽게의 상업적인 성공은 그로부터 무려 한 세기가 지난 후에야 가능해졌다. 1906년, 독일의 커피수입업자 루드비히 로셀리우스는 자신의 연구원들과 함께 카페인이 제거된 커피를 만드는 데 성공하여 디카페인 커피를 상품화하였다. 그는 브레멘에 회사를 설립하고 브랜드를 지금까지도 우리에게 익숙한 '상카(Sanks)'라고 지었다. 카페인 없는 커피가 1992년에는 커피시장의 30%까지 차지했었으나 점차 그 점유율이 떨어지고 있다. 카페인은 중독성이 아닌 습관성이며, 디카페인 커피가 심장병을 일으킬 확률이 높다는 등의 이유 때문이다.

 커피 카페인으로부터 건강한 몸 지키기!!

　의학보고서에 의하면 카페인의 섭취는 양면성을 가지고 있다고 한다. "카페인 5mg 섭취만으로 칼슘이 손실된다고 하는데 그럼 어떻게 해야 하나요?" 하고 궁금해 하시는 분이 많다.

　어떻게 하면 맛있는 원두커피도 즐기고 칼슘의 손실을 막을 수 있을까?

　보통 우유와 함께 마시면 몸의 균형을 유지할 수 있다고 한다. 커피 마시고 신선한 우유 한 잔이면 적당한 수분과 영양섭취를 통해 정신적으로 건강하게 살 수 있을 것이라 생각한다. 아울러 우유가 함유된 커피 베리에이션 음료를 음용하는 것도 좋은 방법 중 하나이다.

3. 인스턴트 커피와 디카페인 커피의 제조과정

1) 인스턴트 커피

각 커피 생산국가에서 원두 입고 후, 품질검사를 하여 이를 통과한 원두를 선발한 후 원두를 각 제품에 알맞은 정도로 볶아 추출하기 위해 볶은 커피콩을 적당한 크기로 분쇄한 후 분쇄한 커피를 추출기에 넣고 열수를 이용하여 추출한다. 커피 고유의 향을 분리하여 저장하고 커피액을 농축하여 농축된 커피액과 회수된 커피향을 일정 비율로 혼합한다.

(1) 분무건조커피(SD : Spray Dried coffee)

혼합한 커피액을 열풍을 이용하여 분무건조시켜 다시 한번 품질검사를 실시한 후 포장하여 완제품으로 출시한다. 추출된 액체 커피의 수분을 3%로 낮추기 위해 분무건조한다. 210~310℃의 열풍 중에 액체 커피를 분무하여 순간적으로 탈수한다. 이 때 추출액 온도를 4℃ 이하로 하여 분무하면 입자의 크기, 막의 두께, 향미가 좋은 분말이 얻어진다. 이것을 사별하여, 저습(30~40% RH), 저온(24℃ 이하)의 실내에서 병에 충전한다.

① 그래뉼커피(Granule Coffee)

분무건조커피를 아주 작은 입자로 분쇄하여 항습장치로 보내고 증기를 뿌리면 작은 입자들이 수증기와 함께 엉켜 일정한 크기의 과립커피가 된다. 이렇게 만들어진 과립커피는 찬물에도 잘 녹는 장점이 있다.

② 분말커피

커피 농축액을 가열하여 분말형태의 커피가루를 얻는 방식이다. 하지만 분말커피는 가열되는 동안 성분 및 향이 상당부분 손실될 수 있다.

(2) 동결건조커피(FD : Freeze-Dried coffee)

혼합한 커피액을 동결 후 커피입자 모양으로 분쇄하여 커피입자를 냉동건조기로 건조시킨 후 품질검사를 거쳐 포장된 완제품으로 출시된다. 향기를 개선하기 위해서 진공동결건조한다. 액체 커피를 먼저 −15℃로 빙결하고 다음에 −5℃로 숙성시킨다. 이것을 분쇄하여 0.1~1mmHg의 진공하에서 얼음을 승화시킨다. 진공상태에서 건조하기 때문에 분무건조법에 비해 훨씬 향기가 뛰어나다. 제품은 흡습성이 강하고 향기가 변하기 쉽기 때문에 수분을 3% 이하로 유지하도록 밀폐한다. 또한 인스턴트 커피는 저가격의 커피콩을 사용하기도 하기 때문에 향기가 떨어지는 경우가 있고 커피 추출성분의 향기성분이나 향료에 의해 부향되는 경우도 있다.

(3) 연속적 고압추출방식

커피의 농축도를 높여 가용성분을 많이 뽑아내기 위해 사용하는 방식이다. 결과적으로 볶음두에서 약 30~35%의 추출물이 얻어지며, 농축커피의 고형분에서 만들어진 제품이다. 인스턴트 커피도 여과까지의 공정은 같지만 프리즈 드라이방식에서는 여과된 커피 엑기스를 한번에 영하 40℃ 가까이 내려 얼음의 결정체로 분쇄한 후 건조실로 옮겨 건조실의 압력을 내려 진공상태로 만드는 것으로 열을 가해 얼음을 증발시킨다.

얼음은 물로 돌아가지 않고 그대로 증발해 수분을 남기지 않는다. 승화가 끝나면 얼음의 결정이 차지하고 있던 부분은 공간으로 남고, 다공질의 수분을 흡수하기 쉬운(녹기 쉬운) 입자가 되어 향기도 남는다.

(4) 스프레이 드라이방식

여과한 커피 엑기스를 거대한 건조탑의 상부로 펌프업해서 공기 가열기로 고온화된 열기와 맞부딪히게 하여 탱크 하부에 분무하는 것으로 수분이 제거되고 분말이 되는데 이 경우 증기를 외부로 방출할 때 향이 빠져나가는 결점이 있다.

2) 디카페인 커피

디카페인 커피의 카페인은 주로 물을 사용하여 제거한다. 카페인은 79.5℃ 이상의 물에서 녹는다. 그러나 '물로 가공된'이라고 표시된 디카페인 제품이라도 화학적 방법을 쓰지 않는 것은 아니다. 화학용제가 카페인을 없애는 기본적인 용제(Solvents)이기 때문이다. 카페인을 제거하기 위해서 그 용제를 직접 혹은 간접적으로 이용하게 되는 것이다.

먼저 직접적 화학용제 사용방법이 있는데, 이것은 화학용제가 들어 있는 뜨거운 물에 원두를 담가 용제에 의해 분리된 카페인이 응결하면, 그 카페인은 음료회사와 제약회사에 팔린다. 그리고 원두를 추출된 물에 다시 담가 맛을 회복시키게 된다. 간접적 화학용제 사용방법은 볶지 않은 원두(Green Bean)를 뜨거운 물에 담가 카페인을 녹인 후 물과 콩이 분리되면, 물은 화학용제로 처리되고 카페인은 많은 향기와 맛의 성분과 함께 녹아 없어진다.

카페인이 들어 있는 물은 가공처리되어 물속의 맛과 향의 성분은 원두에 다시 스며들고, 그 콩들은 화학적인 영향을 없애기 위해 다시 한번 물에 헹구는 것이다. 볶지 않은 원두에는 카페인이 1% 정도 있지만, 카페인을 제거함으로써 생기는 무게의 감소는 3~5%나 된다. 그러므로 맛과 향의 성분이 약 2~4% 정도 사라지게 되는 것이다.

카페인이 제거된 커피는 값이 비싸지는데, 이는 카페인을 제거하는 데 사용된 노동력과 장비, 재료 등이 포함되기 때문이다. 커피원두는 카페인이 제거된 후에 볶아진다.

(1) 메틸렌 염화물(Methylene Chloride : MC)

메틸렌 염화물은 카페인을 제거하는 직접적인 용제로 사용된다. 이 물질은 암을 유발할 가능성이 있어 더 이상 사용하지 않고 지금은 이염화메탄 또는 에틸아세테이트라는 용매를 사용해 커피의 카페인을 씻어내지만 이염화메탄의 독성이 지적되면서 국내에서는 이산화탄소를 사용해 제거하도록 규정하고 있다.

① 직접적인 카페인 제거방법

원두가 드럼 실린더 안에서 회전되는 약 30여 분 동안 스팀에 의해서 부드러워진다. 그리고 나서 카페인이 제거되는 것이다. 실린더 안에 들어 있는 증기가 빠지고, 원두가 다시 8~12시간 동안 증기를 받게 되므로 남아 있는 화학용제가 증발하게 된다. 이후에 원두는 공기 혹은 진공건조로 과다한 수분이 제거된다.

② 간접적인 카페인 제거방법

이 방법은 때때로 'Water Processed'로 지칭된다. 원두는 약 200℃의 물에 몇 시간 동안 담기게 되는데 그때 그 물에서 카페인과 맛의 성분, 원두의 기름이 점점 빠지게 되는 것이다. 카페인이 들어 있는 물이 배수되면 메틸렌 염화물로 처리하고, DCM이 카페인을 흡수하면, 화학처리된 콩에 열을 가한다. 그 열로 인해 카페인에 들어 있는 화학물질이 증발하게 된다. 이런 과정을 거친 후 커피의 기름과 맛의 성분들이 다시 생기게 된다.

(2) 에틸 초산염(Ethyl Acetate)

에틸 초산염은 에틸알코올화초산에서 상업적으로 제조한 것이다. 이것은 보통 간접적인 방법에 사용되는데, DCM방법과 유사하다. 원두가 화학용액의 뜨거운 물에 잠겨서 카페인과 맛의 성분이 점점 빠지게 되고, 그 화학용액이 원두와 분리되면 에틸 초산염으로 처리하게 된다. 증기를 쐬는 과정에서 물에 있는 에틸 초산염이 제거되고, 그 물에 다시 원두를 담그면 맛의 요소가 다시 콩에 흡수된다. 마지막으로 원두가 건조되고, 그 과정 중에 3~5%의 무게가 상실되지만 맛의 성분은 더 이상 감소되지 않는다.

(3) 이산화탄소(Carbon Dioxide)

CO_2 방법에서는 물로 콩을 흠뻑 적시기 위해서 표준기압의 200배 압축된 액체 이산화탄소를 사용한다. 이 방법은 카페인을 추출하는 데 5~8시간 정도 걸리게 되며, 앞에 있는 2가지보다 빠른 방법이다. 이 방법은 커피의 여러 성분을 변화시키지 않는 특징이 있는데 CO_2는 공기에서뿐만 아니라 볶아진 커피 자체 내에 있는 요소이므로 카페인을 없애는 과정에서 CO_2가 남아 있다 하더라도 볶은 콩에서 구별할 수 없다. 이것은 많은 양의 원두를 제조할 때 사용되지만 질 좋은 원두에는 사용되지 않는 방법이다.

(4) 스위스 워터 프로세스(Swiss Water Process)

이 방법은 화학용제를 쓰지 않는 유일한 방법이다. 볶지 않은 콩의 카페인을 녹이기 위해 뜨거운 물에 담근 후 카페인이 함유되어 있는 물이 카본필터를 거치면 카페인이 제거된다. 카페인이 제거된 물은 새로 볶은 원두의 카페인을 제거하는 데 사용된다. 물이 카페인을 흡수하지만, 맛의 성분들은 물에서 녹지 않으므로 카페인이 제거된 원두에는 원래의 맛이 그대로 남아 있게 된다. 카페인을 없애는 과정에서 콩의 무게가 대략 2~3% 상실되는데 이는 다른 방법보다 적게 상실되는 것이다. 적은 무게 상실은 맛과 향을 이루는 요소가 더 적게 상실된다는 것을 의미한다. 스위스 워터 프로세스 방법은 다른 방법에 비해 비용이 2배 정도 더 들지만, 좋은 맛을 개발할 수 있는 잠재성이 가장 높다.

4. 인스턴트 커피와 원두커피의 차이점

전 세계적으로 커피시장이 점차 발달하고 수요도 증가하면서, 원두로 즐기던 커피가 아닌 인스턴트 커피도 더욱 발달하고 수요가 증가하였다. 인스턴트라는 말의 뜻처럼, 인스턴트 커피는 빠르고 간편하게 커피를 즐길 수 있도록 만든 것이다. 인스턴트 커피와 원두커피의 차이점은 생산과정의 차이, 재료의 차이, 맛과 향의 차이로 비교해 볼 수 있다.

1) 생산과정의 차이

원두커피의 일반적인 추출과정은 커피 생두를 로스팅한 후 분쇄하여 뜨거운 물을 통과시켜 추출한다.

　에스프레소 같은 경우는 거의 증기 수준으로 빠르고 강한 압력으로 단시간에 추출하는 것인데, 인스턴트 커피의 경우도 추출과정은 비슷하다고 볼 수 있다. 하지만 그 뒤에 액상커피에서 좋은 향을 분리하고, 남은 커피를 진하게 졸여서 굳혀 가루로 만들거나 잘게 덩어리로 만들기에 차이점이 존재한다. 그리고 거기에 분리했던 향을 다시 첨가하여 오래 보존할 수 있도록 하는 것이다.

2) 재료의 차이

　원두커피에 쓰이는 원두의 종류는 아라비카종이다. 지역에 따라 브라질, 콜롬비아, 에티오피아, 케냐 등으로 나뉜다.

　인스턴트 커피는 로부스타종을 사용한다. 일반적으로 아라비카종보다 질이 떨어지는 것으로 평가받고 있다. 원두커피에도 로부스타종이 들어간다. 에스프레소의 크레마를 만드는 부분에 있어서는 로부스타가 더 탁월하고 블렌딩에도 많이 쓰인다.

3) 맛과 향의 차이

　재료의 차이와 맛을 보존하는 정도의 차이 때문에 인스턴트 커피는 원두커피 자체가 주는 커피의 '신맛'이나 여러 종류의 풍미를 그대로 느끼게 하는 데 있어 원두커피를 따라갈 수 없다. 인스턴트 커피가 아무리 커피향을 보존하려 노력했다 할지라도, 로스팅한 지 15일 이내, 그리고 분쇄한 지 30분 이내에 추출해서 마시는 원두커피의 맛과 향을 따라가는 것은 현재로서는 불가능하다.

　디카페인의 경우, 카페인이 제거됨으로 해서 맛이 변하게 된다. 그 제조과정에서 맛과 향기의 최고점이 낮아진다. 카페인을 없애는 데 사용하는 커피콩은 더 저렴한 로부스타종과 강하게 볶은 원두가 주로 이용된다. 그러므로 카페인을 제거한 커피는 그렇지 않은 커피보다 맛이 좀 모자라게 되는 것이다.

5. 한국의 인스턴트 커피시장

1) 한국 인스턴트 커피시장의 형성

국내에서는 1970년에 최초로 커피가 생산되었다. 이전까지 미군부대에서 흘러나온 제품이나 불법 외제품만 존재하던 시장에 동서식품이 맥스웰하우스커피를 들고 나온 것이다. 그 이후 농어촌개발공사와 한국네슬레가 한서식품이라는 이름으로 한국에 진출하며 두 회사를 양대산맥으로 하는 국내 인스턴트 커피시장이 본격적으로 형성되었다.

커피산업 초창기인 1970년대에 분무건조방식으로 생산되던 인스턴트 커피는 1980년 동서식품이 냉동건조방식으로 생산한 '맥심'을 내놓으며 품질이 한 단계 향상되었다.

최근엔 인스턴트 커피 제조기술의 발달로 원두커피의 기술을 적용해 과거보다 훨씬 향상된 품질의 제품을 생산하고 있으며 다양한 소비자층의 욕구를 충족시키기 위해 여러 가지 향미특성을 갖는 인스턴트 커피를 개발하고 제품화하는 경향을 보이고 있다.

우리나라의 인스턴트 커피는 RTD(Ready To Drink) 형태로 제조되는데 이것은 국내시장에서 커피문화가 대중화되었음을 알려주는 신호탄이었다.

1980년대 이전까지 따뜻하게 즐기던 다방커피가 커피의 전설이었지만, 인스턴트 커피시장의 성장과 산업화에 힘입은 소비규모의 확대는 '언제 어디서나' 즐길 수 있는 대중적인 커피문화를 확립시켰다. 여기에 자판기의 등장으로 판매경로가 다양해지며 RTD 커피음료시장이 탄생하게 되고, 이후에 구매와 음용의 편의성을 무기로 한 커피음료시장은 최근 30년간 꾸준히 성장해 오고 있는데 닐슨코리아에 따르면 22년 국내 RTD 커피시장 규모는 약 1조 4,455억 원으로 전년 대비 9% 증가했다. 치솟는 물가상승으로 커피시장도 전문점 커피를 저렴하게 마실 수 있는 RTD(Ready To Drink) 커피 제품들이 인기를 끌며, 올해 RTD 커피시장의 트렌드는 '프리미엄 원두를 기반으로 한 대용량 커피'가 될 것으로 기대된다.

2) 한국 인스턴트 커피시장의 위상

우리나라는 전 세계에서 13위에 이르는 커피 소비국인 데 비해 다른 나라보다 원두커피의 소비가 매우 미미한 편이다. 미국의 경우 87 : 13, 스위스 95 : 5, 스페인 80 : 20 등으로 국외시장의 경우 원두커피의 비율이 인스턴트 커피의 소모량보다 매우 높지만, 우리나라의 경우는 10 : 90 정도로 인스턴트 커피의 소비가 압도적으로 높다. 이것은 한국인의 커피 취향과 문화에 대한 각 시대상을 반영하는데, 이는 인스턴트 커피를 살펴봐도 알 수 있다.

우리나라는 전 세계 인스턴트 커피시장에서 가장 우위를 차지하고 있는데 다른 나라보다 원두커피의 소비량은 적지만, 인스턴트 커피의 소비량은 최고 수준이고, 그만큼 인스턴트 커피의 수출량도 상당히 높다. 이렇게 인스턴트 커피는 우리나라에서 대단히 인기 있고 대중적인 기호식품이 되었다. 하지만 88서울올림픽 이후 우리나라에 에스프레소 머신이 들어오게 되면서 점차 원두커피의 소비량이 증가하고 좀 더 고급스러운 것을 찾는 여성들에 의하여 원두커피시장이 발전·성장하게 되었다. 다만 미국과 일본, 독일 등 선진 여러 나라에 비해 다소 미미한 편이나 비약적으로 발전하고 점점 증가하는 추세이다. 통계자료에서 보더라도 2018년부터 커피 수입액과 함께 가정용 커피머신 수입도 지속 증가세를 보였고, 2021년 기준 커피머신 수입액은 1억 6,000만 달러로 2020년 대비 32.2% 증가했다. 이처럼 가정 내 커피머신 활용은 보편적인 커피제조 방식으로까지 부상했으며 이제는 우리나라 커피의 아이콘이었던 인스턴트 커피의 자리를 위협할 정도로 소매 원두시장 또한 꾸준히 성장하고 있다.

 인스턴트 커피 입지의 변화 그리고 새로운 시도

　여느 시장이 그러하듯 국내 커피시장 또한 여러 단계를 거쳐 지금의 모습에 이르렀다. 그중 첫 번째 단계라 하면 누구나 인스턴트 커피를 떠올릴 것이다. 설탕과 크리머, 커피 세 종류 분말의 조합이 자아내는 중독성 있는 단맛을 특징으로 하는 믹스커피. 이는 2000년대 이전까지 국내 커피시장의 전부라 여겨질 정도로 압도적인 인기를 끌었다.

　인스턴트 커피시장에 변화가 생긴 건 2000년대 이후. '스타벅스 커피코리아'를 필두로 해외의 원두커피 문화가 국내에 보급되기 시작했기 때문이다. 원두커피라는 새로운 커피의 세계가 열리면서 시장 규모는 점차 커졌으며, 자연스레 수준 또한 향상되어 믹스커피는 진정한 커피가 아니라는 인식이 생겨났다. 이에 설탕, 크리머를 넣지 않고 원두커피를 사용해 제조하는 인스턴트 원두커피가 전세를 역전했다.

　인스턴트 커피의 큰 장점은 간편함과 저렴한 가격 두 가지가 대표적이다. 포장을 뜯어 분말을 컵에 넣고, 물 혹은 우유를 부어주면 커피 한 잔이 뚝딱 완성되니 이보다 더 빠르고 편하게 커피를 만드는 방법은 없다. 그뿐인가. 카페에서 사 먹는 커피보다 훨씬 저렴한 가격. 이에 대한 부분도 무시할 수 없다. 즉석에서 원두를 분쇄해 내려 마시는 것보다 향미가 떨어지더라도 인스턴트 커피를 고집하는 수요가 꾸준한 이유다.

3) 한국의 커피 소비현황

최근 식문화의 서구화 추세가 빨라짐에 따라 한국인의 주식인 쌀 소비량은 해마다 줄어드는 것에 비해 커피시장의 규모는 점점 커지고 있다. 오늘날의 커피는 단순한 기호음료를 넘어 생필품이라 여겨질 정도로 보편화되어 일상생활과 밀접하게 소비되고 있다. 2016년 기준으로 우리나라 커피 소비량은 전 세계 커피 소비국의 11위 수준이었으나, 2020년 기준 연간 커피 소비량이 프랑스(551잔)에 이어 2위로(367잔)로, 세계평균(161잔)의 2배 이상 커피를 즐기고 있다. 한국농수산유통공사(aT) FIS(식품산업통계정보시스템)에 따르면 2021년 커피시장은 전년 대비 14.7% 성장했으며 2018년부터 2021년까지 연평균 6.6%씩 지속 성장하는 추세다.

세부적으로는 2021년 인스턴트 커피와 조제커피의 시장규모는 전년 대비 각각 0.3%, 4.9% 감소했고 로스팅된 수제커피와 액상커피는 각각 50.3%, 6.7% 증가로 보고된다.

볶은 커피는 커피시장의 35.3%를 차지하며 최근 판매액과 점유율 모두 꾸준히 증가했다. 코로나19 사태로 인해 홈카페 유행이 지속되고 있으며, 점점 고급화되는 소비자의 커피 취향, 최근 급등한 원두 및 부재료, 물류 등의 비용상승으로 인한 카페 커피의 가격 인상 등이 볶은 커피 규모 증가에 영향을 끼친 것으로 aT 식품산업통계정보시스템(이하 aT FIS)은 분석했다. 마크로밀엠브레인 트렌드 모니터 '2022 커피매장 U&A 및 연말 프로모션 관련 조사'(2022년 11월, 성인 남녀 1,000명)에 따르면 국내 소비자는 음료 중 커피(45%)를 가장 자주 음용하고 있으며 성별 기준 남성(42%)보다 여성(58%)이, 연령대별로는 20~30대 대비 40~50대에서 커피를 더 많이 소비하는 경향을 보였다. 관련 조사에서 커피는 맛보다 습관적으로 마시는 것에 대해 56.1%가 공감하고 있으며 연령이 높을수록 습관처럼 커피를 마시는 경향이 더욱 강한 것으로 나타났다. 1일 커피 소비량으로는 하루 2~3잔 정도가 47.7%로 가장 높았으며 응답자의 87.8%가 하루 1잔 이상 커피를 음용하는 것으로 나타났다. 커피 소비자들의 입맛과 취향은 고급화되고 있다. '스스로의 커피 입맛이 고급화되고 있음을 체감한다' 48.2%, '가정에서도 커피전문점과 같은 커피를 마시고 싶다' 61.5% 등으로 고급 커피에 대한 소비자의 수요가 높게 나타났다. 반면 건강에 대한 관심이 웰빙으로 이어져 원두커피에 비해 맛과 향미가 떨어진다고 생각하는 인스턴트 커피의 소비는 지속적으로 감소하는 추세로 분석되었다.(출처: 식품산업통계정보시스템(aT FIS), 마이크로밀엠브레인 트렌드 모니터, 식품외식경제)

6. 커피믹스 종주국, 한국

1) 종주국의 탄생

'커피믹스의 종주국은 어디일까?'라는 궁금증을 가지고 있는 사람들도 더러 있다. 1976년, 동서식품에서 커피 한 스푼, 설탕 세 스푼, 크림 두 스푼의 표준커피인 커피믹스를 개발하였고, 간편하고 손쉽게 마실 수 있는 커피의 개발이 당시로는 획기적인 사건이었다. 이렇게 탄생된 커피믹스가 조금씩 성장하다가 IMF 전후로 급격히 성장하여 별도의 커피믹스시장을 형성하였는데, 우리나라가 커피믹스의 종주국이 된 것이다.

2) 커피믹스의 성장

커피믹스시장의 성장에 일조한 것 중 하나는 바로 냉온수기의 보급이다. 정수기의 사용이 보편화되면서 직장인들은 커피를 취향에 맞게 직접 만들어 먹게 되었는데, 정수기가 커피믹스 판매량 신장에 크나큰 역할을 했던 것이다.

그 후 커피믹스 제조기업들은 다양한 소비자들을 직접 상대하기로 하고 커피, 크림, 설탕의 배합이 서로 다른 카푸치노와 마일드 등 칼로리를 줄인 웰빙 커피믹스와 카페인이 없는 디카페인 커피믹스를 개발하여 소비자들의 욕구를 만족시키는 경쟁사들과 차별되는 새로운 전략을 구사하게 된다. 또한 스타벅스 등 고급커피전문점과 테이크아웃(Take-out) 커피전문점이 우리나라 커피시장의 틈새를 비집고 들어오면서 커피믹스 제조기업들도 커피믹스의 고급화에 주력하고 그에 맞서기 위해 차별화된 커피믹스를 출시하였다. 이렇게 차별화된 커피믹스는, 후발주자인 한국네슬레가 먼저 출시하였고, 해외 커피전문점에서 맛볼 수 있던 헤이즐넛, 라떼 등을 인스턴트로 즐길 수 있게 되었다. 동서식품도 곧이어 유사한 프리미엄 커피믹스를 시장에 내놓았다.

3) 위험과 기회

PB(Private Brand)는 대형할인마트 유통업체를 뜻한다. 최근 들어 커피믹스 회사들은 새로운 위험과 기회에 직면해 있다. 이마트 등 대형할인 유통업체들이 자사의 브랜드로 매장에 커피믹스를 내놓기 시작한 것이다. 동서식품과 한국네슬레 같은 NB(National Brand), 즉 제조자 브랜드에게는 새로운 위기다. 초기의 PB는 대형할인마트들이 가격을 낮추기 위해 가격이 저렴한 제품을 썼기 때문에 맛에서 차이가 있었다. 그러나 요즘은 맛에서 차이가 없는 커피를 20%나 저렴한 가격에 소비자들에게 공급하고 있는데 커피믹스시장이 커진다는

점에서는 긍정적으로 볼 수 있지만, 대형 제조업체들로서는 거대 유통 브랜드가 경쟁상대로 출현함이 달갑지 않은 일임에 틀림없다.

군소 제조업체들도 당장 납품 기회는 얻을 수 있지만, 장기적으로는 자사 브랜드 인지도의 확장에 어려움이 있을 것이다. 얼마 전까지만 해도 동서식품 홍보실엔 커피믹스 봉투 끝에 붙어 있는 번호에 대한 문의가 자주 있었는데 설탕의 농도냐, 커피의 양이냐 혹은 어떤 사람들은 뒷번호일수록 진한 맛을 내고 앞번호일수록 순한 맛을 낸다고 말하기도 했고, 사람들은 당도를 조절하는 번호라 뒷번호일수록 달고 앞으로 갈수록 덜 달다고 하기도 하였다. 또 이에 대해 홍보실 윤소영 대리는 그 번호는 커피믹스의 맛과는 아무런 관련이 없고, 제조공정과정에서 생산라인을 구분하기 위한 각 라인별 인식번호라는 게 동서식품의 공식 입장이라고 표명했다. 동서식품뿐만 아니라 다른 제조사들도 비슷한 번호가 있는데 이와 유사한 기능의 번호이다. 우리나라의 소비자들이 커피믹스를 워낙 많이 애용하고 관심이 있다 보니 생긴 해프닝이라고 볼 수 있다.

4) 인스턴트 커피시장의 모습과 변화

해외에서는 우리나라의 조제커피 즉, 믹스커피 열풍이 불고 있는 가운데 국내 인스턴트 커피, 조제커피시장은 어떤 흐름을 보이고 있을까? 1970년대, 맥스웰하우스를 시작으로 커피믹스를 발명한 동서식품은 경쟁자 없는 시장에서 오랫동안 인기를 독식했다. 당시 조제커피의 시장 점유율이 80%를 차지할 정도였다. 동서식품의 확실한 성장세를 목격하자, '남양유업', 해외의 네슬레(Nestle, 국내에서는 '한국네슬레'로 법인 등록), '농심' 등 한국과 해외 기업들이 국내 인스턴트 시장에 뛰어들었다. 그러나 동서식품은 소비자의 니즈를 파악해 커피믹스 외에도 '맥심 모카 골드 마일드', '맥심 화이트 골드' 등 선택의 폭을 다양화했고, 50년이 지난 지금까지도 어떤 브랜드도 동서식품을 따라가지 못하고 있다.

2000년대까지는 조제커피가 엄청난 인기를 누렸다. 2011년 커피시장규모(약 2조 1,546억 원) 중 원두커피는 고작 374억 원 정도, 절반 이상(1조 1,102억 원)이 조제 커피였다. 이 당시는 인스턴트 커피의 시장 규모는 축소되는 반면 조제커피는 성장세를 보였다. 그러나 2010년대부터 커피시장은 다른 양상을 보이기 시작하는데 2012년 최고치를 기록한 이후 조제커피의 인기가 하락세를 보이기 시작한 것. 하락은 계속되었고 2019년에는 8,080억 원으로 축소됐다. 이는 2012년대에 등장한 '인스턴트 원두커피'가 원인으로 분석된다. 기존 인스턴트 커피에 원두커피를 첨가한 제품이다. 향과 맛이 강한 것이 특징으로 '프리미엄'이라는 이미지를 가지게 되면서 큰 인기를 끌었다. 동서식품의 '카누', 남양유업의 '루카스나인', '롯데푸드'와 한국네슬레의 합작회사인 '롯데네슬레코리아(이하 롯데네슬레)'의 네스카페 등 프리미엄 라인이 출시되었다. 2010년대는 카페 방문을 즐기는 소비자의 증가, 커피에 대한 이해와 원두커피에의 관심도가 급속도로 상승한 시기인 만큼 커피 제품 구매 양상에도 영향을 준 것으로 파악된다. 또한 식품사업통계정보(FIS)가 공개한 '식품시장 뉴스레터-커피시장'에서는 "조제커피의 하락세와 대비되게 인스턴트 커피 매출은 꾸준한 증가세를 보이는데, 이는 인스턴트 커피 대표 브랜드인 카누, 루카스나인에서 텀블러 패키지나 리미티드 제품제공 등과 같이 계절별로 적극적인 프로모션을 전개한 것이 영향을 미친 것이라고 언급했다.

인스턴트 커피의 프리미엄화

2011년 '스타벅스'가 '비아VIA'를 선보인 후 '이디야'의 '비니스트Beanist', '카페베네'의 '마노Mano', '할리스'의 '카페투고Caffe to go' 등이 등장했다. 이는 인스턴트 커피에 원두가루를 첨가해 프리미엄화하고, 자사의 특별공정으로 탄생한 커피임을 강조하면서 커피전문점에서 만든 고퀄리티 제품이라는 이미지로 인기를 얻는 데 성공한다.

5) RTD 커피시장의 2021년 현재와 미래

Ready to Drink, 별다른 조제 없이 바로 마실 수 있는 상태로 캔, 페트 등에 포장된 음료를 의미한다. 번거롭지 않은 간편함에 먼저 사랑받았고 누구나 마실 수 있는 친근한 맛, 용량대비 저렴한 가격으로 RTD를 향한 관심이 날로 높아지고 있다.

국내 RTD시장은 1997년 '매일유업'에서 '카페라떼'를 출시하며 시작됐다. 식품산업통계정보의 2013년부터 2019년의 RTD시장 성장세를 보면 2013년 9,528억 원에서 2019년 1조 3,479억 원으로 약 41% 성장했다. 그 사이 감소세 없이 꾸준히 성장세를 이어갔다.

가장 높은 판매를 보인 유통채널은 편의점이었다. 2019년 기준 73%를 기록했고, 그 이전에도 최소 70% 이상의 점유율을 보였다. 그 뒤를 이은 것은 일반식품점(중소형 규모의 슈퍼마켓이나 식품판매점, 포스기를 1대 이하 보유)이었고, 그다음 할인점(대형 할인마트), 체인슈퍼나 독립슈퍼(포스기를 2대 이상 보유하는 중대형 규모의 개인 슈퍼마켓)가 비슷한 점유율을 보였다. 마지막으로 백화점은 1%가 채 되지 않는 점유율을 보였다. 가장 많이 판매된 형태의 '컵 커피'다. 2019년 누적 매출액은 4,621억 원으로 34%의 지분율을 가지고 있다. 캔, NBnew Bottle 등이 뒤를 이었고 병은 239억 원으로 가장 낮은 수치를 보였다.

하지만 RTD제품의 최근 성장세에는 페트 커피의 성장을 빼놓을 수 없다. 식품산업통계정보의 데이터에서 드러난 정보는 아니지만, 닐슨코리아에 따르면 캔이나 파우치 커피의 성장률은 줄어들었으나 페트 커피는 2016년 520억 원 규모에서 2019년 1,858억 원 규모로 3년 만에 3배 이상 성장세를 보였다. 페트 커피는 개봉 후 재밀봉이 가능하다는 점, 분할이 쉽다는 점 그리고 비교적 저렴하다는 점에서 선호도가 높아지고 있다. 페트 커피에서 드러나는 또 하나의 특징은 점점 용량이 커지는 추세라는 점이다.

아울러 최근 물가상승으로 커피전문점의 커피를 보다 저렴하게 마실 수 있는 RTD(즉석음료) 신제품들이 인기를 끌고 있다. 이에 업체들은 기존의 RTD 커피보다 더욱 고급화된 제품들을 선보이며 커피전문점 못지않은 맛을 앞세워 시장을 정조준하기 시작했다.

시장조사기관 닐슨코리아에 따르면 지난해 국내 RTD 커피시장 규모는 약 1조 4,455억 원으로 전년 대비 9% 커진 것으로 조사됐다. RTD 커피는 코로나19로 인해 재택근무가 늘어나면서 집 주변에서 간편하게 구입할 수 있어 인기를 끌고 있는 것으로 분석되었다.

앞으로는 RTD 시장 경쟁이 심화되면서 RTD에서도 프리미엄 커피를 찾는 고객들이 늘고 있고 커피맛에 보다 민감한 소비자층을 타깃으로 맞춤식 차별화 전략이 더욱 요구될 것으로 사료된다.

⬤ 2013-2019 RTD 커피 매출액

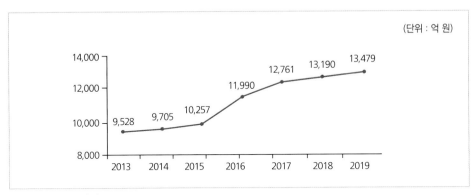

출처 : 식품산업통계정보

7. 국내 기업과 해외 기업

1) 동서식품 맥심

1980년 발매된 이후 동서식품의 주력 브랜드로 성장한 맥심은 한국의 커피시장을 선도하는 시장점유율 1위의 최고 브랜드로 확고한 시장위치를 차지하고 있다. 특히 맥심은 인스턴트 커피시장에 국내 최초로 도입된 F/D(Frozen Dry) Type의 냉동건조커피로 인스턴트 커피의 맛과 향을 한 단계 끌어올린 국내 인스턴트 커피의 대명사라고 할 수 있다.

2) 한국네슬레

네슬레의 경우 커피마니아의 시각에서 그동안 동서와 싸워왔다. 고급 원두 사용이나 특별한 블렌딩을 통한 맛의 차별화를 시도했는데, 이 차별화가 신통치 않았다는 점이  다. 동서식품이 오랜 기간 동안 절묘한 블렌딩을 통해 일명 '다방커피'라고 할 정도로 한국인의 입맛에 맞는 맛을 개발하였다. 사실 이는 커피마니아들 입장에서는 커피라고도 할 수 없는 제품인데, 네슬레는 커피 본연의 맛을 조금이라도 살리려 애를 썼다. 네슬레와 동서식품의 시장점유율 결과는 동서식품 80%, 네슬레 15%였다.

3) 맥시머스 커피그룹

맥시머스 커피그룹의 역사는 칼로스 드 알데코아(Carlos De Aldecoa) 가족의 역사이기도 하다. 커피산업의 모든 분야에 오로지 회사에 대한 열정으로 3대째 운영하고 있다. 그들은 커피에 대한 열정과 커피산업에 필요한 역동적이고 진취적인 자세로 고객만족을 이끌 수 있는 뛰어난 팀을 보유하고 있다.

자사상표와 커피제조과정의 모든 프로그램 개발과 개선을 통해 다른 회사가 따라올 수 없는 경험을 제공하면서 모든 단계에서 최고의 전략적인 시스템과 서비스지원 시스템을 제공한다. 생두농장, 커피조달, 가공과정, 로스터들과의 커뮤니티와 디카페인의 자연친화적 가공방법과 포장에 대한 다양한 옵션을 구상하며 유통구조 전반까지 컨트롤한다.

또한 환경보호기관 그린파워 파트너로서 재활용 프로그램과 고객을 위한 포장 솔루션의 제조에 있어서 환경에 미치는 영향을 최소화하기 위해 노력한다. 그중의 하나가 자연친화적인 디카페인방법을 가공하는 것으로 탄산수 프로세스를 통해 매력적인 커피의 향기와 맛을 유지하여 미국 농무부가 인정한 유기농커피로 인증받기도 했다. 최고의 품질과 장기적인 고객의 가치를 통해 세계적 수준의 서비스와 제품을 제공하고, 최고의 커피를 북미에 제조 판매한다.

(1) 카페인 제거방식(Sparkling Water Process)

순수한 물이 뛰면서 자연적으로 생성되는 이산화탄소를 이용해 생두의 화학적인 성분을 건드리지 않은 상태로 카페인을 제거하는 방식이다.

생두 → 물에 불림 → 카페인 추출(이산화탄소, 순수 물) → 추출용기에서 생두 분리

(2) 회사 특징

디카페인 커피의 생산에 전념하는 회사로 투자자들의 가치를 창조하고 고객의 니즈를 만족시킬 수 있도록 한다. 최고의 디카페인 커피를 제공하고 높은 기술력과 사회적인 책임감을 가지고 높은 목표를 추구하고 있다. 디카페인 산업분야에서 리더가 되기 위한 최고의 상품과 서비스를 제공한다. 고객의 만족에 최대한 가까이 갈 수 있는 품질과 최대의 결과를 창출하는 팀워크 부가가치를 통한 고객만족서비스를 모두 제공한다.

⚫ 디카페인 가공장소

캐나다 몬트리올, 포르투갈 오포르투

(3) 경영철학

회사종업원들과 그들의 가족에게 각종 사회의 커뮤니티를 형성할 수 있게끔 서포트해 주며 회사와 사회에 대한 책임감과 자부심을 가질 수 있도록 한다.

4) Demus Spa

(1) 카페인 제거방식(다이클로로메테인 : Dichloromethane(CH_2CL_2))

카페인을 적당히 녹인 후 일반적으로 식품산업에서 사용되는 유기용매체를 사용하여 제거하는 방식으로 주로 사용하고 있다. 디카페인 처리 전과 후에 생두의 품질을 보장할 수 있는 시스템을 거친다.

(2) 회사 연혁

1962년 이래 디카페인을 제조하기 시작했다.

(3) 경영철학

약 50년의 오랜 세월 동안 이탈리아 디카페인 제조의 리더가 되기 위해 그동안 확보한 경험과 기술에 전적으로 투자를 했다.

5) Swiss Water Decaf

(1) 카페인 제거방식

스위스의 워터디카페인커피주식회사는 1989년부터 특수커피의 화학성 없는 카페인 제거에 있어 글로벌 리더라고 할 수 있다. 스위스 워터 프로세스는 커피콩에서 카페인을 제거하는 메틸렌 염화물 또는 에틸 아세테이트를 사용하는 맛 주도, 100% 화학물질이 없는 카페인 제거 프로세스이다.

(2) 회사 연혁

1930년대 스위스에서 케미컬프리방법이 개발된 후 1988년 물을 이용한 디카페인 커피가 시장에 소개되었다. 이 회사는 캐나다 밴쿠버에 자리를 잡고 현재 100% 디카페인 제조회사로 인식되고 있다.

(3) 회사 특징

스위스의 워터디카페인커피주식회사는 카페인 제거 과학의 선두업체다. 스위스 워터 프로세스 ®은 '도장'인식과 디카페인 커피를 마심으로써 신뢰를 받고 있다. 100% 화학물질이 없는 프로세스는 카페인 추출 브리티시 콜롬비아 해안 산맥의 물만을 사용한다. 스위스 워터디카프는 6시그마 방법론 및 품질경영시스템으로 지속적인 제품 향상을 위해 노력하고 있다.

8. 스페셜티 커피

스페셜티 커피란 용어가 생긴 당시의 전미 스페셜티커피협회(NSCA)가 구분하고 있는 스페셜티 커피(Specialty Coffee)의 뜻은 '유기재배커피, 스트레이트커피, 블렌드 커피, 디카페인 커피, 다크로스트 커피, 플레이버 커피'로 나뉜다.

1) 스페셜티의 탄생

1978년 프랑스의 몬트리올에서 개최된 세계커피회의에서 미국의 누에라 쿠네센 씨가 연설 도중에 발언한 것이 처음이라 한다. 그중 스페셜티 커피라는 단어가 일부 지어져 종래의 범주와는 다르게 사용된 것이다.

그는 스페셜티 커피를 "지리적으로 각각 다른 지역의 다른 기후는 각각의 특별한 맛, 향을 가진 커피를 창조한다"라고 정의했다. 그리고 사전에 내세운 전제조건으로 "좋은 상태에서의 원두의 선별작업이 행해져야 하며, 신선하게 볶음하고 그것을 올바르게 추출해야 한다. 그리고 그것을 마시는 분위기를 자아내기 위한 주변환경을 만드는 것이 필요하다"라고 하였다.

이 발언을 살펴보면 1970년 당시 미국 커피 소비량의 쇠퇴상황이 이야기된다. 그 주된 이유로는 메이커의 가격 과당경쟁에 의한 원료 생두의 품질 저하, 커피 생산국의 가격변동에 의한 판매가격의 심한 변동, 소비자나 사업소에서의 전기식 드리퍼의 개발이나 사용이 있었지만 퍼콜레이터에서의 취사 커피에 길들여진 습관에 따른 추출기구에 의한 맛의 저하, 다양한 메뉴 개발의 뒤처짐, 청량음료와의 경쟁과 젊은이들의 커피 기피 등이다.

2) 스페셜티커피협회

이런 환경으로 인해 미국은 커피관련 기업에서 큰 반성과 장래의 소비증가 전망에 알맞은 움직임이 일어나고 있다. 대기업 커피메이커 중심의 조직연맹인 NCA(전미 커피협회)에서의 움직임이 아니라, 중소규모의 커피업자를 중심으로 하여 그에 관계된 여러 업태의 기업, 예를 들면 커피생산자, 생산자조합, 운송업자, 창고업자, 커피 무역상, 커피저장고, 매스미디어, 관계관청 등이 가맹하여 SCAA(미국 스페셜티커피협회)를 발족했다.

SCAA가 내세우는 각종 조건은 '생두 생산지에서의 조건을 그 생두의 컵 조건', '볶음가공조건', '포장과 판매의 조건', '추출에서의 조건', '음용 시의 조건' 등 기본적으로는 5가지를 생각할 수 있다. 그리고 그들의 스페셜티 커피의 상응적인 평가로는 '결점이 없는 원두로 했을 경우 명확한 특성이 존재한다', '맛이 나쁘지 않은 정도의 원두가 아니라 맛이 뛰어난 원두' 등이다.

이들의 움직임은 미국뿐만 아니라 유럽으로 확산되어 유럽 스페셜티커피협회(SCAE)가 오슬로에 설립되었으며, 일본에서도 일본 스페셜티커피협회(SCAJ)가 탄생됐다. 이런 움직임은 커피 외에 기호음료, 청량음료와의 소비 판매경쟁에서 커피의 상품인식을 제고하기 위한 일련의 행동이었다.

3) 스페셜티 커피산업의 필요 과제

(1) 스페셜티 커피의 규격 및 품질인증제도 확립

   ① 스페셜티 생두 규격 : SCAA Green Arabica Coffee Classification System

   ② 볶은 커피 : 신선도 기준과 유효기간 설정 – 향미 평가와 잔존 산소(1%)

   ③ 추출커피 규격과 기준 : 우수 커피 인증제 – 과학적 추출과 향미 평가

   ④ 에스프레소 음료 규격과 기준 : '완전한 에스프레소'의 10가지 요소 관리

(2) 스페셜티 볶은 커피의 신선도/유효기간 보장운동 추진

(3) 바리스타, 매니저, 창업교육 체계화로 커피 서비스 품질 향상

   ① 바리스타 자격 인증제(정부)로 5~10만 명 새 일자리 창출

   ② 표준향미평가훈련 : SCAA Coffee Cuppers' Handbook

   ③ 과학적 커피품질관리방법의 교육

북미와 한국의 커피문화

북미에서 커피는 물과 같은 것이다. 그들은 커피를 멋을 위해 마시는 것이 아닌 실용적인 음료, 목을 축이는 음료, 밥과 같은 음료이다. 언제 어디서나 쉽게 접할 수 있는 물과 같은 드링크제이다. 그들에게 카페의 의미는 단지 커피를 마시는 커피숍이 아니다. 간단한 아침과 실용적인 점심을 위한 레스토랑의 개념이기도 하다. 비즈니스의 장이기도 하고 공부를 하는 장소이기도 하고 혼자서 사색을 즐기는 장소이기도 하다. 한국에서 카페의 의미인 친구들과의 수다나 약속 장소와 같은 그런 곳이 아니다. 카페는 그들에게 생활 활력소 같은 곳이다. 외국 카페들은 넓지

만 조용하고 소곤소곤 그들만의 대화를 조심스레 나눈다. 그래서 카페가 더 정겨운 것일까? 북미의 커피문화는 크게 인스턴트와 테이크아웃의 2가지 문화이다. 제2차 세계대전을 기점으로 저렴한 로부스타와 전쟁의 영향으로 빨리빨리 문화로 녹여서 쉽게 마실 수 있는 인스턴트 커피를 개발해 마시게 되었고 그 이후 1980년대 에스프레소에 시럽과 우유를 넣어 마시는 라떼문화의 발전을 가져오게 되었다. 유럽에서 볼 수 없는 획기적인 문화로 모든 북미인들은 커다란 컵을 들고 다니며 마치 물을 마시는 듯한 모양새를 보여주곤 한다. 불편할 것 같으면서도 너무나 자연스런 그들의 모습에서 다시 한번 커피는 그들에게 일상인 것처럼 느껴진다. 이렇게 밥처럼 매

일 먹는 커피의 맛이 나쁘면 곤란하다. 그래서 특히나 아무렇게나 마시는 커피이지만 분명 그들은 맛을 평가하며 마신다. 하지만 앞에서 표현하지는 않고 개인주의문화인 그들은 조용히 주문한 커피를 마시고 그다음엔 찾지를 않는다.

'한국의 커피문화를 말하다'

모든 커피인들과 마니아들이 알듯이 한국은 지금 커피의 바람이 한창 불 때이다. 커피는 기교이고 커피는 우아하고 커피는 새롭게 떠오르는 사업 아이템이다. 1990년대 초반 인스턴트 커피만 알던 한국인들에게 스타벅스의 등장은 커피문화를 180도 변하게 한 계기가 되었다. 그 이후 한국인들에게 커피는 점심식사 이후 꼭 마셔야 할 필수 드링크가 되었다. 밥보다 비싼 커피를 마시느라 신조어 '된장녀'도 생겼다. 퇴근 후 혹은 수업을 마친 후 커피숍은 그들에게 하루의 일과

를 푸는 쉼터와 같은 곳 그리고 주로 데이트가 이루어지는 명소가 된다. 스타벅스의 커피를 모르면 신세대가 아닌 것처럼 커피문화는 급속도로 퍼지며 다양한 프랜차이즈숍이 생긴다. 그러다 2000년대 초 여러 브랜드의 프랜차이즈는 공급과잉으로 인해 갑작스레 문을 닫고 만다. 이런 현상은 커피의 품질과 바리스타들의 자질로 인해 제대로 된 커피 맛을 내지 못했기 때문에 생긴 것이다. 갑작스레 불어닥친 커피시장은 이러한 부작용을 낳는다. 2004년, 수많은 프랜차이즈들은 문을 닫고 단단한 업체들만 살아남기에 이른다. 그 후 기존에 작은 수요로 남아 있었던 로스터리숍들이 천천히 고개를 들기 시작한다. 생두를 구입해 직접 콩을 볶아 판매하는 숍, 거기에 따르는 핸드드립 전문점이 한창 프랜차이즈들이 문을 닫는 시점에 고개를 숙였던 커피인들에게 새롭고 신선함을 가진 핸드드립문화에 조심스레 다가가기 시작한다. 그런 로스팅숍의 핸드드립 문화는 지금까지 이어지고 있고 한창 바람을 타고 있다. 거기에 더해 다양한 바리스타자격증에 대한 관심도 끊이지 않고 있다.

• 강준만 · 오두진(2005). 고종 스타벅스에 가다. 인물과사상사.
• 관세청(2009). 최근 5년간 커피수입동향. 관세청보도자료.
• 김윤태(2010). 커피학개론. 광문각.
• 김 준(2004). 커피. 김영사.
• 데이비스 리스 · 서현정 옮김(2006). 암스테르담의 커피상인. 대교베텔스만.
• 문준웅(2004). 커피와 차. 현암사.
• 문준웅(2008). 완전한 에스프레소, 커피의 이해. (주)아이비라인.
• 박순천(2009). 커피시장의 발전과정에 관한 연구. 서울: 경기대학교 석사학위논문.
• 박현실(2010). 커피전문점에서의 고객 만족, 고객 몰입, 관계성과에 관한 연구. 한국조리학회지.
    16(5): 25–36.
• (사)한국커피전문가협회(2011). 바리스타가 알고 싶은 커피학. (주)교문사.
• 송주빈(2009). 커피사이언스. 주빈출판사.
• 알랭 스텔라(2000). 커피 Cafe. 창해.
• 여동완 · 현금호(2004). Coffee. 가각본.
• 월간커피(2009). 통계치로 본 2009 커피시장. (주)아이비라인.
• 월간커피(2021). 인스턴트 & RTD커피시장. ㈜아이비라인.
• 유대준(2009). COFFEE INSIDE. 해밀.
• 유승권(2016). 로스팅 크래프트. ㈜아이비라인.
• 은혜원(2008). 에스프레소 커피전문점 포지셔닝 전략에 관한 연구. 서울: 세종대학교 석사학위논문.
• 이동진(2008). I love Coffee and Cafe. 동아일보사.
• 이영민(2002). 커피트레이닝. (주)아이비라인.
• 이윤호(2008). 완벽한 한잔의 커피를 위하여. MJ미디어.
• 카노 토모요 · 후지오라 유키에(2010). 일본식 커피수업. 북노마드.
• 한국커피교육센터(2010). 커피마스터를 위한 커피스터디. (주)아이비라인.

• A. Illy and R. Viani(1995). Espresso Coffee. Academic Press.
• David C. Schomer(2004). Espresso Coffee. Classic Day Publishing.
• Instaurator(2008). The Espresso Quest. Loowedge Publishing.
• Jean Lenior and David Guermonprez(2005). The Le Nez du Cafe Aroma Kit.
• Jon Thorn(2006). The Coffee Companion. Running Press.
• Kenneth Davids(2001). Coffee: A Guide to Buying, Brewing, Enjoying. ST. Martin's Griffin.
• Kevin Knox · Juile Sheldon Huffaker(1997). Coffee Basics. Wiley & Sons Inc.
• MBC, 커피 한 잔의 진실, Assessed February 12, 2010. Available from http://imbc.com/broad/tv
• SCAA Protocols/Cupping Specialty Coffee(2009). The Specialty Coffee Association of America.
• The Art of Aroma Perception in Coffee(1997). The Specialty Coffee Association of America.
• Timothy James(1991). The Perfect Cup. DA CAPO Press.

| 저자소개 |

김 일 호

일본대학교 상학부 전공
세종대학교 일반대학원 식품과학 석사
세종대학교 일반대학원 식품과학 박사(Ph.D)
Canada UBC(University of British Columbia Food Science Diploma)
우송대학교 외식산업경영학과 교수
일본 Mats Hotel F/B
Sheraton Grand Walkerhill Hotel F/B
W-Seoul Walkerhill Hotel F/B
캐나다 Wallcenter Sheraton Hotel F/B
WBC(World Barista Championship) Technical 및 Sensory Judge
SCA(Specialty Coffee Association) AST(스페셜티커피협회 공인트레이너)
충남대학교 생명과학대학 초빙교수

박 재 연

경기대학교 일반대학원 외식조리관리학 관광학 박사
우송대학교 외식산업경영학과 교수
제주한라대학 겸임전임교수
양식, 한식 조리사
커피바리스타 1급, 2급, 커피지도사
사이포니스트 2급
와인관리사
외식산업경영컨설턴트
한국관광대학교 외식경영학과 교수

저자와의
합의하에
인지첩부
생략

한 권에 다 있다
커피의 모든 것

2019년 3월 10일 초 판 1쇄 발행
2021년 8월 10일 제2판 1쇄 발행
2024년 1월 10일 제3판 1쇄 발행

지은이 김일호 · 박재연
펴낸이 진욱상
펴낸곳 (주)백산출판사
교 정 성인숙
본문디자인 신화정
표지디자인 오정은

등 록 2017년 5월 29일 제406-2017-000058호
주 소 경기도 파주시 회동길 370(백산빌딩 3층)
전 화 02-914-1621(代)
팩 스 031-955-9911
이메일 edit@ibaeksan.kr
홈페이지 www.ibaeksan.kr

ISBN 979-11-6567-754-1 13570
값 29,500원